2008.八.6.購於博客來網路書店.

楊健民

全套 NT-695

文學新象 093

埃及三部曲 I

謀殺金字塔

LE JUGE D'EGYPTE I: LA PYRAMIDE ASSASSINÉE

克里斯提昂・賈克◎著
顏湘如◎譯

高寶書版集團

文學新象 093

謀殺金字塔

LE JUGE D'EGYPTE I: LA PYRAMIDE ASSASSINÉE

作　　者：克里斯提昂・賈克（Christian Jacq）
譯　　者：顏湘如
總 編 輯：林秀禎
編　　輯：張天韻
出 版 者：英屬維京群島商高寶國際有限公司台灣分公司
Global Group Holdings, Ltd.
地　　址：台北市內湖區洲子街88號3樓
網　　址：gobooks.com.tw
電　　話：(02) 27992788
E-mail：readers@gobooks.com.tw（讀者服務部）
pr@gobooks.com.tw（公關諮詢部）
電　　傳：出版部（02）27990909　行銷部（02）27993088
郵政劃撥：19394552
戶　　名：英屬維京群島商高寶國際有限公司台灣分公司
香港總經銷：全力圖書有限公司
地　　址：香港新界葵涌打磚坪街58-76號和豐工業中心1樓8室
電　　話：(852) 2494-7282
傳　　真：(852) 2494-7609
發　　行：希代多媒體書版股份有限公司/Printed in Taiwan
出版日期：2007 年 12 月
版　　次：二版一刷

國家圖書館出版品預行編目資料

埃及三部曲. I, 謀殺金字塔/克里斯提昂・賈克(Christian Jacq)著；顏湘如譯 -- 二版. -- 臺北市：高寶國際出版：希代多媒體發行, 2007.12
面；　公分.—（文學新象；TN093）
譯自：La pyramide assassinée

ISBN 978-986-185-121-1(平裝)

876.57　　96020811

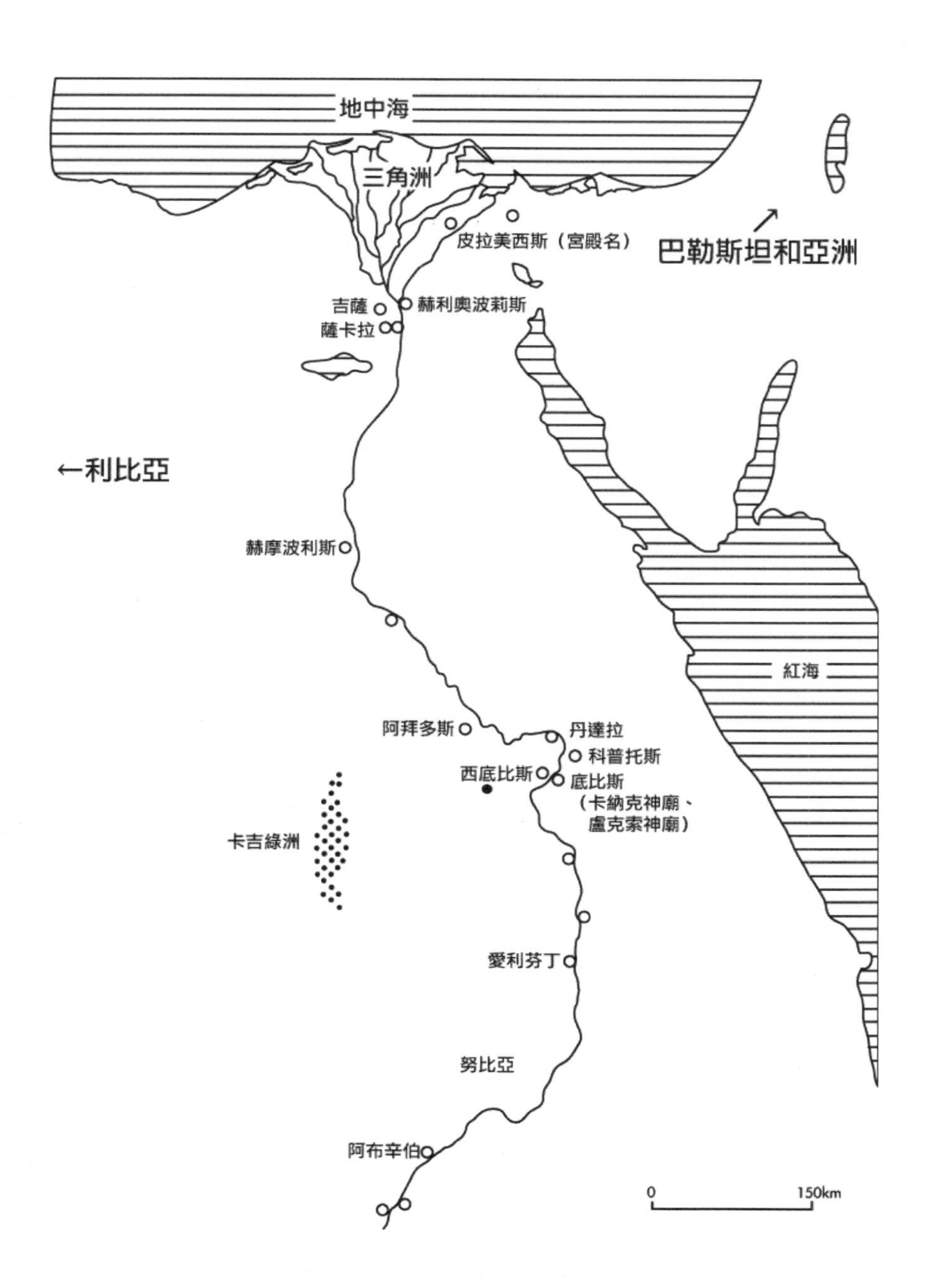
地中海
三角洲
皮拉美西斯（宮殿名）
巴勒斯坦和亞洲
吉薩
赫利奧波莉斯
薩卡拉
←利比亞
赫摩波利斯
紅海
阿拜多斯
丹達拉
科普托斯
西底比斯
底比斯
（卡納克神廟、
盧克索神廟）
卡吉綠洲
愛利芬丁
努比亞
阿布辛伯
0
150km

Ce roman se déroule à l'époque du pharaon Ramsès II(1279-1211), l'une des plus glorieuses de l'histoire de l'Égypte ancienne.Phare de la civilisation ,le pays dispose alors de richesses considérables et il voit s'édifier de magnifiques monuments,comme la grande salle à conlonnes de karnak ou le temple double d'Abou Simbel,en Nubie,illustrant l'union du pharaon et de la grande épouse royale Néfertari.

Tant spirituelle que matérielle,cette prospérite repose sur le respect de Maât, à la fois une déesse et un concept qui englobe l'éternelle harmonie de l'univers,l'exigence de justice pour le puissant comme pour le faible et la rectitude individuelle qui permet à chacun de traverser le fleuve de l'existence en tenant ferme gouvernail de sa proper vie.

"La lumière dans le ciel est mise en harmonie pour Pharaon,disent les Textes des Pyramides, Maât est ce qui apporté à Pharaon,elle est ce qu'il voit et ce qu'il entend."Et une inscription du temple de Kanais, datant de Séthi Ier,le père de Ramsès,précise:La force d'un pharaon, c'est la justice."

C'est cette dernière,précisément,qui constitue ,aux yeux des Égyptiens ,le bien le plus précieux sur lequel se bâtissent la cohérence et le bonheur d'une société, mais un bien fragile menacé par l'avidité, l'ambition et le mensonge d'individus ténébreux dont le seul but est est d'obtenir le pouvoir à n' importe quell prix.

Aussi cette trilogie romanesque est-elle consacrée à l'histoire d'un petit juge de province, loin d'imaginer que sa nomination à Memphis,la grande cité du Delta,le placerait au coeur d'une affaire d'Etat susceptible d'entrainer l' Égypte vers.

Refusant de céder aux pressions et de transinger avec son idéal,le jeune magistrat sera plongé dans une tourmente où il se battra sans faiblir avec l'aide d'un ami fidele et de la femme aimée ,un médecin aux dons exceptionneles.

À travers la fiction ,le lecteur découvrira le système judiciaire égyptien ,certains des secrets médicaux des pharaons et de multiples aspect d'une culture dont plusieurs aspects sont d'une surprenante modernité.

"Jamais le mal ne mènera son entreprise à bon port", affirme le sage Ptah-hotep; c'est animé de cette pensée que le juge d'Égypté, menacé par de redoutables adversaires, part à la recherché de la vérité.

Christian Jacq

〈克里斯提昂·賈克唯一致中文版讀者序〉

這部小說乃是以法老西斯二世時期為背景，這也是埃及歷史上最光輝燦爛的時期之一。埃及既為世界文明之燈塔，自然擁有極為可觀的資源，歷代以來更留下了許多偉大的建築，例如卡納克神廟的柱子大廳，或是位於努比亞，為了紀念法老與皇后奈菲爾塔莉的結合所建造的阿布辛伯雙重神廟，都是最佳例證。

埃及無論是精神上或物質上的蓬勃發展，皆源自於對瑪特的尊敬；瑪特不僅是女神，也是一個概念，這個概念闡述了宇宙永恆的和諧、不分貧賤富貴的司法正義，還有每個人必須秉持正直不變的原則，方能掌穩人生的舵槳渡過生命之河。金字塔文獻中寫道：「天上的光因法老而呈現和諧，而為法老帶來和諧的則是瑪特，祂是法老眼中所見、耳中所聞。」拉美西斯的父親塞提一世所建的卡奈神廟中，有一句銘文是這麼寫的：「司法正義是法老的力量。」事實上，在埃及人民的眼中，社會和諧民生樂利都建築在最寶貴的司法之上，然而這項為人民求福祉的制度也十分脆弱，因為總有一些人為達目的不擇手段，不惜以貪婪的欲望、野心與謊言而戕害司法。

《埃及三部曲》所描述的便是一個鄉下小法官的故事。他接受任命前往三角洲地區的大城孟斐斯，卻不料從此一步步走向一個欲將埃及推向險惡深淵的陰謀核心。

由於不願向強權低頭，也不願違背自己的理想，這名年輕的法官將捲入一場風暴之中，並在忠誠的友人與心愛的妻子——一名天賦異秉的醫生——的支持下奮戰不懈。

透過這部小說，讀者將了解埃及司法的運作、法老的某些醫療祕密，以及埃及文化的多種風貌，也想必會因其中部分風貌現代化的程度而咋舌吧。

「罪惡永遠無法獲得善終。」先哲普塔赫台如是說。書中的這名埃及法官也正是為了這個信念，而不畏強敵環伺，勇往直前追求真理。

楔子

一個沒有月亮的夜晚，黑幕籠罩著巨大的金字塔。沙漠中有一隻狐狸悄悄地潛進了貴族的墓穴，墓中安息的人，在冥間仍對法老王抱著無上的敬意。這個守衛森嚴、神奇宏偉的建築，只有拉美西斯大帝每年進入一次，祭拜他那不凡的先祖齊阿普斯；傳說齊阿普斯的木乃伊，置於金字塔最頂端的一副金棺內，陪葬的寶藏更是不可勝數。但是此間警衛如此嚴密，又有誰敢打這批寶藏的主意？除了在位的君主之外，沒有人能夠接近入口處的石檻，更遑論進到巨大金字塔內的迷宮了。負責守衛的精銳部隊，往往不發出警訊便拉弓射箭，任何粗心大意或過於好奇的入侵者，也就只有遭亂箭穿身的下場。

埃及在拉美西斯的統治下，富強康樂，國泰民安，國威四方遠揚。法老王便有如光明使者，深受朝臣景仰，萬民愛戴。

這時，有五名陰謀份子，一起從白天藏身的工寮走出來；他們已經將計劃重複演練不下百次，以免稍有差池而前功盡棄。一旦成功之後，他們遲早會主宰整個國家，在國史上留名。

他們穿著一襲粗亞麻布長袍，沿著吉薩高地而行，偶爾還會向高大的金字塔投以熱切的眼光。

想要攻擊守衛簡直是異想天開；不管在他們之前，有沒有人曾經動過寶藏的腦筋，至少到目前為止還沒有人成功過。

一個月前，龐大的司芬克斯剛從狂風所夾帶堆積的砂石中被清理出來。在這尊眼望天際的巨人四周，護衛警備鬆懈了不少，然而光是靠著它「活雕像」之名，以及它令人望之生畏的形象，就足以嚇阻有心褻瀆的人了。早在遠古時代以石灰岩鑿琢而成的獅身法老像，就能夠讓太陽升起，並識盡宇宙玄機。話說守衛是五名經驗豐富的戰士，其中兩名緊貼著外側圍牆，面向金字塔，正自酣睡著，什麼也看不到，什麼也聽不見。

最瘦長的一個入侵者攀上了圍牆，迅速且安靜地扼死了睡在石像右側的士兵，接著又殺死士兵左手邊的同伴。其餘的同夥立刻與他會合，但要殺死第三名衛兵，可就沒有那麼容易了。衛兵長就站在圖特摩西斯四世（※註1）的石碑前，這是法老為了感念司芬克斯幫助他登基，特地設在石像兩爪之間的紀念碑。士兵手握長矛，配備著短刀，隨時提高警覺。

說時遲，那時快，忽有一名潛入者脫去了長袍。只見她光著身子，向衛兵走去。

衛兵驚訝地盯著這名突然出現的女子看。她該不會就是經常在金字塔四周遊蕩、企圖奪走人的靈魂的夜魔吧？她漸漸靠近，臉上帶著微笑。衛兵驚嚇得立刻站起身來，揮動著長矛，手臂則不住地顫抖。忽然，對方停了下來。「走開，幽靈，走開！」

「我不會傷害你的，讓我好好愛撫你吧。」

衛兵長的眼光仍然緊盯著這個裸露的軀體不放，猶如暗夜中的一個白點。他彷彿被催眠一般，朝她走近。忽然，繩索霎時纏上了衛兵的頸子，他鬆開長矛，跪了下去，想叫卻發不出聲音，最後終於倒地。

「可以進去了。」

「我來準備油燈。」

五名陰謀者面對著紀念碑，雖然心中恐懼萬分，但仍互相打氣，絕不半途而廢。他們將石碑移開，注視著封死了的盆飾，那裡就是地獄之口，通往地底深處的所在。

「果然不只是傳說而已！」

「找找看有沒有入口。」

盆飾下方有一塊嵌著石環的石板，他們費了四人之力才掀起那塊石板。眼前出現了一條又窄、又低、又陡的通道，隱入深處。

「燈拿來，快點！」

他們將十分易燃的油，倒入幾個粗玄武岩（※註2）杯中。法老禁止人民使用或買賣這種油，因為油燃燒後的黑煙，會使得負責裝飾陰廟與墓穴的工匠感到不適，而且會把天花板和牆壁燻黑。哲人們更指出，野蠻人稱之為「石油」（※註3）的這種油，從岩石中滲出，帶有疫氣，是危險的有毒物質。但這些潛入者卻毫不在意。

他們彎低了腰，但腦袋還是不時撞到上方的石塊，一行人舉步維艱地沿著狹長坑道，往大金字塔的地下前進。沒有人說話；每個人心裡都想著那個不祥的傳說：凡是企圖盜竊齊阿普斯墓穴的人，都會被幽靈斷頸。而他們沒一個知道這條地道是否真的能通往目的地。外面流傳著一些偽造的地圖，意欲將一些心存僥倖的竊賊引入歧途；現在，他們手上這一張又是真的嗎？

他們撞到了一面牆，於是開始挖鑿，幸好石塊不厚，一鑿開便紛紛掉落。五人滑進了一間寬廣的石室，高三・五公尺，長十四公尺，寬八公尺，腳下是堅實的泥土地板。石室正中間，有一口井。

「下方石室……我們進到大金字塔內了！」

沒錯，他們成功了。

這條已遭人遺忘數個世代的通道（※註4），的確可以由司芬克斯通往齊阿普斯的巨大陵寢，而第一間墓室就在基層地底下三十來公尺處。這個石室猶如大地之母的子宮，最初的復活儀式便在此舉行。

現在，他們必須由井口進入這層層疊疊的石堆內部，繞過三塊阻擋去路的花崗岩，再回到原來的通道。其中最輕的一人，藉著岩石凹凹凸凸的表面，雙手攀附、雙腳踩牢地往上爬到了最頂端，將纏在腰上的繩索向下拋。由於空氣稀薄，有一人還差點昏倒，同伴們將他拖到大廳，他才喘過氣來。

大廳雄渾的氣勢讓這些人目眩神迷，是哪個大師竟然如此瘋狂，建造了由七層石壁組成的機關？這個大廳長四十七公尺，高八·五公尺，無論是大小或其位於金字塔核心的位置，都是數百年來僅見的傑作。

其中一名盜墓者忽然心生畏懼想要放棄；但這次行動的主使者立刻用力推了他一下，強迫他前進。眼看就要大功告成，此時放棄豈非愚蠢？現在他們應該為地圖正確無誤感到慶幸。但是還有一個疑問，那就是大廳上端和通往國王陵寢「王之室」的通道口之間，石閘門是否已經放下？如果是的話，那他們將無法繞過這層障礙，最後終將空手而返。

「通道暢通無阻。」

準備用來容納巨大石塊的洞穴中，空無一物，有點危險的味道。那五人弓著身進入了王棺的所在，上方頂著九塊重逾四百公噸的花崗岩。這個庇護著帝國心臟的廳室高約六公尺，銀白的地板使得整個空間顯得格外純潔，而法老王的石棺就靜靜地躺在那兒。

這會兒，他們反倒遲疑了起來。

直到目前為止，他們就像一群探訪陌生國度的探險家。雖然他們已經犯下了三項罪行，將來可能必須接受審判，然而他們準備向暴君追討原本屬於人民的財物，又何嘗不是為了國家人民的福祉呢？如果他們打開棺木，掠奪了這些寶物，就等於破壞了永恆：這不僅是屬於木乃伊的永恆，更是存在於木乃伊光明之軀中的神祇的永恆。他們將從此斷絕與千年文明的最後一絲牽連，重新建立一個拉美西斯絕不可能接受的新王國。

這麼一想，雖然覺得心安理得，但同時也閃過一絲想逃的念頭。風從金字塔南北兩側挖空的渠道吹進來，彷佛有一股氣自石板地面升起，讓人感受到一種無名的壓力。

法老便是如此重生的：吸取衍生自石頭與金字塔結構的能量。

「沒有時間了。」

「走吧。」

「不行。」

先有兩個人向石棺靠近，然後是第三個，接著最後的兩個也靠了過去。他們一起將棺蓋抬起，放到地板上。只見金光閃閃的木乃伊……覆滿金、銀、天青石的木乃伊，光耀莊嚴，使得來人不敢逼視。主使者率先粗暴地扯下了金面具，其餘同黨則奪下了置於心口上的金聖甲蟲像、金鍊與天青石製成的護身符，以及神鐵製的橫口斧鑿，這是為冥世開口與開眼用的一種木工鑿子。然而，當他們見到金手肘——一部代表著只有法老能夠執行的永恆律法，和一個鳩尾榫形狀的小匣時，剛才所見的那些寶物頓時都不值一顧了。

匣中裝的是眾神的遺囑。根據遺囑內容，法老繼承了埃及的統治權，並有責任維持埃及的繁榮安樂。當他慶祝在位五十年的當天，必須向朝臣與人民公開這份遺囑，以證明其王權繼承的合法性。若無法提出證明，那麼他遲早都得讓位。

埃及即將面臨災難與不幸。這五名潛入者掠奪了金字塔聖地的同時，也擾亂了主要的能源中心，使得一切生命的源頭——無形的護衛靈——無法釋出。

盜墓者盜走了一箱神鐵條，這種罕見的金屬和金子一樣貴重，這將能使他們的陰謀計劃更臻完美。不久，外省將漸漸傳出一些不合公理的情形，其中更有一些對法老不利的謠傳，將造成埃及毀滅性的衝擊。

現在，他們只需走出大金字塔，將戰利品藏好，然後開始佈網。分手前，他們發了誓，凡是擋了他們路的人，一律殺無赦。要想奪得權力，本來就須付出如此代價的。

※註1：圖特摩西斯四世，1412-1402，一次沙漠狩獵後，在司芬克斯的腳下睡了一覺。夢中，司芬克斯對他說：只要他清除自己四周的積沙，他便能成為國王。後來圖特摩西斯果真照做，司芬克斯也遵守了諾言。

※註2：一種堅硬異常的石頭，埃及人卻能巧妙地加以加工，而不會碎裂。

※註3：埃及人雖然知道石油，卻使用得不多。

※註4：這條通道的存在只是個假設，至今仍未有任何探究挖掘的行動。

第一章

行醫多年之後，布拉尼終於能在位於孟斐斯的家中，安享退休後的寧靜生活了。

這個老醫生身材結實健壯，肩寬胸闊，有一頭漂亮的銀髮，嚴肅的臉上隱約透著慈祥和認真盡責的神情。無論達官貴人或市井小民，都能感受到他自然流露出的高貴氣質，似乎從來還沒有人對他不敬過。

布拉尼的父親是一名假髮製造商，但他離家學藝，後來成了雕塑家兼畫家。有一名為法老做事的工匠請他到卡納克神廟幫忙。在一次為工人舉辦的宴會上，有一個石匠忽然身體不適；布拉尼出於本能地為他施行催眠，把他從死亡邊緣救了回來。神廟的醫療處當然注意到了布拉尼寶貴的天賦，他也因此有了與名醫接觸的機會，後來還自己開了診所。雖然宮中召喚多次，他卻絲毫不為所動，一生只為了救人而行醫。

不過，他之所以離開北部大城，前往底比斯地區的小村落，卻與他的職業無關。他還有另外一項艱難的任務，雖然成功的機會微乎其微，但只要有一線希望，他就不會輕言放棄。

當布拉尼經過灌木叢時，他讓轎夫停下轎椅。空氣和陽光又柔又暖；他發現村民正在聆聽著流暢的笛聲。剛剛灌溉過的耕地上，有一位老者和兩名年輕人，正用鋤頭敲著土塊；見到此景，他想起了漲水過後，豬群和羊群在溼軟泥中播種的季節。大自然所給予埃及無可計量的財富，都在人民的勞動下細細珍藏著；在這片受眾神保佑的平野上，永恆的幸福日復一日泉湧不息著。

一間土屋前，有個男人蹲在地上擠牛奶，在一旁幫忙的小男孩，則把牛奶倒進甕中。

布拉尼激動地回想起自己放養過的牛群，他幫牠們都取了名字，能擁有一頭母牛真是莫大的福氣，因為牛是美麗與溫柔的化身。對埃及人而言，再也沒有任何動物比牛更有魅力了；牠大大的耳朵聽得見女神哈朵爾庇護下群星的音樂。牧牛人經常這麼唱著：「多美好的一天！老天眷顧我，我的活兒甜如蜜。」（※註1）當然了，田野間的監工偶爾也會提醒牧牛人，快點驅趕牲畜，別老是閒晃。通常，牛群會選擇自己想走的路，腳步也總是不疾不徐。老醫生幾乎已經遺忘了這些簡單的景象，這種平靜的生活，和這種單調的從容。在這裡，人只不過是連串畫面中的一部分罷了；一個世紀的動作重複過一個世紀，漲水退潮，世世代代循環不輟。

突然，一個強而有力的聲音打破了村莊的寧靜。

原來是檢察官正在叫喚民眾上法庭，而負責維護秩序與安全的訴訟官，則緊緊地抓住一個大聲喊冤的婦人。

法庭就設在一棵無花果樹下；法官帕札爾才二十一歲，但已受到村中長輩的信任與託付。通常，法官的人選由當地顯要選定，此人必須是經驗豐富的成年人，若是有錢人，則必須有能力對財產權負責，不然也須是個對個人行為有擔當的人；因為法官一旦犯了罪，刑罰要比殺人犯還重；這是為了使他們執法公允，而不得不如此規範。

帕札爾並沒有選擇的餘地；由於他剛毅廉正的個性，村落長老會議上，一致通過由他接任。儘管他非常年輕，但是對每個案件，他都能盡心盡力地研究，因此尚稱勝任愉快。

帕札爾身材高大，身形略瘦，有著褐色的頭髮，前額又寬又高，綠色的眼珠炯炯有神，嚴肅認真的態度尤其令人印象深刻；無論是憤怒、淚水或金錢都動搖不了他。他專心聆聽、仔細觀察、尋找真相，總是經過耐心的調查後，才會說出自己的想法。村裡的人，偶爾會因他的一絲不苟而感訝異，但還是慶幸他這種樂於追求真理，並能排解紛爭的能力。很多人怕他，因為他從不接受和解，而且審判極嚴；但從沒有人質疑過他的判決。

帕札爾的兩側坐了八名陪審員：有村長、村長夫人、兩名農夫、兩名藝匠、一個寡婦和一名灌溉工人。每位陪審員都已經年過五十了。

法官開庭之前，先敬拜了女神瑪特（※註2），她所象徵的律法正是人類司法理應盡力遵循的準則。接著他開始宣讀起訴狀，被告便是被訴訟官押著面向法庭的那個婦人。她的一個朋友告她偷了她丈夫的鐮子。帕札爾要原告將控告原由大聲重複一遍，然後要求被告辯解。原告冷靜地陳述，而被告則激烈地辯駁。根據法令規定，法官與訴訟案件的直接關係人之間，完全不需要律師。

帕札爾命令被告冷靜。原告表示，她對執法機關的疏忽感到驚訝；她早在一個月前便將事實向帕札爾的助理書記官報告了，卻一直沒有接到法庭的傳喚，她只好提出第二次告訴。這樣一來，小偷就有充分的時間湮滅證據了。

「有目擊者嗎？」

「我看到了。」原告回答道。

「鐮子藏在哪裡？」

「在被告家裡。」

被告再度否認，她激動的神情看在陪審員的眼裡，她顯然是清白的。

「我們馬上去搜查。」帕札爾堅持道。

法官還必須身兼調查員，親自前往犯罪現場，證實證人的說詞與犯罪行跡。

「妳沒有權利進我家！」被告大喊。

「妳認罪嗎？」帕札爾問。

「不！我是清白的。」

「在法庭上公然撒謊是很嚴重的過錯。」

「說謊的人是她。」被告激動地說。

「這樣的話，她就會受到嚴厲的懲罰。妳確定嗎？」帕札爾直視著原告的雙眼問道。

她點了點頭。

於是法庭在訴訟官的引導下，轉移了地點。法官親自進行搜查。他在地窖裡找到了贓物，鏟子用布包了起來，藏在幾個油罐後面。罪犯癱倒在地。陪審員依法判她要賠償失主雙倍的損失，也就是兩把新鏟子。同時，宣誓之後竟仍說謊者，可判處終生苦役，若涉及殺人案件，甚至可判死刑。這名竊婦將必須為當地的神廟做幾年勞役而不得求取報償。

而就在陪審員們解散前，帕札爾卻語出驚人地宣判：助理書記官延宕辦案程序，罰杖打五大板。據先賢的說法，每個人的耳朵都是長在背上，所以他會聽見棍杖的聲音，以後就會更加謹慎了。

「法官大人願意審理我的案子嗎？」

帕札爾困惑地轉過身來。這個聲音……可能嗎？

「是你！」

布拉尼和帕札爾互相擁抱了一下。

「你竟然會到村子裡來！」

「落葉歸根嘛。」

「走，我們到無花果樹下去。」

他們兩人坐到大樹下的矮凳子上，這是村中那些有錢人擺在這兒乘涼用的。

「還記得嗎，帕札爾？你雙親死後，我就是在這裡揭露了你的神祕姓名的。帕札爾：能預知未來的先知……長老會議將這個名字賜給你，的確沒有錯。這不正是一個法官所最需要的嗎？」

布拉尼說道。

「嗯，我行了割禮，村裡的人給了我第一條纏腰布，我把玩具都丟了，還吃著烤鴨，喝著紅酒。好熱鬧的慶祝會呀！」

「好快，轉眼你就變成大人了。」

「太快了嗎？」帕札爾問。

「當然，每個人步調不同。你嘛，在成熟穩重的外表之外，還保有一顆赤子之心。」

「多虧了你的教導了。」

「不，是你自己造就出來的。」

「是你教我讀書識字，讓我接觸了法律，使我努力鑽研。沒有你，我現在可能只是個以愛心耕耘的農夫。」帕札爾感激地說。

「你不適合當農夫；一個國家是否偉大與安樂，和法官的素質有絕對的關係。」

「當一個正義使者……必須每天不停地戰鬥。又有誰敢說自己永遠不會輸呢？」

「你有這個意願，這才是最重要的。」布拉尼肯定看著帕札爾說道。

「這個村落是個安寧的避風港；這份不討好的差事可以說根本沒有什麼發揮。」

「咦，你不是被任命為穀倉的管理員嗎？」

「村長希望我能當上王田的總管，以免收割時節產生糾紛。這份工作我一點也沒興趣，希望到時不會成功。」

「一定不會成的。」

「為什麼？」

「因為你有另一條路要走。」

「我不懂。」

「他們派了一項任務給我，帕札爾。」

「法院？」

「孟斐斯法庭。」

「是我犯了錯嗎？」

「恰好相反。兩年以來，地方法官視察員對你的表現，一直有很好的評語。他們現在要派你到吉薩省，接替一位去世的法官之職。」

「吉薩？好遠啊！」

「搭船要幾天的時間。你就住在孟斐斯。」

吉薩，一個最負盛名的地方；吉薩，齊阿普斯大金字塔所在，決定國家安和樂利的神祕能源中心，這裡在位的法老能夠進入的地方。

「我在這個村子過得很快樂；這是我出生、成長、工作的地方。離開這裡，對我的考驗太大了。」

「我極力推薦你出任，因為我相信埃及需要你。你不是一個自私的人。」

「難道沒有轉圜的餘地了嗎？」

「你可以拒絕。」

「我要考慮一下。」

「人的軀體比一個穀倉還要寬闊，軀體內充滿了無數的答案。帕札爾，記得要選擇正確的，讓錯誤的答案永遠幽禁在裡面。」

帕札爾往河岸的方向走去；此時此刻，他的生活十分美滿，他根本不想放棄平日的作息習慣和平靜快樂的生活，根本不想離開底比斯鄉間，迷失在大城市裡。但是他又該如何拒絕布拉尼，那個他所最崇敬的人呢？他曾經發過誓，只要布拉尼一句話，不管在什麼情況下，他都會全力以赴的。

河岸邊上有一隻大聖䴉鳥，正以莊嚴的姿態飛過，接著，那隻神奇的鳥停了下來，將長長的鳥嘴插入淤泥中，雙眼則注視著一旁的法官。

「托特化身的動物選擇了你，你別無選擇。」牧羊人貝比躺在蘆葦叢中，以沙啞刺耳的聲音說道。

貝比已經七十歲，一向慣於咕咕噥噥，卻又不喜歡受束縛。能夠單獨和牲畜們在一起，對他而言就是至高無上的幸福了。他不願聽從任何的命令，因此每當稅務人員像一群麻雀似的突然出現在村子裡時，他便會靈巧地拄著多節的棍杖，躲進草叢裡去。帕札爾也不再傳喚他出庭了。這個老人家絕不許任何人虐待牲畜，每每遇到這種情形，他就會教訓那個施虐的人，因此法官便視他為義務警察。

「你仔細看看那隻白䴉鳥。」貝比堅持地說：「牠一步的距離剛好是手肘的長度，也正代表了正義。但願你的步伐也能和托特化身的鳥一樣，又正又直。你會離開的，對吧？」

「你怎麼知道？」

「因為白䴉鳥總是飛向遙遠的天邊，而牠又選定了你。」

老人站起身來。風吹日曬後的皮膚，已經變成棕褐色，他身上只有一條燈心草織成的纏腰布。

「布拉尼是我所認識唯一一個正直善良的人，他不會騙你，也不會害你。你到了城裡，要小心那些官員、朝臣和諂媚的小人，他們光靠那張嘴就能殺死人了。」

「我不想離開這個村子。」

「那我呢？難道我就想到處去找偷吃稻作的山羊嗎？」

貝比說完便消失在蘆葦叢中。

鳥兒隨即也飛走了。大大的翅膀鼓動著只有牠才知曉的節奏，逕往北方飛去。

布拉尼從帕札爾的眼中看到了答案。

「下個月初就到孟斐斯，就任前先住在我那兒吧。」

「你要走了？」

「我退休了，但還有幾個病人需要我照顧，不然我也很想留下來。」

轎子消失在塵土飛揚的道路那端。

村長把帕札爾請了去。

「我們有一件棘手的案子要審理，有三戶人家在爭一棵棕櫚樹的所有權。」

「我知道，這件案子已經纏訟三代了，還是交給我下一任法官吧，如果他解決不了，那就等我回來再處理吧。」

「你要走了？」

「上級要把我調到孟斐斯。」

「那棕櫚樹怎麼辦？」

「就讓它繼續長吧。」

※註1：這首歌和牛的名字都刻在前朝的墓碑浮雕上。

※註2：瑪特由一名端坐的女子代表，頭上還插著鴕鳥羽毛；她象徵了絕對的和諧。

第二章

地上插了兩根樹枝，架著一個白皮旅行袋，帕札爾正在查看皮帶牢靠否，袋子裝滿後他就可以背在背後，把大皮帶斜掛在胸前固定。

該放些什麼呢？還不就是一塊纏腰布、一件外衣，和一張蓆子，一張可以當作床、桌子、地毯、掛幔、門簾，甚至裹屍用的蓆子。至於由兩張羊皮縫合而成的羊皮水袋，則可以保持水的清涼達數小時。

旅行袋才一打開，就有一隻沙土色的狗跑來嗅個不停。牠叫「勇士」，今年三歲，是隻獵犬和野狗的混血狗。腿長、臉短、低垂的雙耳偶爾還會無聲無息地豎起，外加尾巴捲曲，對主人忠心不二。牠喜歡外出遠遊，但不善狩獵，尤其喜歡吃烹煮過的食物。

「勇士，我們走了。」

狗兒焦慮地望著袋子。

「先走路，再搭船，我們要去孟斐斯。」

狗兒坐了下來，牠覺得主人有壞消息宣佈。

「貝比幫你準備了一個項圈。他把皮拉得很柔很軟，我保證一定很舒服的。」

勇士好像不怎麼相信。可是牠還是戴上了那個附著釘子的項圈。如果有其他的狗或野獸想攻擊牠的喉頭，這個項圈就能有效地保護牠了；帕札爾還親自用象形文字刻上：「勇士，帕札爾的伙伴。」

帕札爾拿出新鮮的蔬菜餵牠，牠一陣狼吞虎嚥之際，仍不忘用眼角餘光盯著主人看。牠感覺得出來，現在不是消遣玩樂的時候。

村民在村長的帶領下向法官道別，有些人還哭了。大家祝他一路順風，並送給他兩個護身符，一個畫了一艘船，另一個則畫了健壯的雙腿，只要旅人每天早上向上天禱告，那麼護身符就會發揮功效，保佑他平安。

帕札爾還有皮鞋要拿，但不是用來穿的，只是要拿在手上。他和其他人一樣赤腳走路，等到洗去身上僕僕風塵、進入屋中時，才會用得上這雙寶貴的鞋子。他試了試第一和第二隻腳趾間的皮帶和鞋底的韌度，滿意之後，這才頭也不回地離開村子了。

就在他走上尼羅河畔山丘上蜿蜒狹窄的小路時，忽然有個溼溼熱熱的東西碰觸他的右手。

「北風！你又開溜了……看樣子我得把你帶回去。」

這隻名叫「北風」的驢子卻不以為然；牠伸出右腿表示打招呼，帕札爾見狀也立即伸手握住（※註1）。北風曾經因為咬斷拴住牠的繩子而遭農夫棒毆，多虧了法官帕札爾相救。牠性喜獨立，並且能負重擔。

北風決定四十歲前，都還要繼續背負百來公斤的袋子，因為牠知道自己的身價絕不下於一隻上好的母牛或一副高級棺木。帕札爾給了牠一塊草地，只有牠才能在那兒吃草；牠感激之餘，便大量施肥以為回報。北風的方向感好得不得了，在迷宮似的鄉間小徑上從來不會迷路，而且常常獨自從某處負送食物到另一處。行止有節、性情沉穩的牠，往往只有在主人身邊，才能睡得安穩。

北風這個名字的由來，是因為牠打從一出生，每當微風自北方緩緩吹來，消散暑氣時，牠總會豎直了耳朵。

「我要到很遠的地方去。」帕札爾說著：「你不會喜歡孟斐斯的。」

狗兒撫摩著驢子的右前蹄，北風明白了勇士的意思，便側轉過身，想要背起旅行袋。帕札爾則輕輕地拉著驢子的左耳。

「唉，到底是誰比較頑固啊？」

帕札爾不再堅持，北風於是馱起了行李，驕傲地走在前頭，並且毫不猶豫地便走上了前往碼頭的捷徑。

在拉美西斯大帝統治下，旅人可以隨意來往小徑大道，可以隨意找個棕櫚樹蔭坐下聊天，拿羊皮袋到井欄裝水，甚至安心地在田邊或尼羅河畔過夜，隨著日出而行、日落而息。沿途他們會遇見法老的使者或郵遞員；有需要的話，他們還可以求助於巡邏警員。那個常常傳出驚叫聲的年代，那個只要一搬家，無論貧富都會遭盜匪攔路搶劫的年代已經很遙遠了；拉美西斯竭力維護社會秩序，因為秩序一亂，什麼幸福安樂都是空談（※註2）。

北風踩著堅定的腳步，往逐漸沒入河水中的陡坡走去，彷彿已經事先知道主人打算搭船前往孟斐斯了。帕札爾帶著狗和驢上了船，拿一塊布付了船資。待兩隻動物睡著，他一人靜靜注視著四周。詩人們總愛把埃及比喻成一艘巨大的船，連綿的山脈就是高高的船舷，山崗和岩壁拔起數百公尺，好像保護著田地一般。深深淺淺的山谷所切割開的高原，錯落在黝黑、肥沃、豐饒的土地，和遊蕩著危險勢力的紅土沙漠之間。

帕札爾忽然想掉頭回去算了。這趟邁向未知的旅程，讓他坐立不安，對自己的未來完全失去了信心；他，一個地方上的小法官，內心所失去的寧靜，是任何升遷都無法彌補的。也只有布拉尼能說服他答應；然而他為自己所安排的未來，卻可能不是自己所能掌握的。

孟斐斯，埃及第一大城兼行政首都，由統一埃及的美尼斯（※註3）創建。南方的底比斯遵循著祭拜阿蒙神的傳統，而位於北方上下埃及交界處的孟斐斯，卻接受了亞洲與地中海文明的洗禮。

法官、驢子和狗在佩魯納弗港口下船，只見數百艘大大小小的商船，靠在繁榮熱鬧的碼頭邊；船工把貨物運往倉庫，由於前朝挖鑿出了一條與尼羅河平行、沿著金字塔高地而行的運河。現在，有了這條運河，小船便可安全地航行，同時確保食物與日常用品全年無缺。帕札爾注意到了，運河河壁石塊的砌合非常標準而堅固。

他帶著兩隻動物前往布拉尼居住的北區，經過市中心時，欣賞到了著名的手工藝匠守護神普塔赫神廟，然後沿著軍事區走。該區除了製造武器和戰船外，也是訓練埃及精銳部隊的地方，營房四周還有個滿是戰車、劍、長矛和盾牌的軍械庫。

北邊和南邊一樣，成排的穀倉，堆滿了各式各樣的穀類，一旁鄰接著的則是收藏金、銀、銅、布料、香脂等物品的國庫。

孟斐斯實在太大了，讓這個鄉下青年一下眼花撩亂，不迷路還真是難。勇士似乎有點膽怯，不敢離開主人一步，而北風則還是一路往前走。帕札爾向一名織布女工問路後，發現驢子並沒有帶錯路。他還發現平民百姓的小房子間，也交雜著貴族們豪華的花園別墅；高高的柱廊前有門房看守，後方花徑交織，花園深處則座落了幾棟兩三層樓的住家。

布拉尼的住處終於到了！房子好美，白色的牆配上裝飾門楣的紅罌粟花環，以及窗邊的綠萼矢車菊和酪梨樹（※註4）的黃花，佈置得十分雅致。門邊的小徑上有兩棵棕櫚樹，樹蔭剛好披覆著小屋的陽台。當然了，村子確實遠在天邊，但是老醫生卻在大城市裡，保存了鄉村的風味。

布拉尼不知何時已站在門口了。

「還順利嗎？」

「驢子和狗都渴了。」

「牠們讓我來照顧就好；這裡有個水盆讓你洗洗腳，還有灑了鹽的麵包，歡迎你的到來。」

帕札爾走下樓梯，進到第一個房間，映入眼簾的是一個供奉著祖先小雕像的壁龕，靠牆處有幾個櫥櫃，地板上鋪了幾張蓆子。一間工作室、一間浴室、一個廚房、兩間房間和一個地下室，組成了這個溫暖舒適的家。

布拉尼請客人到屋頂的陽台，他準備了一些飲料和點心。

「我有種失落感。」

「這是正常的。好好吃頓飯、睡個覺，明天就可以參加授職儀式了。」

「明天？」

「檔案堆積太久了。」

「我還想適應一下孟斐斯。」帕札爾接道。

「調查工作一旦開始，你不適應都不行。趁你還沒有上任，先送你一個禮物吧。」

布拉尼送給帕札爾一本書記官讀本，書中詳述了在不同場合、面對不同品級的對象時，該如何應對進退。最高等級的是神、女神、另一世的神靈、法老和女王；然後是皇太后、首相、哲人院、大法官、軍中首長與書庫書記官。接下來則是國庫長、法老派駐外國的使節，最後是運河工作人員。

布拉尼說：「性情粗暴的人，只會製造事端，長舌的人也一樣；如果你想要成為強人，就必須懂得說話的藝術，要善於修飾言詞，因為只要會操控言語，那就是你最大的利器。」

「我想念我的村子。」

「你會想念一輩子的。」

「當初為什麼叫我到這裡來？」

「你的命運是由你自己的行為決定的。」

帕札爾睡得不長，也睡不好，狗兒趴在他的腳邊，驢子則睡在床頭。事情的發展實在太快了，他根本沒有時間鎮靜下來。就像隨著一陣旋風狂舞，完全失去了平日的定位與方向，如今也只有勉為其難地隨風飄進那充滿變數的未來了。

天一亮他就起身，沖了個澡，用天然含水蘇打（※註5）漱了口，跟布拉尼用過早餐後，布拉尼幫他請來了一位城裡數一數二的理髮師傅。師傅用水沾濕他的臉，抹上濃稠的泡沫之後，從皮匣裡拿出一把銅片和木柄組合成的刮鬍刀，熟練俐落地揮動了起來。

帕札爾穿上新的纏腰布和一件半透明的寬大襯衫，灑上香水，似乎已經做好接受考驗的準備了。

「我覺得好像經過偽裝了一樣。」他向布拉尼坦承。

「外表並不代表什麼，但也不能忽視；你要懂得掌穩舵，別讓時間的洪流把你載離了公理正義，因為一個國家的安定就全靠公理正義的伸張了。孩子，記得千萬要扮演好你的角色。」

※註1：這幅景象是根據一幅浮雕畫像而來的。天神塞托主管暴風雨和宇宙的力量，他的動物化身驢子在古代埃及，是人類的特別助手。

※註2：古代的埃及人時常出外旅行，最常取道於天然路線尼羅河，但也會行經鄉間的道路和沙漠小徑。法老必須確保旅人的安全。

※註3：美尼斯是第一個統一上埃及與下埃及的法老。他的名字代表了「某某」與「穩定」之意。

※註4：高大的樹木，以甜美的果實著稱；果實呈心形，葉子則狀似舌頭。

※註5：天然含水蘇打是碳酸石灰和碳酸氫鈉的天然化合物。

第三章

帕札爾跟著布拉尼走在普塔赫區，就在白牆圍起的舊城堡南側把驢子和狗安置好，卻不知道自己該如何安身。

法院附近建了幾棟行政大樓，入口處有幾名士兵看守著。老醫生向其中一個士兵說明來意；對方聽了之後，消失了一會兒，回來的時候身旁多了一位代表首相的大法官。

「很高興又見到你了，布拉尼。這就是你極力推薦的人囉？」

「帕札爾非常興奮。」

「以他這個年紀說來，這樣的反應可以理解。但他是不是已經準備好可以執行新職務了？」

帕札爾對這位大人物諷刺的語氣感到十分震驚，因而冷冷地說道：「你不相信我？」

大法官皺了皺眉頭。

「我要帶他走了，布拉尼，授職儀式也該開始了。」

老醫生熱切的眼神，為這個還有點缺乏信心的後輩，鼓起了不少勇氣；無論前程多麼艱難，他一定不辜負他的期望。

帕札爾被引進一間長方形的小房間，大法官請他面對評審團坐下，評審員分別是大法官本人、孟斐斯省長、勞工處代表和一名侍奉普塔赫神的代表。他們全都戴著厚重的假髮，腰間的布條也纏得鼓鼓的，個個神情嚴肅，面無表情。

「你現在所在的是『評估差異』（※註1）之處，」首相代表說道：「在這裡，你將成為與眾不同的人，要肩負起審判他人的責任。你也和吉薩省的法官一樣，必須指揮調查工作，主持轄區內地方法庭的審判，若有無法解決的案件，便呈交給上級。你願意擔任這項工作嗎？」

「我願意。」

「你可知道一旦答應之後，就不能反悔了？」

「我知道。」

「請各位評審根據律法來評判這未來的法官吧。」

省長隨即用莊嚴的口吻問道：「你的法庭會挑選哪些陪審員？」

「法律學者、手工藝匠、警察、經驗豐富的男人、受人敬重的婦人、寡婦。」

「那麼，你打算如何介入他們的審議過程？」

「我並無此打算。每個人都能盡情地抒發己見，我會尊重每一個意見，最後才做出判決。」

「在任何情況下都如此？」省長不禁懷疑問道。

「只有一個情形例外，也就是當有陪審員受賄的時候，我會立刻中斷商議，依法審判他。」

「遇到犯罪事件，你應該如何因應？」

帕札爾立刻回說：「先做初步調查，建立檔案，然後遞交首相辦公室。」

侍奉普塔赫神的代表將右手臂交叉在胸前，並握起拳頭輕輕放在肩上。「陰間審判之際，一切的行為都會列入考慮，而你的心也將被置於天秤台上，面對人間律法的考驗。你要人民遵守的法律，是以什麼形式傳達的呢？」

「全國有四十二個省，也有四十二卷法條，然而法律的精神並未記錄下來，也不應該記錄下來。真相只能以口頭的方式傳達，師長口述，弟子傾聽。」

侍奉神的代表面露微笑，但首相代表卻仍不滿意。「哦？那麼你如何定義律法的？」

「麵包和啤酒。」

「你能解釋一下嗎？」

「也就是每個人所需要的正義，無論老少。」

「為什麼以鴕鳥羽毛來象徵律法？」

「因為鴕鳥是人世與神界的引渡使者，律法有如生命的氣息，應該長存人鼻之中，以驅走身心的災厄。如果沒有了正義公理，麥子不會再長，亂民將會掌權，民間也再不會有佳節喜慶了。」

省長站了起來，在帕札爾面前放了一塊石灰岩。「把你的手放在這塊白色石頭上。」

帕札爾照做了。他沒有顫抖。

「這塊石頭將為你的宣誓作見證；它會永遠記得你說過的話，若是你背叛了律法，它也將告發你的罪行。」

省長和勞工處代表分別站到帕札爾的兩側。

「請起立。」首相代表命令道。「這是你的印戒。」他一面說，一面把鑲著一個長方金片的戒指，套到帕札爾的右手中指上。金片上刻著：帕札爾法官。「蓋了你章的文件都是官方的正式文件，你必須要全權負責，所以要謹慎使用。」

* * *

法官的辦公室位於孟斐斯南邊郊區，尼羅河和西運河中間，哈朵爾神廟南側。這個鄉下來的年輕人原以為會有一間豪華大住宅，不料卻徹底失望了。他分配到的只是一間兩層樓的小房子。

執勤衛兵正坐在門檻上打盹。帕札爾拍了拍他的肩膀，他嚇得跳起來。

「我想進去。」

「辦公室關了。」

「我是法官。」

「不會吧……他已經死了。」

「我是接任的帕札爾。」

「喔，是你呀……書記官亞洛跟我說過，你有證件嗎？」

帕札爾讓他看了印戒。

「在你到任之前，我負責看守這個地方，現在任務結束了。」

「我什麼時候可以見到書記官？」

「我不知道，他應該正在解決一個麻煩的問題。」

「什麼問題？」

「木柴。這裡的冬天很冷。去年國庫拒絕分配木柴給辦公室，因為沒有填好三份申請書。亞洛就是到檔案管理處去補辦手續了。祝你勝任愉快，帕札爾法官，在孟斐斯，你是絕對不會無聊的。」

帕札爾慢慢打開新辦公室的門。裡面相當寬敞，堆放著捆紮起來或蓋過章的紙捲。地上鋪了一層塵土。面對這混亂景象，帕札爾也顧不得他尊貴的身分，當下便拿起掃帚打掃起來。

清掃過後，帕札爾翻了一下檔案的內容：有地籍與稅務資料、各類報告、訴狀、帳單……他要管理的事項還真繁雜。

最大的櫥櫃裡放了謄寫的工具：挖了洞用以盛裝墨水的文具台、墨塊、小碟、粉狀顏料袋、毛筆袋、刮字刀、樹膠、磨石、細短的亞麻繩、混合用的龜甲、一隻以黏土塑成、用來代表埃及象形文字始祖托特神的狒狒，每一樣都是上等質地。

木箱中有一樣最珍貴的東西：水鐘。那是一個圓錐台形的小容器，裡面有兩組不同的刻度，

共十二個刻痕；水從容器底部的洞滴落，用以計時。書記官大概覺得工作時有必要兼顧時效吧。

帕札爾拿了一根用燈心草桿修剪成的筆，將筆端插入裝滿了水的小碟子裡，然後滴一滴水在文具台上備用。他口中喃喃念著所有書記官下筆前都要念的禱詞：「為你的護衛靈滴一滴墨水，因赫台。」藉此表達對金字塔創建者兼建築師、醫生、天文學家與象形文字大師因赫台的敬意。

帕札爾接著上到二樓。宿舍已經廢置了很久；由於帕札爾前任的法官寧願去住在市區邊緣的小屋，因此忽略了這三間房間，現在則早成了跳蚤、蒼蠅、老鼠和蜘蛛的窩了。

帕札爾並不氣餒，這種陣仗對他來說只是小意思。在鄉下的時候，他也常常要做這種驅除家中鼠蟻蚊蟲的工作呢。

他先在牆壁和地面潑上融了蘇打的水，再灑上碳粉和旋覆花（※註2）的混合物，這種混合物會散發一種強烈的香氣可以防蟲蟻。最後他又混合了乳香、沒藥、樟精（※註3）、蜂蜜，以煙燻法消毒環境，還能保持氣味清香宜人。為了買這些昂貴的產品，只好先預支了下個月大半的薪水。

一切就緒後，他累得攤開蓆子便躺了下去。可是他總覺得不舒服，無法入睡，沒錯，是那個印戒。拔不下來了。牧人貝比說得沒錯，他是別無選擇了。

※註1：這是「死者之書」中的用詞，表示區別正義與不公。

※註2：土木香的品種之一。

※註3：一種芳香的植物，有些品種可以做桂皮，這裡指的是香料。

第四章

當書記官亞洛來到辦公室時，太陽已經高掛在半空中了。他身形矮胖、面頰豐滿、臉色紅潤，頂著個酒糟鼻，手上握著一根刻有名字的手杖，順著手杖搖晃的節奏，他一搖一擺地走來，顯得氣派而威嚴。亞洛已經四十歲，有一個小女兒，這也是他一切煩惱的來源，他幾乎每天都為了孩子的教育問題和妻子吵嘴。

他意外地發現，有一個工人把石膏加入石灰混合後，用來堵住法官家門外的一個洞。

「我沒有叫工人啊！」盛怒的亞洛說。

「是我叫的，而且我還是隨叫隨到的工人。」

「你？你有什麼權利這麼做？」

「我是帕札爾法官。」

「可是……你也太年輕了吧！」

「你就是我的書記官嗎？」帕札爾問道。

「沒錯。」

「現在已經不早了吧。」

「當然，當然……實在是家裡有點問題，所以才……」

「有什麼緊急案件嗎？」帕札爾一邊問，一邊繼續粉刷。

「一個建築商有一些磚，可是沒有驢子運送。現在他要告承租人蓄意破壞他的工程。」

「已經解決了。」

「什麼？怎麼解決的？」

「今天早上我見過那個承租人了。他會賠償建商的損失，並從明天開始運送磚塊。所以不用打官司了。」

「你也會……粉刷？」

「有興趣，做得也還可以。我們的經費不多，所以大部分的工作還是得自己來。還有呢？」

「你要去清點一群牲畜。」亞洛說。

「一個專業的書記官去還不夠？」帕札爾反問。

「因為主人——也就是牙醫喀達希，堅稱他僱用的工人行竊。他要求我們調查，前一任的法官已經想盡辦法拖到現在了。其實，我也了解。如果有需要的話，我可以幫你找藉口再延一延的。」

「不用了。對了，你會用掃帚嗎？」

書記官當下楞住，掃帚是個什麼東西？於是法官便將那珍貴的工具遞給了他。

＊　＊　＊

北風很高興又能呼吸到鄉下的空氣，牠駝著法官主人的物事，愉快地走著，而勇士則興奮地在一旁繞來繞去，有時候還故意去嚇嚇巢裡的鳥。跟平常一樣，北風注意聽著主人的指示，這回要去的是牙醫喀達希的莊園，位於吉薩高地以南兩小時腳程之處。

帕札爾受到莊園總管熱情的招待，因為總算有一個有擔當的法官，願意來解開這個謎團。幾個僕人幫他洗了腳，拿了新的纏腰布讓他換上，下人們向喀達希告知法官已經到來後，匆匆忙忙便搭起台子，台上並架起了由紅色與黑色小圓柱排列成的柱廊，以便喀達希、帕札爾和牲畜記錄員能在涼蔭下說話辦事。

當莊園主人右手拄著長長的楞杖出現時，後面跟了一群人幫他提鞋、撐傘、抬椅子，有樂師打鼓吹笛，還有農村少女為他獻上蓮花。喀達希約莫六十來歲，滿頭白髮，身材高大，高聳的鼻子上隱約可見幾條青紫色的血絲，前額稍低，兩頰高高隆起，並不時拿手去擦溼溼的眼角。

喀達希以一種很不信任的眼神打量著法官。「你就是新任的法官？」

「很高興能為你效勞，也很高興見到農民生活愉快，因為地主心地高尚，指揮有方。」

「年輕人，如果你懂得尊敬要人，你會有前途的。」牙醫的口齒不太清晰，但相當神氣。他穿著前交叉式的纏腰布、豹皮製的緊身上衣，頸間掛著大項鍊，手腕上還戴著手環，貴氣十足。「我們坐吧。」他說。只見他坐在彩繪木椅上，帕札爾坐的是一張正正方方的座椅。他和牲畜記錄員面前，擺了一張放置書寫用具的矮桌。

帕札爾求證道：「根據你的說法，你總共有一百二十一頭牛、七十隻綿羊、六百隻山羊和六百頭豬。」

「沒錯，上一回，也就是兩個月前清點的時候，少了一頭牛！你要知道，我的牲畜可都是價值非凡，就算瘦一點的，也還能換到一件亞麻長袍和十袋大麥，所以我要你把小偷給揪出來。」

「你自己調查過嗎？」

「這個我可不在行。」

法官接著轉向坐在蓆子上的牲畜記錄員。「你在記錄冊上寫了些什麼？」

「動物的數目。」

「你問過誰了？」

「誰也沒問，我只負責記錄，不負責質問。」

帕札爾沒有再問出什麼；他生氣地從籃子裡拿出一塊無花果木板，木板表面鋪了一層薄薄的石膏，接著又拿出了一根二十五公分長的燈心草桿筆，和一個調製黑墨水的小碟子。他準備好了之後，喀達希打了個手勢，讓牧牛工頭把牲畜趕出來。

只見工頭輕輕拍了一下帶頭大牛的頸子，大牛便帶領著笨重溫馴的牛群，開始緩緩前進。

「了不起吧？」

「你應該稱讚飼養的人。」帕札爾這麼建議。

「小偷應該是赫梯人或努比亞人，孟斐斯的外國人實在太多了。」喀達希說。

「看你的姓，你的原籍應該是利比亞吧？」

牙醫臉上立刻露出不快的神情。「我已經在埃及住了很久了，而且躋身於上流社會，我這兒的富庶，不就是最好的證明嗎？別忘了，朝中許多大臣都是我照顧的患者，請你認清自己的身份。」

僕人搬著各式各樣的水果、一桶桶的大蒜、一籃籃的萵苣和一罐罐的香料，伴隨著牛群走過。很明顯地，這不只是單純的清點作業，喀達希還想藉機向新任法官炫耀自己無盡的財富。

勇士靜悄悄地鑽進了主人的座椅底下，注視著成群走過的牛隻。

「你是哪一省的人？」牙醫問道。

「這裡問話的應該是我。」

有兩隻上了套的牛經過台前，較老的那隻突然趴倒在地，不願再往前走。「別裝死了。」牛伕說。被罵的牛畏縮地看了牛伕一眼，卻還是不動。

「打牠。」喀達希命令道。

「等一下。」帕札爾制止他，並一面走下台子。只見法官輕撫著牛的腹側，柔聲安慰，並請牛伕幫忙把牛拉起來。老牛聽了法官的話，安心地站了起來。帕札爾也重回到位子上。

「你倒是很有同情心嘛！」喀達希諷刺地說。

「我不喜歡暴力。」

「但有時候暴力是必要的，不是嗎？為了抵抗外人入侵，那些埃及人為了替我們爭取自由而死，難道他們該受譴責嗎？」

帕札爾專心看著牛隻隊伍，記錄員則在一旁數著。清點的結果真的比主人申報的牛數少了一隻。

「太過分了！」喀達希的臉氣憤地脹成紫紅色，「有人偷了我的東西，而竟然沒有人願意舉發。」

「你的牲口應該打了烙印吧？」

「當然！」

「把那些打印的人叫來。」

總共來了十五個人。法官一個一個地詢問，並把他們隔離開來，以免他們串通。

「我抓到這個小偷了。」帕札爾對喀達希說。

「是誰？」

「卡尼。」

「我要求立刻開庭。」

帕札爾答應了。他挑選了一個牛伕、一個看管山羊的人、牲畜記錄員和一名莊園管理員當陪審員。而卡尼也未打算脫逃，爽快地來到台前，面對一旁喀達希憤怒的眼光，顯得十分坦然。被告長得矮矮壯壯，褐色皮膚上刻著深深的皺紋。

「你認罪嗎？」法官問道。

身去。

「我？認罪？不。」

喀達希用手杖重重敲了一下地板。「這個狡猾的強盜！你要馬上治他的罪。」

「住嘴！」法官命令道：「如果你再出言干擾，我就馬上中止審問。」牙醫只得憤憤然轉過

「你是不是曾經幫喀達希的牛隻打過烙印？」帕札爾問。

「是的。」卡尼答道。

「這隻牛不見了。」

「牠逃走了。你們可以到附近的田裡找。」

「為什麼這麼不小心？」

「我不是放牛的，我是種菜的。我的工作是一塊地一塊地去澆水；白天我要用扁擔挑著很重的水罐去幫作物澆水，晚上也沒得休息，還要幫一些比較脆弱的菜澆水、還要清理壟溝、還要把土堤填厚。你要是不相信，可以看看我的脖子後面，有兩次膿腫後留下來的疤。這是菜農才會有的毛病，牛伕不會有的。」

「那你為什麼要轉業？」

「因為有一次我在挑菜的時候，喀達希的總管強迫我的，他要我丟下菜園去幫他看牛。」

帕札爾傳喚了證人，證明卡尼所言不虛。於是將他無罪開釋；為了補償他，不但將走失的牛判定歸他所有，並且命令喀達希以為數可觀的食物，賠償他這幾日荒廢了菜園的損失。

菜農向法官行了個禮；從他的眼裡，帕札爾看出了他內心的感激。

「強行逼迫農民可是很嚴重的過失。」他提醒莊園的主人說。

牙醫這下可是憤怒欲狂。「這怎是我的錯！我又不知情。該罰的是我的總管。」

「你應該知道刑責吧，要罰杖打五十板，還要再度降級為農夫。」帕札爾轉向總管說。

「當然依法行事了。」

被法庭提訊後，總管並不否認，於是他被判了刑，並且立即執行。

法官帕札爾離開莊園的時候，喀達希並未前來送行。

第五章

勇士睡在主人的腳下，正作著豐盛大餐的美夢；北風飽餐一頓新鮮草料之後，便站在門口當起衛兵來。而帕札爾則天一亮就待在辦公桌前校閱卷宗，堆積如山的工作並未將他壓得喘不過氣來，反而更讓他下定決心要把延宕已久的進度趕上，一件也不遺漏。

書記官亞洛快接近晌午時才來，一副萎靡的模樣。

「你好像很累。」帕札爾看著他說道。

「剛跟太太吵了一架。唉，我娶她是要她幫我準備美食，怎知她竟然不做飯！我實在不想再見到她了。」

「你想過離婚嗎？」

「沒有，因為我女兒的緣故；我希望她成為舞蹈家，可是我太太卻偏偏另有計劃。我們兩個誰也不肯讓步。」

「這事恐怕不太容易解決。」

「我也是這麼想。你到喀達希那兒調查得還順利嗎？」亞洛換了個話題問道。

「我剛寫完報告，牛找到了，菜農無罪釋放，總管判刑。我覺得那個牙醫也有責任，但是我無法證明。」帕札爾有點遺憾地說。

「別得罪這個人，他關係好得很。」

「是嗎？」

「很多顯要都是他的患者；最近還有謠言說他失過手，如果想要牙齒的話，就別找他。」

勇士低聲吠了一聲，被主人安撫了一下才安靜下來。往常牠這樣的叫聲，一定是含有某種程度的敵意，偏偏見到書記官的第一眼，牠就不喜歡他。

帕札爾在牛隻失竊案的判決報告上，蓋上了自己的章。亞洛對法官那秀氣工整的字跡讚嘆有加；只見他流利地寫著象形文字，毫不猶豫地記下自己的想法。但他有些惴惴不安，「你該沒有對喀達希提出告訴吧？」

「當然有。」

「有？這樣做很危險的。」

「你怕什麼？」

「我……我也不知道。」

「把話說清楚，亞洛。」

「司法這個東西實在太複雜了……」

聽書記官說得吞吞吐吐，帕札爾不以為然地說：「我可不這麼想，一邊是真相，一邊是謊言，涇渭分明。要是我們向謊言投降，即使只是一句謊言，從此司法就再也無立足之地了。」

「你會這麼說是因為你還年輕，等你經驗愈來愈多之後，你的想法就不會這麼直接了。」亞洛意有所指地繼續勸他。

「希望不會有這一天。村子裡，很多人也都這麼對我說，但我覺得這種說法並不正確。」

「你想忽視階級制度的重要性？」

「難道喀達希就可以枉顧法律？」

一來一往幾句話過後，亞洛嘆了一口氣，「帕札爾法官，你應該很聰明也很有膽識，不要裝作不懂。」

「如果階級制度不公允，國家就等於走向滅亡了。」

亞洛看看他說：「如果硬是要向階級制度挑戰，你也會跟別人一樣一敗塗地的。解決你有能力解決的問題，棘手的案件就交給上級處理吧。你的前一任法官就很懂得避開這些麻煩。你好不容易獲得這次升遷的機會，可要好好把握！」

用前人的經驗警告，或升遷機會等利誘的說辭，顯然影響不了帕札爾的固執，「正因為我的辦事態度，今天我才會調任到這裡，現在我又何必改變呢？」

「還是那句話，我勸你遵循既有的制度，珍惜你的機會。」

「我所認識的唯一制度就是律法。」

亞洛說得煩了，又急又氣地搥胸頓足，「你是自取滅亡，到時別怪我沒警告過你。」

「明天你就帶著我的報告到省府去。」

「悉聽尊便。」亞洛賭氣答道。

「還有一件小事，我並不是懷疑你的工作熱忱，只不過，我想問的是，你就是我唯一的下屬嗎？」

亞洛有點尷尬，「可以這麼說。」

「這是什麼意思？」帕札爾頓生好奇。

「其實還有一個人叫凱姆……」

「他的職務是……」

「警察。你下令之後，由他負責抓人。」

「好像是很重要的角色。」

「前任法官從來沒有逮捕過人，每次一有嫌疑犯，他就會向武力較為完備的法庭申請援助。

凱姆待在辦公室裡無所事事，乾脆出去巡邏了。」

「我可以見見他嗎？」

「他偶爾會來。」隨即亞洛又戰戰兢兢地說：「對他要客氣一點，他那個人脾氣很不好。我很怕他，所以你可別指望我去跟他說一些會惹他生氣的話。」

「要想在這間辦公室重建秩序，似乎也並不容易。」帕札爾心想，同時也發現莎草紙快用完了，便問道：「這東西什麼地方有得買？」

「美鋒，孟斐斯最好的紙商。價錢貴了點，可是紙質絕佳，又不容易損壞。我強力推薦。」

「你老實告訴我，亞洛。這個建議，完全沒有利益牽涉在內嗎？」

「你怎麼能說這種話？」亞洛見法官懷疑起自己，不禁脹紅了臉。

「抱歉，我失言了。」

帕札爾翻了一下最近呈遞的訴狀，沒有一件是特別嚴重或緊急的。隨後他又看了受他監督和需經他同意後任命的人員名單；千篇一律的行政工作，要做的只是蓋章罷了。

亞洛左腳盤起坐著，右腳則高舉在前，他腋下夾著文具台，蘆葦筆嵌在左耳後，手裡忙著清理筆刷，一邊看著帕札爾，「你很早就開始工作了嗎？」

「嗯，天一亮就開始了。」

「好早。」亞洛有點驚訝。

不過帕札爾卻只是淡淡地回答：「在鄉下養成的習慣。」

「是……每天的習慣？」

「我的老師說，只要一天的怠忽就可能造成無法彌補的後果。只有雙耳開啟，理智清明，心靈才能夠學習。要做到這一點，還有什麼比養成好習慣更有效的方法？否則我們內在沉睡的猴子，就會開始作怪，心殿也會失去了元神。」

亞洛不禁流露出些許黯然，「這種生活方式並不舒服。」

「我們可是司法的公僕啊，不是嗎？」

「那麼，我的工作時間……」

「每天八個鐘頭，工作六天，休息兩天，依照各個節慶，全年共有兩到三個月的假期，這樣可以嗎？」

書記官點點頭。雖然法官沒有明說，但他知道自己上班的時間得要注意一點了。

案頭有一份簡短的文件讓帕札爾起了疑惑。話說負責看守吉薩金字塔司芬克斯的衛兵長，剛剛被調派到碼頭倉庫去了。這樣毫不相干的職務調動，想必是犯了嚴重的過失，但文件上卻一無註明。然而，省大法官已經蓋了章，現在只缺帕札爾的章了，因為該名士兵就住在他的轄區內。簡單的例行作業，原本應該只是個反射動作便可完成，不過他還是忍不住問道：「司芬克斯的衛兵長是個肥缺吧？」

「有意爭取的人的確不少。」書記官坦承說：「但是目前在職的人卻勸他們打消念頭。」

「為什麼？」帕札爾反而覺得奇怪。

「這名士兵經驗豐富，服務紀錄輝煌，而且是個正直的人。他兢兢業業守護著司芬克斯，可是這尊古老的石獅像，光是外貌就已經夠威嚴嚇人的了，還有誰敢去侵犯它？」

「這麼說，它似乎是個頗受敬重的職務囉。」

「當然了。衛兵長還招募了一些退役的士兵，好讓他們有一點固定的收入，夜裡就由他們五人值班護衛。」

「你知道他調職的事嗎？」

「調職？你開玩笑吧？」亞洛不可置信地反問。

帕札爾雙手一攤，「公文就在這裡。」

「真是想不到，他犯了什麼錯呢？」

「你的疑問跟我一樣，但是這上頭根本沒有註明。」

「這點你不用操心，一定是軍方的決定，我們只是不知道內幕罷了。」

這時，外頭的北風發出一聲尖叫，帕札爾馬上起身走到門外，只見一人用皮帶拉著一頭狒狒。狒狒頭大如斗、眼露凶光，胸前覆著濃密的毛髮，狠相畢露。不僅已有無數猛獸死於牠們的手下，更有人曾經目睹獅群見到一群發狠狂奔的狒狒而落荒竄逃。

狒狒的主人是個努比亞人，肌肉發達，跟他的寵物一樣令人側目。帕札爾擔心地對他說：「希望你把牠抓好。」

「狒狒警察（※註1）和我在此待命，帕札爾法官。」

「你是凱姆？」

努比亞人點了點頭，想也不想便說：「附近的人都在談論你，你好像是個很能引起騷動的法官。」

「我不喜歡你說話的口氣。」

「習慣就好。」

「不可能的。你若不能給我應有的尊重，那麼你就得走路了。」

才見面兩人就針鋒相對、互不相讓，而法官的狗和警察的狒狒也同樣怒目相視。凱姆接著說：「你的前任法官給了我絕對的自由。」

「現在不行了。」

「你錯了，只要我帶著狒狒在街上巡邏，就可以讓宵小不敢輕舉妄動。」

「再說吧；先說說你的服務經歷。」帕札爾不置可否，轉了話題。

「先說清楚也好。」凱姆一五一十道出自己的過往，「我的過去，唉，一片悽慘，我原本隸屬於駐守南部某一城堡的弓箭手隊。我就跟許多年輕人一樣，是出自於對埃及的熱愛才會應召入伍。那幾年我過得非常快樂。有一次，我無意間發現了軍官們之間非法的金子交易。可是沒人相信我；後來在一次爭鬥中，我殺了一名偷金賊，不巧他正是我的直屬長官。審判法官判了我劓刑，我現在戴的是一個木頭繪製的假鼻。從此，我就什麼也不怕了。不過，法官們仍肯定我的忠心，因此我才會被派任為警察。要證明的話，我的資料都在軍政處，你可以隨時調閱。」

「好吧，我們走。」帕札爾立刻同意他的建議。

凱姆始料未及他會是這樣的反應。於是，驢子和書記官留守辦公室，法官和警察一同前往軍事中心，隨行的狒狒和狗則仍不斷地暗中觀察著對方。

「你在孟斐斯住多久了？」

「一年，」凱姆答道：「我很想念南部。」

「你認識守護吉薩金字塔司芬克斯的衛兵長嗎？」

「見過兩三次。」

「你覺得他可靠嗎？」

「他是個很有名的退役軍人，我在南部就聽過他的大名了。這份榮譽的工作是不會隨便分派的。」凱姆對他倒是信心滿滿。

「做這份工作有危險嗎？」

「完全沒有！誰會去侵犯司芬克斯？其實侍衛隊的首要工作是要提防雕像再度被砂掩埋。」

路人見到他們這一行人經過無不紛紛走避，大家都知道狒狒的動作有多快，主人可能都還來不及出聲，牠便已經咬住小偷的腿或打斷他的頸子了。凱姆和狒狒巡邏時，的確讓人打消了許多壞念頭。

「你知道這名退役士兵的住址嗎？」帕札爾又探問道。

「他住在營區附近的公家宿舍。」

「我們回辦公室去吧。」

凱姆一下反應不過來，「你不去看我的檔案了？」

「我想看的是他的檔案，可是我想也不會有什麼收穫。明天一早你就到辦公室來，我等你。你的狒狒叫什麼名字？」

「殺手。」

※註1：保存在開羅博物館中的泰普曼卡墓碑上，便有一幅狒狒警察逮捕小偷的生動浮雕。

第六章

傍晚時分，帕札爾關了辦公室，到尼羅河邊去蹓狗。這份毫不起眼的文件，只要蓋個章就行了，需要如此追根究柢嗎？妨礙這麼平常的行政程序，實在沒有意義。但是，真的很平常嗎？就因為鄉下人常和大自然與動物接觸，所以自然而然便生出一種直覺，一種很奇怪而且近乎憂慮的感覺，這讓他忍不住想要進行調查，哪怕只是個簡單的程序，總之他要確定這次的調職沒有疑問，才能安心。

勇士貪玩，但是牠卻不喜歡水，只敢遠遠地沿尼羅河岸碎步跑著，望著河上來往的貨船、帆船和木舟，以及船上或是散心、或是運貨或是旅行的人。尼羅河不僅孕育了埃及，更在風與流水神奇密切的配合下，提供了一條快捷便利的交通管道。不少老練的船員乘著大船離開孟斐斯，航向海洋，其中有一些更是遠征異域。帕札爾並不羨慕他們，反而覺得他們命運乖舛，才不得不離開這個國家，這個他深愛著每一吋土地、每一座山丘、每一條荒徑與每一個村落的地方。每一個埃及人都擔心自己會客死異鄉；法律還規定要把每個遺體運回國內，以便能永遠與先祖同在，並接受眾神的庇護。

突然，勇士發出了吱吱的叫聲，原來有一隻活潑靈動的綠色小猴子，故意把水濺到牠身上。這讓牠又羞又怒，不禁齜牙咧嘴、渾身抖動。開牠玩笑的小猴子見狀，嚇得急忙跳進一個年輕女子懷裡。

「牠沒有惡意，牠只是不喜歡人家把牠弄溼。」帕札爾解釋道。

猴子主人也抱歉地說：「我這隻小母猴之所以會叫做『小淘氣』，就是因為牠老愛惡作劇，尤其喜歡找狗的麻煩。」

由於她的聲音好柔美，勇士獲得安撫後，便上前聞了聞猴子主人的小腿，並舔了一下。

「勇士！」帕札爾急忙喝止。

「沒關係，我想牠是接受我了，我很高興呢。」

「那牠會接受我嗎？」帕札爾指了指小淘氣。

「試試看就知道了。」

但是帕札爾手都僵住了，他不太敢靠近。在村子裡，儘管有幾個女孩纏著他，卻總引不起他的注意，因為他太專注於學業與實習上了，以致忽略了所有浪漫的愛情與感覺。學習法律讓他早熟許多，然而眼前這個女孩，他竟一點也無招架之力。

她真是美麗啊。美得有如春天的晨曦、初綻的蓮花、尼羅河上的粼粼波光。她頭髮近乎金黃，柔和的線條勾畫著清純的臉龐，彷如夏日藍空的雙眼則透露著率真。纖細的脖子上戴了一條天青石項鍊，手腕與腳踝上則繫著光玉髓環。從她身上的亞麻長袍隱約可見她堅挺的胸脯、曲線完美的臀部與修長的雙腿。

「你怕？」她驚訝地問道。

「不……當然不是。」帕札爾尷尬地說不出話。

要靠近她，而且幾乎就要碰觸到她……他實在沒有這個勇氣。女子見他不動，便朝他走了三步，並遞出綠色的小母猴。他於是顫抖著雙手，摸了摸猴子的前額。小淘氣則很快地搔了他的鼻子一下。

「這是牠表示友善的方式。」女主人高興地說。

勇士沒有抗議，狗和猴子之間，終於休戰了。

「我是在一個賣努比亞商品的市場買到牠的，當時牠看起來好鬱卒，我一個不忍心就買下了牠。」

女子的左手腕上，戴著一個奇怪的東西。

「哦，我的手鐘（※註1）讓你驚訝嗎？這是我工作的時候不可少的。我叫奈菲莉，我是醫生。」

奈菲莉，如此美麗、完美、完善的化身，她金黃色的皮膚，看起來那麼不真實，她所說的每句話，聽起來就像鄉下日落時傳來的迷人歌聲。

奈菲莉見帕札爾沒有答腔，便主動問道：「那你呢？」

「哦，帕札爾，省處的法官。」

「你是這裡的人嗎？」

「不是，我是底比斯人，剛到孟斐斯。」

「我也是那邊的人！」她高興地微笑著。

「你的狗不想再走了嗎？」

「不，不！牠從來不累的。」

「那我們繼續走，好嗎？我需要透透氣，上個禮拜可真是累人。」

「妳已經在執業了？」

「還沒，我剛結束第五年的實習。我得先學習藥學與開處方，然後到丹達拉神廟代理獸醫一職。在那裡我學會了如何辨識牲禮血的純或不純，和照顧各種動物，只要一犯錯，就要跟男孩子一樣挨棍子。」

帕札爾一想到那個畫面，不禁一陣心痛。

「但老師們的嚴格才能使教育更成功。」她這麼認為，「當我們背上的雙耳打開之後，便再也不會忘記師長的教導了。接著我進入了薩伊斯醫學院，我在那裡學習了多種專業，並獲得『醫護人員』的頭銜。」

「那他們還要妳做什麼？」帕札爾頗為吃驚。

「我可能成為專科醫生，但這是最低的等級，如果無法成為普通科醫生，能當專科也不錯。但專科醫生只能看到病痛的一面，只能做片面的診斷。成為普通科醫生才是最理想的境界，不過要接受的測驗實在太難了，所以大部分的人都選擇放棄。」奈菲莉的語氣透著些許無奈。

「我能幫上什麼忙嗎？」

「我必須單獨面試。」

「祝妳成功！」

不久，來到一個花圃，兩人就坐到一處紅柳蔭下。

她嘆息道：「我平常不是這樣多話的。你很有讓人坦白的本事唷。」

帕札爾笑著回說：「這是我工作的一部分。偷竊、欠債、買賣契約、家庭糾紛、通姦、打架鬧事、稅收不公、誹謗……全都是我的例行公事。我要進行調查、查證證詞、重現事實真相，然後判決。」

「好繁瑣的工作！」

「妳也不見得輕鬆啊。妳喜歡醫治病人，我喜歡還人公道，如果不盡心盡力，豈不是等於背叛他人？」

「我實在不喜歡利用關係，可是……」奈菲莉欲言又止。

「妳儘管說。」

「我有一位藥草供應商失蹤了。他是個粗人，但是很正直而且也很有能力，最近我和幾個同事已經報案。不知道你能不能加緊調查？」

「當然，我會盡力而為，他叫什麼名字來著？」

「卡尼。」

「卡尼？」帕札爾驚呼道。

「你認識他？」奈菲莉同時也嚇了跳。

「他被喀達希的總管強迫去看牛了，今天才被宣判了無罪。」

「是你的功勞？」

「是我調查審判的。」

怎知，她一個箭步親了親他的兩頰。本就不善幻想的帕札爾，此時竟有種置身於天堂的錯覺。

「喀達希……那個著名的牙醫？」奈菲莉追問。

「就是他。」

「聽說他是個不錯的醫生，但早就該退休了。」

綠猴打了個呵欠，懶懶地靠在主人肩上。奈菲莉於是向帕札爾告辭說：「我該走了，很高興能跟你聊天，也許沒有機會再見了，但我在這裡真心感謝你救了卡尼。」

她不是用走的，而是以跳舞的姿態離開的；腳步輕盈，步伐明快。

帕札爾在紅柳樹下待了好久，努力地在腦海中刻下她的一舉一動、每個眼神和聲調。

勇士把右爪放在主人的膝蓋上。帕札爾則失神地對牠說：「你發現了哦……我深深愛上她了。」

※註1：一種掛在手上的水鐘，專供某些需要計算時間的專家們如天文學家、醫生使用。

第七章

凱姆和他的狒狒準時來了。

「你決定帶我去找司芬克斯的衛兵長了？」帕札爾問道。

「悉聽吩咐。」凱姆回答的口氣帶著譏諷。

「你的口氣我很不喜歡，要知道，諷刺有時比口氣衝更具殺傷力。」

法官的話刺傷了這名努比亞人的自尊，他說：「我並不打算對你卑躬屈膝的。」

「做個好警察，我們自然就能處得來了。」

雖然狒狒和主人都盯著帕札爾看，兩雙眼睛都蘊藏著怒火。但帕札爾理都沒理，只說：「我們走吧。」

天才亮，街頭巷尾早已鬧哄哄，婦人們七嘴八舌地聊著，運水工挨家挨戶在送水，手工藝匠也忙著在開店，幸虧有狒狒在，人群才自動讓出了一條路來。

衛兵長的住家門前有一個小女孩，手裡正玩著一個木頭娃娃。當她看見猩猩時，嚇得立刻尖叫跑進屋內。她的母親隨即跑出來怒斥道：「你們怎麼這樣嚇孩子呢?把那隻怪物弄走！」

「妳是司芬克斯衛兵長的妻子嗎？」帕札爾問道。

「我為什麼要告訴你？」那名婦人不答反問。

「我是帕札爾法官。」

年輕法官嚴肅的表情和狒狒的眼神，終於讓婦人冷靜了下來，「他不住在這裡了。他和我丈夫都是退役軍人。這是軍方配給我們的宿舍。」

「你知道他上哪去了嗎？」

「他的妻子好像不太高興；搬家的時候，她好像跟我提到了南邊郊區的一棟房子。」

「只說了這些？」帕札爾試探地問。

「我何必騙你？」

狒狒扯了扯皮帶，婦人嚇得倒退而撞上了牆。

「真的什麼也沒說？」

「真的，我發誓。」

＊　＊　＊

由於亞洛要送女兒去上舞蹈課，法官便准他下午先行離開，不過他得順便將法官已經完成的報告送到省府辦公室。才短短幾天，帕札爾解決的問題已經比他前任法官六個月內做的還多。

太陽下山後，帕札爾點起了幾盞燈，他想盡快解決十來宗的稅務糾紛，其中除了一件，其餘都判納稅人勝訴。那件案子的關係人是一個名叫戴尼斯的運輸商，省大法官已經在他的案卷上親手加註了：「結案歸檔」的字樣。

一直抽不出空來的帕札爾，終於帶著狗和驢子去拜訪老師了。途中，他心裡不斷想著那個衛兵長，離開如此尊貴的職位與公家宿舍，現在會是什麼樣子呢？這一連串麻煩的背後隱藏著什麼祕密呢？他要凱姆去找出這名退役軍人的下落。在沒有問他話之前，他是不會答應這項職務的調動的。

勇士用左爪搔了右眼好幾次，帕札爾檢查了一下，還好只是輕度的感染，老醫生可以幫牠醫治。

屋裡燈亮著，布拉尼一向喜歡在市聲寂靜的夜裡看書。帕札爾推開大門，來到前廳，狗兒跟在他身後，突然，他停下了腳步。布拉尼正在和一個女人說話，是她，她，竟然在這裡！

「帕札爾，進來！」

聽見老醫生的叫喚，全身緊繃的法官只能應聲進門。只看到奈菲莉盤膝坐在老醫生對面，大拇指和食指間捏著一條亞麻線，線端則擺盪著一小塊菱形的花崗石（※註1）。

「這是奈菲莉，我最優秀的學生；他是帕札爾法官。」

「你最優秀的學生……」帕札爾還沒有回過神來。

「我們見過面了。」她愉快地說。

能再見到她真是太好了，帕札爾心想。

「奈菲莉馬上就要接受正式執業前的最後一次測試了。」布拉尼說：「所以正在勤練物體放射感應能力，我相信她一定能成為一個傑出的醫生，因為她懂得傾聽。懂得傾聽的人才能有好的表現。要知道傾聽是最珍貴的，再大的寶庫也找不到它的蹤跡，只有心才擁有這份珍寶。」

「認識心臟不正是醫生的祕密嗎？」奈菲莉問道。

「當妳獲得一定的評價時，妳自然會發現這個祕密。」老醫生回答得有所保留。

「我想休息了。」奈菲莉說。

「妳是該休息了。」

勇士又搔了搔眼睛，奈菲莉敏感地注意到了牠的動作。

「我想牠病了。」帕札爾說。

狗兒乖乖接受檢查。「沒有大礙，點一點眼藥就好了。」她檢查之後說道。

布拉尼拿了藥水來，藥效很快，奈菲莉幫狗兒揉一揉之後，牠的眼睛很快就消腫了。帕札爾竟然第一次覺得在忌妒自己的狗。他很想留她，但仍只能到門口與她道別。

布拉尼請他喝前一天釀的上等啤酒，並關心地問：「你看起來很疲倦，工作很多，是吧？」

「我和一個叫喀達希的人起了點衝突。」

「那個牙醫……一個老是焦慮不安的人，外表可能看不出來，但他很會記恨。」

帕札爾坦白對布拉尼說：「我覺得他有強徵農民的嫌疑。」

「有確實的證據嗎？」

「只是假設。」

「你的推論要嚴謹，否則稍有差錯，上級是不可能原諒你的。」

「你常常幫奈菲莉上課嗎？」他還是對她念念不忘。

「我只是傳承我的經驗，因為我對她有信心。」

「她在底比斯出生的。」

「嗯，她是獨生女，父親製造門閂，母親是織布工，我幫他們看過病才認識奈菲莉的。她問了我好多問題，於是我便鼓勵她從事這一行。」

「當女醫生……她不會遇到什麼阻礙嗎？」

「除了阻礙還有敵人呢。不過她溫柔的底下藏著一股勇氣。就她所知，御醫長就不希望她成功。」

帕札爾不禁為她擔憂起來。

倒是老醫生對她比較有信心，「她很清楚自己的處境，好在，堅忍不拔是她最大的優點。」

「她……結婚了嗎？」帕札爾終於忍不住問道。

「還沒有。」

「有對象了？」

「好像沒有什麼固定的對象。」

這一夜，帕札爾輾轉難眠。腦海中不斷見到奈菲莉的身影、聽到她的聲音、聞到她的香味，他在心中盤算了千百個計策，希望能再見奈菲莉一面，但沒有一個行得通。最糟的是，不知她對他有無感覺？因為他感覺不到她的一點熱情，有的只是對法官這項職務的一點興趣罷了。而就算是他熱愛的司法，也多少帶著苦澀的滋味；往後沒有她的日子，又該怎麼過下去？怎麼忍受看不到她的痛苦？帕札爾從來不知道，愛情的波濤竟然能洶湧如洪水，沖堤毀岸，把好好的人整個都淹沒了。

勇士注意到了主人的心煩，熱切地以關懷的眼神安慰他，但是牠感覺得到主人現在需要的已不只是這些。帕札爾為了自己讓勇士不快樂而頗感自責；他多麼希望能珍惜這份單純的友誼和生活，但卻怎麼也無法抗拒奈菲莉的雙眼和臉龐，以及她所帶來的這陣旋風。

該怎麼做呢？默不作聲，就得自己忍受痛苦；向她表達愛意，卻可能遭拒而絕望。最好當然是能夠追求到她，但一個小小法官，無錢無勢，憑什麼追她？

*　*　*

破曉並未舒緩他的苦痛，只是讓他可以藉著忙碌的工作麻醉自己。餵過勇士和北風，便把辦公室交代給牠們，因為他知道書記官一定會遲到。只見他一人帶著裝了書板、筆盒和磨好墨的莎草紙籃，逕往碼頭方向走去。

碼頭停了幾艘船，一個工頭正在指揮船員卸貨。

帕札爾問工頭說：「哪裡可以找到戴尼斯？」

「老板？他到處跑，不一定在哪裡。」

「這些碼頭是他的？」

「碼頭不是，不過很多船都是他的。戴尼斯不但是運輸商，也是城裡的首富。」

「我能見他嗎？」

「只有大貨船進港的時候，他才會出現……你可以去大碼頭，有一艘大船剛靠岸。」

帕札爾隨即找到那船時，卻有一個船員擋住他的去路，「你不是船上的成員。」

「我是帕札爾法官。」

「我想見戴尼斯。」

船員這才讓路，法官直接爬到船長室內，船長是個五十來歲、脾氣粗暴的人。

「這個時候？見老板？你在開玩笑吧！」船長不屑地說。

「我這裡有一張訴狀。」

「是什麼事？」

「你們老板向不屬於他的船隻收取卸貨稅，這是不合法的。」

「原來是這件老掉牙的事呀！」船長根本不當一回事，幾句話便想打發法官回去，「這是他經過政府特准的。每年政府都會發出一張訴狀，這是慣例，你直接丟進河裡就行了。」

「他住在哪裡？」帕札爾仍追問道。

「王宮區入口處的碼頭後面最大的那棟房子。」

沒有驢子帶路，帕札爾費了好一番功夫才找著，也因沒有狒狒警察開路，他只好自己努力擠過街上的人群。

戴尼斯的豪宅四周全是高大的圍牆，大門入口還有一個手持棍棒的守衛。帕札爾說明來意後，守衛叫管家進去通報，十多分鐘後，管家才回來帶法官進去。

戴尼斯正在用餐，這名運輸商人年約五十，身軀有著些許笨重，方正的臉帶著粗野的味道，他坐在一張裝飾著獅爪的大椅子上，身旁的僕人幫他塗精油、修指甲、梳頭、按摩腳底、大聲唸著菜單，享受至極，一見到帕札爾便熱絡地招呼，「帕札爾法官！是什麼風把你吹來了？」

「一張訴狀。」

「吃過了嗎？我還沒吃呢。」

戴尼斯遣退了幫他梳理的下人們，接著便有兩個廚師送來了麵包、啤酒、烤鴨和蜂蜜蛋糕，「請用。」

「謝謝，不用了。」帕札爾婉拒了。

「早餐營養不夠的話，整天都會精神不濟的。」

帕札爾不讓他岔開話題，「有人對你提出嚴厲的指控。」

「真的？」戴尼斯的聲音缺乏貴氣，看得出來他這個人易怒且不夠穩重。

「你收了一筆不公道的卸貨稅，還涉嫌向你所屬船隻經常進出的國有碼頭附近的居民，徵收不法稅捐。」帕札爾一口氣道出他所有的不法行為。

「你說的是這些呀？你的前任法官和省大法官都不管了，你也就忘了這回事，吃塊鴨肉吧！」

面對戴尼斯如此打馬虎眼，帕札爾冷冷答道：「恐怕是不可能的了。」

戴尼斯的嘴巴停止嚼動，「我沒時間管這個了。你去找我太太，見了她你就會知道你這麼固執是沒有用的。」說完拍了拍手，馬上出現了一名管家。「你帶這位法官到妮諾法夫人的辦公室去。」說完又繼續專心地吃他的早餐了。

*　　*　　*

妮諾法夫人是個女強人。她體態豐盈、個性活躍、穿著時髦，除了擁有廣闊的土地、幾棟房子和二十餘個農莊外，手下還有一群代理商人，專門在埃及和敘利亞販售各類商品。她還是皇家倉庫的總監、國庫的督察兼宮廷布料總管。雖然戴尼斯的財富不如她，但她卻深受他的吸引，並任命他掌管貨物運輸，如此一來，她這個丈夫便能經常出外旅遊，建立人脈管道，並且盡情從事他最心愛的消遣：不停談論上等的好酒。

現在，這個年輕法官竟敢到她的地盤上來撒野，她輕蔑地打量著不算俊美、但有某種氣質、看來聰明且嚴肅的他。妮諾法發現對方居然不像一般下屬般向她鞠躬，心裡甚是不悅，「剛到孟斐斯任職？」

「是的。」

「恭喜了，此後必定前途無量。找我有事嗎？」

「是關於一筆非法徵收的稅款……」

「這個我知道，國庫方面也知道。」她不等法官說完便打斷他的話。

「那麼妳應該知道這項控訴的原由。」

「這張訴狀每年發下後馬上就撤銷了。」

「但這是不合法的。」

「不合法？你是不是應該先打聽清楚，我身為國庫督察，自然有權決定要不要撤銷這類的告訴。我們沒有理由因為遵守過時的法律程序，而犧牲了國家的商業利益。」

她說得振振有詞，但是帕札爾無法苟同，「妳已經越權了。」

「年輕人，你還涉世未深呀！」

「請妳嚴肅一點，我現在是以法官的身分在訊問妳。」

畢竟等級再低的法官，也還是有其一定的權力。因此妮諾法馬上溫言問道：「你在孟斐斯都安頓好了嗎？」

帕札爾沒有回答。

「聽說你住的那兒不怎麼舒服，既然我們勢必要成為朋友，我就廉價租給你一間舒適的別墅吧。」

「我住在公家分配的宿舍就可以了。」

妮諾法的微笑僵在嘴角，「但你的指控真的有些無稽之談。」

「是嗎？」

「你總不能違背你的上級吧？」

「如果上級有錯，我當然不能姑息。」

「帕札爾法官，小心一點，你的權力可是有限的。」

「我知道。」

「那麼，你還是決定管這檔事？」

「到時我會傳訊妳的。」

妮諾法眼見軟硬兼施都沒效果，索性憤憤然下起逐客令，「請你走吧。」

帕札爾於是告退。

妮諾法夫人怒不可遏地衝進丈夫房中，戴尼斯正在試穿新衣，「怎樣？馴服那個小法官了嗎？」

「你想得美！他是頭真正的猛獸！」

「別這麼生氣，給他一點甜頭再說吧。」

「別盡在這裡說風涼話，要對付你自己去對付，反正我們要盡快擺平這傢伙就是了。」

※註1：即占擺。此外也有占卜地下水源的小木棍。史上有幾位法老，如塞提一世，都很善於利用對物體放射的感應能力，尋找沙漠中的水源。

第八章

「就是這裡。」凱姆說。

「你確定？」帕札爾詫異地問道。

「絕對沒錯，這就是司芬克斯衛兵長的家。」

「為什麼這麼肯定？」

凱姆冷酷地笑了笑，「這就多虧了我的狒狒了，只要牠張牙舞爪，連啞巴也會開口說話。」

帕札爾才覺得有絲不妥時，凱姆馬上接著說：「很有效。你想知道答案，答案就出來了。」

他們兩人注視著孟斐斯最貧困的郊區。這裡的居民雖然和其他埃及人一樣都能吃得飽，但是大部分房子都已破落不堪，衛生也是問題。住在這裡的有等待就業的敘利亞人、到城裡來賺錢的鄉下人和收入微薄的寡婦。這絕對不是埃及著名的司芬克斯的守護人所應該住的地區。

「我去問問。」凱姆提議說。

「這一帶不太安全，最好不要獨自冒險。」

「好吧，聽你的。」

帕札爾驚訝地發現，他們所經過的人家全都門窗緊閉，埃及人向來重視的好客之情，在這裡全然感受不到。狒狒心浮氣躁地顛跳著前進，而凱姆則不斷查看著屋頂。帕札爾不明白他的用意，「你在擔心什麼？」

「弓箭手。」

「為什麼會有人要謀殺我們？」

「要調查的人是你，如今得到這樣的結果，表示事情並不單純。我要是你的話，我就收手了。」

帕札爾敲了看似牢固的棕櫚木門。

裡面傳出有人走動的聲音，但沒有人應門。

「開門，我是帕札爾法官。」

屋裡再度恢復寂靜。強行侵入民宅是違法的行為，帕札爾內心掙扎不已，希望能想出兩全其美的辦法，「你想你的狒狒……」

「殺手宣誓過，牠的食糧也是由公家給付的，牠的參與必須列入報告。」

「現實必須把理論融會貫通。」

「那好啊！」凱姆說。

狒狒的神力果真出乎帕札爾的意料之外，不一會兒就把門撞開了。幸好殺手是站在法律這邊的。由於窗戶前掛了幾張蓆子，屋內的兩間小房間一片漆黑，第二間房間的角落躲著一名白髮婦人。

「別打我。」她哀求道：「我發誓我什麼都沒說。」

「妳放心，我是來幫妳的。」

帕札爾邊說邊將她扶起來，但她的雙眼卻充滿了恐懼，「狒狒！牠會把我撕成碎片。」

「不會的。」法官安慰道：「牠是警方養的。你是司芬克斯衛兵長的妻子嗎？」

「是的……」

她回答的聲音微弱得幾乎聽不到。帕札爾請這位婦人坐到蓆子上，「妳的丈夫呢？」

「他……他出遠門去了。」

「你們為什麼搬離宿舍？」

「因為他辭職了。」

「我正在調查他的調職有無違法之處，公文並未提到他辭職的事。」帕札爾開門見山說道。

「可能是我弄錯了……」

「發生什麼事了？我不是妳的敵人，有什麼用得著我的地方，儘管跟我說。」法官柔聲地問。

「誰派你來的？」婦人仍存戒心。

「沒有人派我來，是我自己要調查的，因為我不想批准一個不明不白的決定。」

「我以法老之名發誓。」淚水浸溼了老婦人的雙眼。她顫抖著聲音說：「你是……真心的嗎？」

「我丈夫已經死了。」

「妳說的是真的？」對方的告白讓帕札爾震驚得無以名狀。

老婦人又繼續說：「軍方向我保證說會為他舉行葬禮，並命令我搬到這裡來。只要我守口如瓶，我可以按時領到一小筆撫恤金，直到我死為止。」

「他們有沒有說他是怎麼死的？」

「是意外。」

「我會查明的。」法官向她保證。

但婦人的反應出奇地冷漠，「這又有什麼關係？」

「我幫妳安排到一個安全的住所吧。」

「我要留在這裡等死。走吧，求求你。」

埃及皇宮的御醫長奈巴蒙都六十多歲了，但保養有術，擁有無數頭銜與榮譽勛章的他，大部分時間都花在會客與宴會上，至於診所裡，則有一群野心勃勃的年輕醫生替他看診。因為厭於見到別人病痛的神情，奈巴蒙選擇了從事有趣又利潤豐厚的美容外科。女士們個個想要消除臉上的小缺陷，而讓她們的對手黯然失色；只有奈巴蒙能讓她們重現年輕迷人的神采，青春永駐。

御醫長此時正想著自己未來墓穴前的那道豪華石門，那代表了法老的榮寵，帝王親自將大門側柱塗成深藍色，這是多少王宮大臣夢想得到的殊榮啊！奈巴蒙富有、聞名並聽盡各方阿諛奉承，他醫治的全是不惜出高價尋醫的國戚皇親與鉅富；在答應為他們診治之前，他都會先詳細研究一番，然後只收病情輕微、容易治癒的病患；因為若是醫治失敗，將有損他的名聲。

他的私人祕書通報說奈菲莉來了。

「叫她進來。」

這名女子惹惱了奈巴蒙，因為她拒絕加入他的團隊。他氣極了並決定她若取得了執照，他絕對會想辦法剝奪她所有的行政權，並讓她遠離王宮的。有人說她天生有學醫的稟賦，而且對物體放射力的感應能力讓她能做出又快又準確的診斷，因此在表明敵對立場、為她安插下層工作前，他決定再給她一次的機會。

「你召喚我來，不知有什麼事？」奈菲莉恭敬地問。

「我想幫妳安排個工作。」

「我後天就要到薩伊斯去了。」

「我知道，不過不會占用妳太多時間。」

奈菲莉著實非常美麗，奈巴蒙一直幻想著能有一個這麼年輕貌美的情婦，好讓他在上流社會的交際場合更有光彩。然而，她渾身散發的高貴氣質卻使他不敢造次，平常那些無往不利的讚美言詞，要誘她上鉤恐怕不是很容易，但她確實令人忍不住躍躍欲試。

「我這名患者的病例很有趣，」他接著說：「出身中產階級的大家庭，家境富裕，還是名門望族。」

「她怎麼了？」

「是喜事：她結婚了。」

「哦？這算是病嗎？」奈菲莉覺得莫名其妙。

「她丈夫有個請求，要重塑她身上他不喜歡的部位。」奈巴蒙沒有告訴她，為了這次手術，他已收了對方十罐稀有的香膏與香料，因此絕對不許失敗。「我很希望妳能幫我，奈菲莉，因為妳的手很穩。而且我會替妳寫一封對妳很有幫助的推薦函。妳願意見見我的患者嗎？」

他根本不讓奈菲莉有時間答覆，便將西莉克斯夫人帶了進來。

那位夫人一見到奈菲莉，驚恐地遮住自己的臉。「我不想讓別人看見我，我太醜了。」西莉克斯夫人的身體巧妙地用寬大的長袍遮掩著，但仍看得出圓鼓鼓的身形。

「妳都吃了些什麼東西？」

「我……沒有特別注意。」

「喜歡吃糕餅類的食物嗎？」

「喜歡。」

「少吃一點會比較好。讓我看看妳的臉好嗎？」奈菲莉溫柔的語調使得西莉克斯不再遲疑而拿開了雙手。「妳看起來很年輕嘛。」

「我二十歲。」

「為什麼不保持原來的樣子就好了呢？」
「我丈夫說我的樣子太難看了！我要讓他開心。」
「這樣不是太委屈了嗎？」
「他很堅持……而且我答應了！」
「妳要讓他知道他錯了。」
一旁的奈巴蒙漸漸開始有了怒氣，「我們不需要去評斷患者的動機，只要滿足他們的願望就好了。」
「我不願意讓這個女孩活受罪。」奈菲莉反駁道。
奈巴蒙終於克制不住憤怒，「妳出去！」
「樂意之至。」
「妳這麼做是不對的，奈菲莉。」
「我覺得這樣才是盡醫生的天職。」
「妳什麼都不懂，妳的醫生生涯到此結束了。」

*　*　*

聽著書記官亞洛不時發出輕咳聲，帕札爾不禁抬起頭來問，「有麻煩嗎？」
「是一封通知書。」
「給我的？」
「給你的。門殿長老要你馬上去見他。」
帕札爾不得不放下筆墨前往。
在皇宮前面，有一間木造的門殿，這裡是法官主持正義的地方。法官在門殿裡聽取控訴、分辨是非黑白、保護弱者不受強權欺壓。長老執掌的門殿就在王宮前，形狀像個四方形，最內側便是法庭。每當首相晉見法老王時，總不忘和門殿長老寒暄幾句。

此時法庭空無一人。長老坐在一張金黃色的木椅上，穿著前交叉式的纏腰布，沉著一張臉，他堅毅剛強的性格是眾所週知的。「你就是帕札爾法官？」

帕札爾恭敬地行了個禮，面對省大法官使他有點焦慮不安。

「新官上任三把火，你對自己滿意嗎？」長老帶著評論的口氣問道。

「我最大的願望是世人能變得聰明，再也不需要法官。然而這個幼稚的夢想越來越模糊了。」

「雖然你到孟斐斯的時間很短，但我已經聽到不少有關你的傳聞了。你知不知道自己的職責？」

「那正是我生命的全部。」

「你的工作量很大，也很有效率。」

「依我看來還不夠。等我更了解工作上的難處時，我會更有效率的。」

「效率……這兩個字是什麼意思？」

「讓每個人都獲得公平的待遇。這不正是我們的理想與準則嗎？」帕札爾反問道。

「誰說不是呢？」長老的聲音都啞了。他站起身，開始踱起方步，「你針對牙醫喀達希所提出的意見，我覺得並不妥當。」

「我懷疑他。」帕札爾坦承自己的想法。

「證據呢？」

「我的報告中說了，我沒有找到證據，也因此我才沒有對他採取任何行動。」

「那麼何必做這種無謂的挑釁呢？」

「我想引起您對他的注意，我想您的資訊應該比我的更完整。」

長老一動也不動，卻難掩怒火，「說話留意一點，帕札爾法官！你言下之意是說我暗藏文件資料囉？」

「我絕對沒有這個意思。如果您認為有必要，我願意進行調查。」帕札爾連忙解釋。

大法官口氣鬆動了些，繼續問道：「喀達希的事就算了。你又為什麼去惹戴尼斯？」

帕札爾仍不改堅決的態度，「至於他的罪行已是不容置疑的。」

「控告他的訴狀上不是還附了一句批註嗎？」大法官問他。

「不錯，的確是寫了『結案歸檔』的字樣，所以我才特別先審理此案。」

「你可知道這句建言……是我寫的？」

帕札爾沒有正面回答，直接說出自己心裡的話，「這些大人物應該以身作則，而不該仗著自己的財勢剝削平民百姓。」

「你忘了還有經濟因素的考量呢。」

「經濟需求一旦壓倒了司法，埃及就等於被判死刑了。」

帕札爾的強力辯駁動搖了門殿長老。他年輕的時候也跟帕札爾一樣，有著同樣的熱情，抱著同樣的觀念。然後，他開始面對一連串棘手的案件、升遷的考量、必要的妥協、協議與和解、對上級的讓步，加上年紀漸長……

「戴尼斯什麼地方讓你不滿？」

「這個你知道。」

「你認為他的所作所為必須判刑？」

「答案很明顯了。」

門殿長老無法向帕札爾坦承說他剛剛才和戴尼斯談過，而且戴尼斯還要求他把這名年輕法官調走。他想知道這個年輕人究竟有多堅持，「你真的決定繼續調查嗎？」

「是的。」

「你知不知道我可以馬上把你遣調回你原來的村子？」

「我知道。」

「難道這個事實還不能改變你的想法？」

「不能。」

「你真的一點道理都講不通嗎？」

「其實你只是企圖影響我的決定。戴尼斯是個投機取巧的人，他享受不正當的特權，從中獲利。既然這件案子在我的管轄權限內，我為什麼要去忽視呢？」

門殿長老聽了他這番話，陷入沉思。平常，他秉著為國服務的信念，處事總是十分果斷。但是帕札爾的態度使他想起了從前的自己，想起他也曾經如此年輕、充滿幹勁、無所畏懼。將來，眼前這個年輕人的幻夢也一樣會破滅，但他有這份向不可能挑戰的勇氣，錯了嗎？長老心裡雖然不免認同，但仍想說服他，「戴尼斯有錢有勢，他的妻子又是商界女強人。多虧了他們，物資運輸的作業才能進行得這麼規律、順當。你推翻了現狀又有什麼好處？」

「請你不要把我當成了被告。事實上，就算戴尼斯被判刑，來往於尼羅河上的貨船，也絕不會從此消失的。」

沉默了好久之後，長老又坐回位子上去。他知道帕札爾說得沒錯，「你覺得該怎麼做，就怎麼去做吧，帕札爾。」

第九章

著名的薩伊斯醫學院位於尼羅河三角洲。奈菲莉在醫學院的教室裡，已經沉思了兩天了；凡是要執業的醫生都必須在這裡接受一項測試，很多人都無法通過這項測驗，在這個八十歲高齡並不算稀罕的國家，保健單位自然是非菁英份子不能錄用的。

年輕的奈菲莉能成功戰勝病魔，實現她的夢想嗎？她知道有許多失敗的例子，但仍不放棄挑戰。最後，還要通過薩伊斯醫藥會的嚴格考驗。

有一名祭司幫她準備了肉乾、蜜棗、水以及一些醫學書籍供她溫習；不過有些概念卻漸漸變得模糊了。她一會兒憂心、一會兒又信心滿滿，乾脆不再多想，而只是凝望著校園四周種滿了角豆樹（※註1）的大庭園沉思。

太陽下山後，負責種植沒藥、以煙燻療法為專業的藥劑師來了。他帶她到實驗室，裡面有另外幾名同事等著。每個人都要求奈菲莉開出處方、取藥、評估藥性、辨識一些複合物質、詳細描述各種植物、樹膠脂與蜂蜜的採收情形。有好幾次，她覺得有點混淆不清，不得不絞盡腦汁地想。

五個小時的口試後，五名藥劑師中有四名讓她及格。唯一否定她的人說，奈菲莉有兩次弄錯劑量。他也不管奈菲莉是否已經筋疲力盡，仍堅持繼續測驗她的專業知識。如果她不願意的話，儘管離開薩伊斯好了。

奈菲莉耐心堅持著，對一切逆來順受。最後，評審終於讓步了。

通過測試的她，沒有聽到任何祝賀之聲，她獨自回到房中，人才躺下便沉沉入睡了。

＊　＊　＊

在測試過程中不斷刁難她的那位藥劑師，隔天一早就來叫醒她，「妳有權繼續。妳願意繼續嗎？」

「任憑吩咐。」

「妳有半小時的時間梳洗用餐。我要先警告妳：接下來的測驗十分危險。」

「我不怕。」

「妳還是考慮一下。」

到了實驗室門口，藥劑師又警告了她一次，「不要不把我提醒妳的放在心上。」

「我不會退縮的。」

「隨便妳吧。拿去。」他給了她一根開叉的棍子，「進實驗室去，用裡面的藥材配一副藥。」

藥劑師說完，待奈菲莉進入之後，隨手關上了門。實驗室裡有一張矮桌，上面擺了幾個小玻璃瓶，靠窗邊最遠的角落裡，有一個緊閉的竹簍，簍蓋編織得不密，隱約可以看到裡面的東西。

奈菲莉往後退了幾步，簍裡裝的竟然是一條奎蛇。

這種蛇毒性極烈，但牠的毒液所調製出來的藥方，對治療出血、神經失調與心血管方面疾病卻非常有效。現在，她終於了解藥劑師的意思了。

做了幾次深呼吸後，她鎮定地將簍蓋掀開。簍中的蛇也十分謹慎，並沒立刻鑽出巢穴；奈菲莉動也不動，專注地看著蛇爬到簍子的邊緣，然後爬出地面。這條蛇約一公尺長，動作極為迅速，頭上的兩隻角好像隨時會從前額迸出來似的，充滿了挑釁的意味。

奈菲莉緊緊握著棍子，身子往蛇的左側移動，企圖用棍子開叉的部位嵌住蛇頭。手往下插的同時，她閉上了眼睛；要是失敗的話，蛇就會順著棍子而上攻擊她。

突然，她感覺到蛇身在她手下憤怒地竄動。她成功了。

她跪了下來，抓住蛇頭的後方。她要讓牠吐出珍貴的毒液。

* * *

坐上了往底比斯的船後，奈菲莉根本沒有時間休息。幾名醫生各自就他們的專長，向她提出一個又一個的問題，以便驗收她的學習成果。

奈菲莉一向很能適應新環境，即使發生了再怎麼料想不到的事，她也絕不驚慌。人世的一切突發狀況與人心的變化多端，她都能以平常心面對。她很少注意自己，為的是要更仔細專注地觀察大自然的力量與奧秘。她當然也希望過幸福的生活，但是厄運逆境卻擊不倒她，反而更能促使她走出陰霾，追求喜樂。

對那些折磨她的人，她從來不懷怨懟之心；她從醫的決心，不正是因為他們才更加堅定、穩固的嗎？

重回故鄉底比斯，心中充滿了無限的喜悅，這裡的天空比孟斐斯還藍，空氣也更清新。總有一天，她會回來陪伴父母親，每天再到童年的鄉間小路上散步。這時候，她忽然想起託給布拉尼照顧的小猴子。

幫她開大門的是兩個理了光頭的祭司，高高的圍牆背後有幾間神廟，醫生的授職儀式就在這裡舉行。這裡是女神穆特掌管的領地，「穆特」兩字既是「母親」也是「死亡」的意思。

迎接奈菲莉的醫生會長說：「我收到了薩伊斯醫學院的報告，妳願意的話，可以繼續接受考驗。」

「我願意。」

「做最後決定的將不是我們人類。現在妳要靜心冥思，因為召喚妳的將是另一世的評審。」

會長在奈菲莉的頸間掛上一條打了十三個結的繩子，然後叫她跪下，「醫生的祕密（※註2）在於認識心臟；所有有形與無形的血管，皆從心臟散佈到全身各個器官，所以當把手放在病患的頭上、頸背、手臂上、腿上或身體其他部位，為他聽診時，記得要先傾聽心跳脈搏的聲音，然後要確定心臟的位置正確、心跳正常，要知道身體內佈滿了管道，這些管道除了輸送空氣、血液、水、淚液、精液與糞便外，也有氣運行；妳要特別保持血管與淋巴的潔淨。病發時，便會干擾氣的運行，妳要能藉由觀察表像深入探查病因。此外，對病患要真誠，診斷後只有三種可能，要老實告訴他們：『你的病我知道，我會為你治療』、『你的病我會盡力而為』或者『你的病我無能為力』。現在，迎接妳的命運吧。」

* * *

神廟裡一片寂然。

奈菲莉跪坐在地，雙手置於膝上，雙眼閉合，等待著。這時候的她已然飄出時空之外，虔心的沉思使她不再焦慮。自古以來，埃及的祭司醫生團體便一直致力於疾病的治療，對他們又有什麼好不放心的呢？

兩名祭司扶她站起來。面前那道雪松木門開了，裡面是一間小教堂。方才那兩名祭司不再陪她進去。她獨自一人，心裡沒有懼怕也沒有希望，進到了長方形的內室，身形隱沒在黑暗中。

身後的門重重地關上了。

突然，奈菲莉感覺到有人潛伏在漆黑之中看著她。儘管她雙臂緊貼著身體兩側，呼吸也變得急促，但並不因恐懼而放棄。她已經靠自己的力量來到了這裡，現在，她也要靠自己的力量自衛。

忽然，從神殿頂上射下了一道光，照在靠著內牆的閃長岩雕像上。這尊雕像雕的是塞克美女神直立行走的模樣；這頭懾人的母獅每到歲末年終，就會散播各種疫氣、疾病與毒菌，企圖消滅人類。這些病害到處流傳，致使人類面臨痛苦與死亡。只有醫生有能力對抗這個可怕的女神，而她卻也是醫生的守護神，唯有她才能教給他們醫術與藥方的祕密。

奈菲莉經常聽說，凡是正面注視塞克美女神的人都會死。

因此她應該垂下雙眼，不去看這尊奇特的神像，避開這頭憤怒母獅的臉（※註3）才對，但她卻反而抬起頭來。奈菲莉注視著塞克美。她祈求女神能夠感應到自己從醫的使命，求她透視自己內心最深處，看清她的真誠。那道光越來越強，照亮了整尊石像，光芒亮得讓奈菲莉睜不開眼。

這時候，奇蹟出現了，可怕的母獅露出了微笑。

＊　　＊　　＊

底比斯醫生會會員集合在一間寬廣的柱子大廳上，大廳中央，有一個水池。會長走向奈菲莉，問道：「對於醫治病患，妳有強烈的企圖心嗎？」

「女神可以為我作證。」

「我們要向別人提出建議，首先必須自己親身經歷。」會長拿出一個裝滿淡紅色液體的杯子，「這是一杯毒汁。喝了之後，先辨識出毒性，再加以診斷。正確的話，妳便可以得到解藥自救，否則就只有死亡了。塞克美是不會讓埃及有壞醫生存在的。」

奈菲莉於是接過了杯子。會長讓她有最後選擇的機會，「妳也可以選擇不喝，馬上離開現場。」

即使如此，她還是慢慢地喝下了苦澀的汁液，希望能察覺它的毒性。

＊　　＊　　＊

送葬隊伍沿著神廟的圍牆往尼羅河方向前進，隊伍後面跟著一群喪家雇來的哭喪婦。放著石棺的拖車，前頭有一隻牛拉引著。

在神廟頂上，奈菲莉正掙扎在生死邊緣。

儘管全身軟綿綿的，她仍然能感受到太陽照在身上又暖又舒服的感覺。

「妳還會冷幾個小時，不過妳的體內不會有任何毒性殘留。妳的判斷快速而準確，讓我們所有的會員讚嘆不已。」

「我如果錯了，你們會救我嗎？」

會長沒有回答，只囑咐說：「要想照顧別人，就必須對自己殘忍。妳復原之後，馬上回孟斐斯接受第一份職務。旅途中，一定會有艱難險阻。像妳這麼年輕、天份又高的醫生，多少會招來忌妒，因此妳可要張大眼睛，慎防人心。」

神廟上頭有幾隻燕子飛舞著。奈菲莉想起了老師布拉尼，那個對她傾囊相授的救命恩人。

※註1：角豆樹產的莢果汁甜味美，在埃及人眼中是甜美溫柔的最佳象徵。

※註2：所有的執業醫生都熟知《醫生的祕密》一文，這是醫學的基礎。

※註3：阿拉伯人之所以沒有毀掉這尊塞克美神像，其實是因為他們害怕的緣故；他們稱她為「卡納克的食人女魔」。現今在普塔赫神廟裡還能欣賞到這尊雕像。

第十章

帕札爾越來越無法專心工作，每個象形文字裡，他都會看到奈菲莉的臉。

書記官拿了二十幾片黏土板給他，「這些是軍械庫上個月雇用的工匠名單，我們要確定一下每個人都沒有犯罪記錄。」

「用什麼方法最快？」

「查大監獄的登記簿。」

「你可以去辦嗎？」

「那要等明天了。今天我得早一點回家，我女兒過生日。」亞洛心情愉快地說。

「那就祝你玩得盡興了，亞洛。」

書記官走了以後，帕札爾把剛才寫完戴尼斯的出庭通知和起訴要點又看了一次。不一會兒，眼睛有些花了，人也累了，便去餵睡在辦公室門外的北風吃東西，然後帶著勇士出門去。信步走到一個安靜的社區，就在教育國家未來菁英的書記官學校旁邊。忽然一聲門響打破了寂靜，接著傳來一陣喧嘩聲，混雜著笛子和鈴鼓的聲音。勇士豎起了耳朵，帕札爾也停下腳步。原本只是互罵，後來則變成互毆，還不時聽到痛苦的尖叫聲。勇士最痛恨暴力了，此時更是緊緊地縮在主人的腳邊。

就在距離他不遠的地方，有一個穿著書記官服飾的年輕人，從學校圍牆上跳進巷子裡，然後上氣不接下氣地往他這邊奔來，嘴裡還一邊大聲朗誦著歌詞，那是一首為那些登徒子所寫的淫穢歌曲。當他跑過法官跟前時，月光剛好照在他的臉上。「蘇提！」帕札爾幾乎不敢相信自己的眼

睛。

跑著的人也突然停下來，轉過身子，「誰叫我？」

「當然是我了，這裡又沒有別人。」

「人就快追上來了，他們想把我碎屍萬段。我們快跑吧！」

帕札爾便聽話地跟著他跑。勇士也興奮地加入，可是牠沒想到這兩個男人如此沒用，才沒幾分鐘，就因為喘不過氣而停下來了。

「蘇提……真的是你？」

「我也沒想到會是你啊，帕札爾！再加點油，我們就安全了。」

他們最後躲進了一間空倉庫，雖然位於尼羅河邊，但是離武裝衛兵巡邏的地區倒還遠得很。

帕札爾喘著氣說：「我希望我們很快能再見面，可是是在不同的情況下。」

蘇提卻是興致盎然，「這種事真是太好玩了，不騙你！我剛剛才從監獄裡逃出來。」

「監獄？你是說著名的孟斐斯書記官學校？」帕札爾瞪大了眼睛。

「在那裡我遲早會無聊死。」

「可是五年前，你離開村子的時候，不是很想成為文人嗎？」

「為了能進城，我什麼藉口都編得出來。唯一痛苦的是要離開你這個唯一的朋友。」

「我們在老家時說有多快樂就有快樂，對不對？」帕札爾顯然又懷念起村子來了。

蘇提在地上直躺了下來，「對，是很快樂……但我們都長大了！在村子裡玩樂，過真正的生活，對我來說已經不可能了。孟斐斯，我有我的夢想！」

「你實現這個夢想了嗎？」

「剛開始我很有耐心；學習、用功、讀書、寫字、聆聽具有啟發性的教導、去認識一切存在的事物、造物者所創造的一切、托特所記錄的一切、天空的自然現象、大地的豐富蘊藏、山中所隱藏的、流水所沖走的、地面上所生長的（※註1）……多無聊啊！幸好，很快地，我就常常光顧啤酒店了。」

「那種聲色場所？」帕札爾幾乎不認得眼前這個兒時玩伴了。

「別這麼道學了，帕札爾。」

「以前你比我還愛看書的。」

「天啊！」蘇提開始抱怨起來，「什麼書啊，什麼智慧格言啊，他們已經在我耳邊嘮叨五年了。難不成你要我也像那些老師一樣？『愛你的書要像愛母親一樣，因為世上沒有比書更重要的東西；聖賢書有如金字塔，文具盒則是書的孩子。要聽從更有智慧的人的建議，要去讀他們存留在書中的言詞，要成為一個知識份子，不要偷懶，也不要遊手好閒，要用知識灌溉心靈。』我背書的功力不錯吧？」

「說得真好。」

「快說，今天晚上發生什麼事了？」

聽到帕札爾衷心欽佩的語氣，蘇提卻嗤之以鼻，「全是盲人的幻想！」

聽他這麼一問，蘇提大笑起來。從前那個活潑好動的開心果，已經變成一個高大的男人了。烏黑的長髮，率性的眼神，大嗓門，整個人好像熊熊烈火般地生氣盎然。「今天我辦了一個小小的慶祝晚會。」

「在學校裡面？」

「沒錯，在學校裡面！我那些同學幾乎每個都太陰沉、太缺乏生氣、太沒個性了，他們需要喝點酒才能忘掉寶貴的課業。於是我們又是嘔吐又是唱歌的！那些優等生不但頭戴花環，還把肚

皮當鼓敲呢。」蘇提站了起來，接著又說：「這下惹得學監帶著棍棒闖了進來。我哪會承認，但同學硬是把我供了出來，我只好逃了。」

帕札爾驚呆了，「你會被退學的！」

「那樣最好！反正我又不是當書記官的料。不去傷害任何人，不去折磨別人的心，不讓別人貧困痛苦……算了，我放棄這個屬於聖賢的烏托邦世界。我多麼渴望有一次史無前例的大冒險！」

「什麼樣的冒險？」

「我還不知道，不，我知道了：從軍。那樣我就可以到世界各國歷險，並接觸到其他不同的人了。」

「你這是在冒生命的危險啊。」

「冒險之後，我才會更珍惜我的生命。如果死亡會摧毀一切，那麼又何必架構生命呢？相信我，帕札爾，我們應該把握青春、及時行樂。我們雖然比不上蝴蝶，但至少也要懂得追尋美麗的花朵。」

一旁的勇士低低咆哮了一聲。帕札爾機警地說：「有人來了，我們走吧。」

「我的頭好暈。」

帕札爾於是伸出手臂，蘇提用力攀住，才勉強站起來。

「靠在我身上。」他對蘇提說。

「你一點都沒變，帕札爾，你還是像岩石一樣堅定。」

「你是我的朋友，我也是你的朋友。」

他們走出倉庫，沿著牆走進曲折複雜的巷道之中。

「幸好有你，他們找不到我了。」夜涼中，蘇提的酒醒了，「我再也不是書記官了，你呢？」

「我實在不敢坦白說。」帕札爾顯得有點顧忌。

「你是通緝犯？」

「不是。」

「走私商人？」

「也不是。」

「那你是專門搶劫善良百姓的？」

「我是法官。」

蘇提一聽愣住了，他扶著帕札爾的肩膀，定定注視著他，「你這是在取笑我？」

「怎麼會？」

「說的也是。法官耶……奧塞利斯神啊，太不可思議了！你可以派人去抓壞人？」蘇提羨慕地問。

「我有這個權力。」

「小法官還是大法官？」

「小法官，可是是在孟斐斯。我帶你去我家，你就安全了。」

「你這樣沒有犯法嗎？」

「又沒有人告你。」

「要是有呢？」

「友誼就是一項神聖的律法，我若是背叛朋友，也就沒有資格當法官了。」

於是兩人互相鼓勵了一番，「帕札爾，以後有事儘管找我，我以性命擔保一定幫忙到底。」

「蘇提，這句話我們已經說過了。以前在村子裡把血融在一起的時候，我們就已經比兄弟還親了。」

「對了……你手下有警察嗎？」

「有兩個，一個努比亞人，另一個是一隻狒狒，兩個都一樣可怕。」

蘇提心中一凜。

「放心，你最多只會被學校退學。只要沒犯什麼嚴重過失，就輪不到我管。」

「能再見到你真好，帕札爾。」

蘇提向勇士挑戰，看看誰跑得快，勇士便繞著他蹦跳不停，這是牠最喜歡的樂子了。看他們處得如此融洽，帕札爾心裡很是開心。勇士有好的判斷力，蘇提則有一顆寬大的心。不過，他對於好友的思考模式與生活態度卻不敢苟同，甚至擔心再這樣下去，總有一天他會後悔莫及；但他知道蘇提對他也有同樣的想法。他們倆若是合作，必能因個性的互補而發覺更多真相。

蘇提走到帕札爾家門口，看門的驢子並未有任何阻擋的意思；進辦公室後，紙和書板勾起了他不愉快的回憶，因此腳也不停便往樓上走，「這裡雖不是什麼王宮大宅，不過倒也有模有樣。你一個人住嗎？」

「也不能說是一個人，北風和勇士就住在隔壁。」

「我說的是女人。」

「我工作量那麼大……」帕札爾訕然說道。

「帕札爾老兄啊！你該不會還……守身如玉吧？」

「的確是的。」

蘇提這麼一開玩笑，他更難為情了。

「我啊，早就破身了。在村子的時候，因為有幾個張牙舞爪的惡婦守著，所以沒事發生。但到了孟斐斯，可就海闊天空了。第一次做愛是跟一個嬌小的努比亞女人，之前她就已經身經百戰了，你不知道，第一次享受到那種樂趣時，簡直幸福得快要死掉了，她教我怎樣愛撫、怎樣恢復體力玩一些讓兩人都能盡興的遊戲。第二次是跟學校守衛的未婚妻，她想趁還沒嫁人前先嚐嚐那滋味，哈哈哈，她那豐滿的雙峰，美妙的臀部就像漲水前尼羅河中的小島，她不但教了我不少細膩的技巧，還跟我一起大聲尖叫哩。後來，我又找上了兩個在啤酒店工作的敘利亞女孩，這次的經驗可真是空前絕後，帕札爾，她們的手柔細得有如香脂一般，就連她們的腳輕輕拂過肌膚，也會叫人興奮地顫抖不已……」

蘇提不斷爆出雷般的笑聲，這讓帕札爾無法再作矜持，只好陪著好友笑了一陣。

「不是我吹牛，光是聽我的獵豔名單，煩都能煩死你。沒辦法，不抱著女人我就睡不著。貞潔是一種可恥的毛病，一定要趕快醫治。從明天起，你的事就交給我吧。」

「呃……」帕札爾不知如何啟齒。

蘇提的眼中閃過一絲嘲弄，「你不願意？」

「我還有文件要處理……」

「帕札爾，你說謊的技術還是沒有進步。你呀，根本就是戀愛了，你想保留給你的愛人，對不對？」

心事被好友一語道破，帕札爾避重就輕說道：「通常都是我責問人的。」

「這可不是責問！我並不相信什麼偉大的愛情，不過，既然是你，就沒什麼不可能的。不然你也不會又是法官，又是我的朋友了。這個美人兒叫什麼名字？」

「我……她什麼都不知道，很可能只是我自作多情。」帕札爾急急辯解道。

「她結婚了？」

「你開什麼玩笑？」

「不，我是認真的。我的名單裡剛好還少個賢妻良母。我不會刻意去找，因為我還有點道德良心，但如果機會自動送上門，我當然不會錯過。」

「通姦是要受法律制裁的。」帕札爾警告他說。

「那也得有人發現才行。愛情的最高原則就是要懂得不作聲，當然嬉戲的時候是例外。我不逼你說出心上人是誰，我會自己去找出答案，必要時還會幫你一把。」

蘇提躺到蓆子上，頭下放了個枕頭，想再確定一次，「你真的是法官？」

「我不會騙你。」

「那麼我需要你的一點建議。」

帕札爾心想他大概是有了麻煩，便暗暗向托特祈禱，希望蘇提所犯的罪是他的權限所及。

「是這樣的，上個禮拜我勾引了一名寡婦，她三十歲，有著柔軟的身軀和火辣辣的嘴唇，丈夫在世時經常虐待她，因此丈夫一死，她就解脫了。我們在一起非常快活，她交代我市場上去賣一頭乳豬。」

「她經營農莊？」

「只是養了幾頭牲畜。」

「結果你拿乳豬去換了什麼？」

「問題就在這裡，我什麼都沒換。昨天晚上，那頭可憐的豬已經被我們烤來吃掉了。我雖然對自己的魅力信心十足，可是那個年輕寡婦很吝嗇，對家產也斤斤計較。要是我空手而返，她恐怕會告我偷竊。」

「還有什麼其他問題？」

「欠了別人一點錢，但全是些小事。現在我最擔心的是這頭乳豬。」

「你安心睡覺吧。」帕札爾邊安慰他邊站起來。

「你上哪去？」蘇提問道。

「我到辦公室去參考一些檔案，應該有解決的辦法。」

※註1：蘇提唸的是一本智慧書中的開頭，這些書是書記學校學生必修必抄寫的。

第十一章

蘇提實在爬不起來，但他非得在天亮前離開帕札爾的住處不可。帕札爾的點子雖然有點風險，卻是上上之策。掙扎了半天，這個法官拿了一桶清水往他朋友頭上潑，這才總算讓他清醒過來。

蘇提走到市中心，市場裡已經有許多村夫農婦在準備攤子，擺上他們的農產品了，再過不久，第一批買菜的主婦就要來了。他鑽進菜農群中，在距離養雞場數公尺處蹲下來，他想奪取的寶物就在那裡面，一隻五彩斑斕的公雞；公雞在埃及人眼裡並非養雞場之王，而只是一隻過於趾高氣揚的愚蠢家禽罷了。

蘇提一等獵物走近，便迅速攫住牠的頸子，並緊捏著不讓牠發出任何怪聲。這番舉動確實相當冒險；若是被人抓個正著，鐵定要進監獄。不過呢，帕札爾之所以讓他找這名商人下手，不是沒有原因的；因為這名商人犯了詐欺罪，本來就該賠給受害人相當於一隻公雞的價值。法官並沒有減輕他的刑責，只不過將程序稍加變動。案子的受害人是政府機關，蘇提則是代理人。

他挾著公雞，一路暢通無阻地跑到那位年輕寡婦的農場，她正在餵雞。

他興奮地舉起公雞說：「給妳一個意外的驚喜！」

她轉過身，滿心歡喜說道：「咦！不錯的交易喔！」

「老實說，費了我一番唇舌呢。」

「我也相信，這麼大一隻公雞至少可以換三頭乳豬了。」寡婦放下飼料袋，抓住公雞便放到母雞群中。然後柔聲對蘇提說：「蘇提，我現在忽然覺得全身熱烘烘的，你想不想感覺一下？」

「誰會拒絕這麼誘人的提議呢？」說著說著，兩人便摟摟抱抱進寡婦房中去了。

＊　＊　＊

帕札爾一直覺得不舒服，整個人懶洋洋的，完全提不起精神，感覺也變得遲鈍麻木。原本每天晚上，他都會津津有味讀著古代偉大作家的著作，如今這些作品竟也無法使他獲得慰藉。他心中這股莫名的絕望瞞過了書記官亞洛，卻逃不過老師的雙眼。布拉尼關心問道：「帕札爾，你是不是生病了？」

「只是有點累。」

「你應該把工作量減少一點。」

「我覺得案子一件接著一件，好像永遠審不完。」

老師於是帶著鼓勵的語氣安慰他說：「他們只是想考驗你，看看你的極限在哪裡。」

「我的極限到了。」帕札爾洩氣地說。

「這可不一定，也許你這個樣子並不是因為工作過度呢？」

帕札爾聽老醫生這麼說，臉色顯得憂鬱，卻不答話。

老醫生接著又說：「我最優秀的學生通過測驗了。」

「奈菲莉？」

「薩伊斯和底比斯的兩次測試，她都成功通過了。」

「那麼她現在是醫生囉！」

「是啊，真是一件大喜事。」老醫生高興地說，語氣中不無驕傲。

「她會在哪兒執業？」

「剛開始會在孟斐斯。明天我要為她開一個小小的慶祝會，你來不來？」

＊　＊　＊

戴尼斯乘著轎子來到帕札爾的辦公室前，這次與法官會晤，雖然問題有點麻煩，但是比起前幾天和妻子的衝突，倒也成了小事一樁。他實在不能忍受妻子竟然罵自己無能、沒見識、麻雀一隻（※註1）；其實，她親自找過門殿長老，還不是一樣沒用？以前只要他出馬，從來就沒有失敗過。但這一次，為什麼老法官就不聽他的呢？省大法官不僅沒有調走那個小法官，竟還允許他開出合法的傳票傳自己出庭，把他貶低得跟孟斐斯一般平民沒有兩樣！正因為戴尼斯洞察力不夠敏銳，才會害得夫妻兩人被貶為嫌疑犯，受到這個來自鄉下、前途黯淡卻一心嚴格執法的法官制裁。

北風阻立在通道上。戴尼斯想用手肘把驢子撞開，卻見牠齜牙咧嘴的，只好退回去，氣憤地喊道：「把這頭畜生趕走，別擋我的路。」

書記官亞洛聽見怒吼聲，趕緊跑出辦公室，拉住驢子的尾巴；可是北風只聽帕札爾的話。戴尼斯通過時，遠遠避開驢子，深怕弄髒了自己珍貴的服飾。

辦公室裡，帕札爾正傾身在看一份文件，見戴尼斯進來便說：「請坐。」

戴尼斯四下尋找座位，卻沒有一處合他的意，「帕札爾法官，老實說，我前來應訊，很給你面子了。」

「你沒有選擇的餘地。」帕札爾並不領情。

「一定要有第三者在場嗎？」戴尼斯斜睨著書記官問道。

亞洛也識趣地站起來，準備離開，「我想早點回家，我女兒……」

話還沒說完，帕札爾便下令：「書記官，我叫你記錄的時候你就原原本本記下來。」

亞洛只得縮到角落裡去，希望他們暫時忘了他的存在。因為戴尼斯絕不會在受到這種待遇之後，還悶不吭聲。而假使他要對法官進行報復，書記官必然也會連帶遭殃。

「帕札爾法官，我真的很忙，我今天本來並不打算見你的。」

「可是我要見你，戴尼斯。」

「你要解決一個小小的行政問題，我也想盡快解脫。我們何不平心靜氣地談呢？」

戴尼斯的口氣變得緩和了，他一向知道怎麼迎合與奉承談判的對象。然後趁對方一不注意，便迎頭痛擊。可是帕札爾並沒有上當，「你弄錯了，戴尼斯。」

「什麼？」

「我們這不是商場上的交易。」

「讓我來說一個寓言故事給你聽：有一隻頑皮的小羊脫離了羊群的庇護，遇到了一隻狼。當小羊見到狼張開血盆大口時便說：『狼大爺，我知道我遲早會被你吞下肚去，可是在你吃掉我之前，讓我先為你表演一段餘興節目，我會跳舞耶。你不相信？你用笛子替我伴奏，我證明給你看。』狼一時玩性大起，便答應了。小羊跳舞的時候，樂聲驚動了牧羊犬，幾隻牧羊犬朝狼猛撲過去，狼只好倉皇逃走。狼雖然失敗卻很認命，牠心想：我是個獵人，卻想扮音樂家，這是我自作自受。（※註2）」

聽他說完這個故事，帕札爾故意問道：「這個故事有什麼涵意？」

「每個人都應該堅守自己的崗位。如果你想越俎代庖，就很可能會犯錯而遺憾終身。」戴尼斯的警告意味相當濃厚。

「說得好。」

「你能這麼想就好，那麼就到此為止了？」

「依照寓言的啟示，是的。」

「看來你比我想像得還要善解人意嘛。相信我，你不會再在這間破爛的小辦公室待太久的。門殿長老跟我是很好的朋友。他要是知道這件事你處理得這麼有分寸、有智慧，他一定會考慮把你調到更高的位子。他若徵詢我的意見，我也會替你說幾句好話的。」戴尼斯示好道。

「有朋友真好。」帕札爾也附和著說。

「在孟斐斯，朋友是最重要的，你這個想法很正確。」戴尼斯讚許的同時心想：妮諾法根本不必要生那麼大的氣；她以為帕札爾跟別人不一樣，其實她錯了。現今這社會，除了幾個躲在神廟裡的祭司之外，大家都只有一個共同的目的，那就是謀取自己的利益。

戴尼斯滿意地轉身，正打算離去。卻聽見帕札爾問道：「你要上哪兒去？」

「去接一艘南部來的船。」

「我們還沒有結束呢。」法官見戴尼斯又轉過身來，繼續說道：「以下是起訴要點：稅款徵收不公，並且不遵循法老規定自行徵稅，將罰以重金。」

戴尼斯氣得臉色發白，嘶啞著嗓音喊道：「你瘋啦？」

「書記官，記下來：侮辱法官。」帕札爾慢條斯理地說。

戴尼斯則衝向亞洛，一把將書板搶過來摔到地上，還憤怒地踹上幾腳，「你給我安分一點。」

「毀壞法庭物品。」

「夠了！」

「這份文件給你，裡面詳細記載了法條細節與罰款數額。千萬不要再犯，否則大監獄的檔案室裡就會出現你的犯罪記錄了。」

「你只不過是一隻小羊，馬上就會被吞掉了。」戴尼斯恨得咬牙切齒。

「但你別忘了，寓言裡面輸的可是狼喔。」

＊　　＊　　＊

布拉尼剛剛完成一道美味菜色。他在孟斐斯一家頂尖的魚販那兒買了幾條母鯔魚（即烏魚），然後按照埃及魚子醬的做法，將魚卵取出放入略鹹的水中清洗，再壓入兩片小木板中間，待其風乾。這道烏魚子的風味絕佳，他還烤了一些牛排，以蠶豆醬為佐料，還有無花果和糕點。

「她還沒有來嗎？」帕札爾問。

「來，先幫我擺盤子。」

「我和戴尼斯正面對決了，我的檔案資料很齊全。」

「你怎麼判的？」

「罰重金。」

「你惹上一個不好惹的人了。」

「我只是依法行事。」

「小心點。」

帕札爾還未及辯解，主客來了，乍見奈菲莉，帕札爾便將戴尼斯、亞洛、檔案全拋到九霄雲外去了。奈菲莉穿了一件淡藍色的露肩背心洋裝，還塗了綠色的眼影，顯得柔弱又充滿自信，使得主人的家裡為之一亮。

「我遲到了。」

「沒有，沒有。」布拉尼開心道：「剛好讓我們有時間做魚子醬，我們可以開動了。」

奈菲利在頭髮上別了一朵蓮花，美極了，帕札爾不由得看傻了眼。

「妳能通過測驗，我實在太高興了。」布拉尼說：「現在是醫生了，我就把這個護身符送給妳，它會像保佑我一樣保佑妳，妳要隨時帶在身上。」

「可是……你自己呢？」

「我這年紀早已百害不侵了。」說完，便替奈菲莉掛上一條細細的金項鍊，鍊子上有一個很美的綠松石墜子。「這塊寶石來自東沙漠的哈朵爾女神礦區，它能讓妳永保年輕的靈魂與快樂的心。」

奈菲莉雙手合十向老師鞠了個躬，表示感激崇敬之心。

「我也要恭喜妳，」一旁的帕札爾說：「但不知道該如何表示……」

「你有這份心意就夠了。」奈菲莉微笑答道。

「但我還是要送妳一份薄禮。」帕札爾拿出了一條彩色珍珠腳環。

奈菲莉脫下右腳的涼鞋，將腳環戴上足踝，愉快地說：「謝謝你，我覺得自己更美了。」

短短幾個字，卻讓這個年輕法官燃起了無限希望；這是他第一次感覺到她注意到了自己的存在。

晚餐的氣氛十分熱絡。奈菲莉說起了測試中無須保密的艱難過程。布拉尼告訴她，測試向來如此，一點也沒變。帕札爾小口小口地吃著東西，雙眼一直熱切地注視著奈菲莉，並將她的話當作美酒酣飲著。有恩師和自己心愛的女子陪在身旁，他度過了一個美好的夜晚；只是偶爾會有一絲焦慮閃過腦際：奈菲莉願意嫁給我嗎？

* * *

帕札爾努力工作之際，蘇提則忙著帶驢子和狗去散步、和農場女主人做愛、征服其他更有魅力的女子，並享受孟斐斯的生氣與活力。他盡量不去煩他的好友，自從兩人重逢，他從來不曾在帕札爾那兒過夜過。有一點，帕札爾非常執著；由於「乳豬計劃」的成功，蘇提食髓知味想再故技重施，但是他的法官摯友卻堅決反對。不過既然情婦十分慷慨，蘇提也就不再堅持。

狒狒警察往門裡一站，幾乎有一個人高，身後就站著努比亞人凱姆。

「你總算來了！」帕札爾說。

「調查好久，過程又不順利。」凱姆往裡頭望了望，「亞洛走了嗎？」

「他女兒病了。你這趟有什麼收穫？」

「沒有。」

「怎麼會沒有？不可能啊！」帕札爾覺得不可思議。

凱姆摸了一下他的假鼻，確定沒有移位，才說：「我問過消息最靈通的線民了。可是沒有人知道司芬克斯衛兵長出了什麼事。有人叫我去找警察總長，警方似乎正在執行一項被列為最高機密的命令。」

「好，我就去見見這位大人物。」

「我勸你最好別去，他向來不喜歡法官。」

「哦。」

* * *

警察總長孟莫西擁有兩棟別墅，一棟在孟斐斯，是他比較常住的地方，另一棟在底比斯。這個人矮小肥胖，加上一張圓臉，似乎頗值得信任；不過，尖尖的鼻子和濃厚的鼻音，卻與他忠厚的外表全然不符。至今仍然未婚的孟莫西，打從年輕時代開始便一心為事業與榮譽奮鬥；也算他運氣不錯，一連碰上幾個人都死得很是時候。最初，當他打算從事運河監管工作時，他那一省的安全負責人剛好摔斷了頸子；雖然孟莫西並沒有特別的資歷，但他立即毛遂自薦並輕易得到了這份工作。然而他的野心卻不時讓他想著河運警長一職，可惜，他的頂頭上司是個很有幹勁的年

輕人，好在這個討厭的傢伙竟然在一次例行公務時淹死了，他的位子一空下來，孟莫西立刻將他人的心血占為己有，輕易地便打敗了那些不懂得耍心機的對手。儘管河運警長的職位已經相當高了，但他還是夢想著爬上遙不可及的顛峰。當時的警察總長正值壯年，怎知人算不如天算，他竟在一次車禍中喪生。孟莫西一聽到消息馬上申請調任，因為孟莫西向來擅長於自我吹噓與爭功，最後終於獲得了該職位。

爬上高峰的孟莫西，自然處心積慮要保住自己的位子，因此他的手下盡是一些平庸之輩。一旦有人變得稍微強勢，他就會想辦法擺脫那個人。黑箱作業、暗中操控、陰謀策劃，都是他最喜愛的消遣。

這一天，他正在研擬沙漠警隊的任命事宜時，總管忽然進來通報說帕札爾法官來訪。通常孟莫西都會派遣部下打發那些小法官，不過，這次來的人卻讓他十分好奇。最近讓那個錢多得能收買任何人的戴尼斯下不了台的，不正是他嗎？現在，他竟敢前來騷擾警察總長？

孟莫西在別墅的一間房中接見帕札爾，房間裡展示著他的勛章、金項鍊、次等寶石與鍍金木棍。

「謝謝你願意見我。」帕札爾禮貌性地說道。

「我對於襄助司法一向不遺餘力。你在孟斐斯還習慣嗎？」總長也應酬地回問。

「有一件怪事，希望能跟你談談。」

孟莫西讓總管準備了上好的啤酒之後，便吩咐對方沒有他的命令不得打擾。「來，你說說看。」

「有一項職務調動，我一直找不到當事人，所以無法批准。」

「這是當然了，你說的是誰？」

「吉薩金字塔司芬克斯的前衛兵長。」

「我沒有弄錯的話，這項職務是很高的榮譽。只有退役軍人才能擔任的。」

「在本案中，那名退役軍人被調職了。」

「他會不會是犯了什麼過失？」總長的第一個反應也和其他人一樣。

「公文上沒有註明。而且那個人還被迫搬離公家宿舍，躲到全市最貧困的地區去。」

孟莫西有點生氣，「的確很奇怪。」

「還有更怪的，我問他的妻子時，卻說他已經死了。但是她並未見到屍體，也不知道被埋在哪裡。」

「她怎麼能確定丈夫已經死了？」

「幾個士兵帶消息給她的；他們還威脅說，若想得到撫恤金就不能聲張。」

總長一邊聽帕札爾說，一邊慢條斯理地喝著啤酒。他原以為帕札爾要來談戴尼斯的事，不料聽到的竟是這樁離奇事件。他抑住心中的不快說道：「帕札爾法官，做得很好，你果然不是欺世盜名的人。」

「我想繼續調查下去。」

「怎麼調查呢？」

「我們得先找到屍體，然後發掘死因。」

「這樣做沒有錯。」

知道總長並無反對的意思，帕札爾便直截了當地要求，「但是我需要你的幫忙；城市、鄉鎮、河運與沙漠的警察都歸你所管，有你協助的話，事情一定能進行得更順利。」

「可惜這是不可能的事。」

「怎麼說？」

「你並無任何直接的證據，更何況當事人是一個退役軍人和幾個現役士兵，這牽涉到的是軍隊。」

帕札爾點點頭，似乎早已料到他會這麼說，「這一點我想過了，所以我才來尋求你的支持。如果你要求軍方作出解釋，軍方高級將領便不得不回應。」

但總長仍一味推卸，「事情並不像你想的單純，軍警一向各自為政，我實在不想越界插手軍方的事。」

「但是你對軍方的事情卻瞭若指掌。」

「這完全是空穴來風。你若繼續堅持，恐怕只會為自己惹上麻煩。」

「我不可能讓一個人死得不明不白。」

「這點我同意。」

「那麼你有什麼建議？」

孟莫西想了很久。這個年輕法官是不會退縮的，要想操控他恐怕也不容易。只有深入調查之後，才能知道他的弱點並加以利用，於是說道：「你可以去找亞舍將軍，擔任這項榮譽職務的退役軍人，便是由他任命的。」

※註1：由於麻雀總是大量聚集、聒噪不停，因此被視為負面的象徵。

※註2：這則寓言相當著名。伊索對於埃及的寓言有極大的影響，最後則由拉豐丹發揚光大。

第十二章

暗影吞噬者（※註1）在黑夜中前進，靈動如貓。他無聲無息、繞過障礙，沿牆邊而行，在黑暗中幾乎看不見他的身影。

孟斐斯貧民區的居民都睡了，他們的門前不像那些豪宅一樣有門房與守衛。神祕殺手戴著一副下巴有活動關節的木雕豺狼面具（※註2），潛進司芬克斯衛兵長妻子的住處。他從來只聽令行事，心中早就沒有任何感覺了。這個一入夜便神力大增的鷹人（※註3），從黑暗中竄出。

睡夢中的老婦人突然驚醒，被眼前的可怕景象嚇呆了。她發出一聲淒厲的慘叫後，便斷氣倒地。殺手根本無須動用武器，也不需要掩飾罪行。這個多嘴的女人再也開不了口了。

* * *

亞舍將軍重重推了士兵一把，士兵便跌進了營區裡滿是灰塵的中庭。「像你這種萎靡的人不值得提拔。」

此時，有一個弓箭手出列說：「報告將軍，他並沒有犯錯。」

「你太多話了，現在馬上離開操練場。罰你禁閉十五天，然後調往南部城堡長期防守，這樣你才會懂得什麼叫紀律。」

將軍命令整個小隊隊員背著弓箭、箭袋、盾牌與糧食袋跑步一小時；因為到了鄉下，還會遇到更艱難的狀況。一有士兵累得停下來，他便上前扯住部下的頭髮，逼他繼續跑。若是有人敢再犯，就罰他關禁閉。

亞舍的經驗豐富，他知道唯有冷酷的訓練才能獲得勝利；每當戰士多吃一點苦、行動多一分熟練，他們就多了一分存活的機會。出征亞洲戰功彪炳的亞舍，被任命為掌馬官與新兵主任，並負責孟斐斯主要營區的訓練工作。他欣喜萬分地為現任職務作最後一次的犧牲，因為前一天他已經正式獲得新職任命，從此便可脫離這項苦差事了。他將成為法老出使外國的使者，為駐紮前線的菁英部隊傳達皇令，並將身兼法老右側的持扇者，成為朝中重要的官員。

亞舍身材矮小，長相並不討喜，他理了個小平頭、胸膛寬闊、腿短而粗壯。自肩膀到肚臍有一道疤痕畫過，這一刀當時幾乎要了他的命，但他激出一陣狂笑後，便赤手空拳將偷襲他的人活活扼死了。而他的臉上則像是被侵蝕過的岩層，刻畫著一條一條深深的皺紋。

在這個他最喜愛的營區中，度過他軍旅生涯的最後一個上午之後，亞舍一心想著為他舉辦的歡慶宴會。當他正往淋浴間走去，有一名連絡官必恭必敬地向他報告：「對不起，將軍。有一個法官想見你。」

「是誰？」

「沒見過。」

「打發他走吧。」

「他說事情很緊急。」

「原因呢？」

「機密，只能對你說。」

「帶他來。」

帕札爾被帶到了中庭，只見將軍雙手後背，一副神氣傲然的模樣。他的左手邊有一些新兵正在作肌肉鍛鍊，右手邊則正進行射箭演練。

「你叫什麼名字？」

「帕札爾。」

「我一向討厭法官。」

「你對他們有什麼不滿呢？」

「他們到處管閒事。」

帕札爾不置可否便切入正題，「我在調查一宗人口失蹤案。」

「這跟我指揮的軍團無關。」

「司芬克斯的榮譽衛兵也無關嗎？」

將軍自豪地說道：「軍隊就是軍隊，即使退役軍人的安排也一樣。擔任司芬克斯守衛的退役軍人向來堅守崗位，毫不動搖。」

「根據妻子的說法，前衛兵長可能已經死了。可是上級卻要我批准他的職務調動。」

「那就批准吧！上級的命令是不容否定的。」

「這件案子卻不然。」

帕札爾的堅持激怒了將軍，他咆哮道：「你太年輕，缺乏經驗。退下吧！」

「我無須聽命於你，將軍。我要知道有關衛兵長的事實真相。任命他的人的確是你吧？」

「注意你的分寸，小法官，從來沒有人敢這樣騷擾亞舍將軍！」

「你的地位並不在法律之上。」

「你恐怕還不知道我的能耐。你再放肆，我用小指頭就能把你碎屍萬段。」

亞舍轉身就走，將帕札爾獨自留在中庭。帕札爾對他的反應感到吃驚；如果不是作賊心虛，他何必這麼激動呢？帕札爾走到營區大門時，被罰關禁閉的弓箭手叫住了他，「帕札爾法官……」

「有什麼事？」

「我也許能幫你，你想知道什麼？」

有人主動要提供線索，帕札爾自然求之不得，「關於司芬克斯前衛兵長的事。」

「他的服役資料存放在營區的檔案室裡，跟我來。」

「你為什麼要這麼做？」

「如果你發現亞舍的具體罪證，你會起訴他嗎？」

「當然會了。」

「那就好，來吧。檔案管理員跟我很熟，他也很討厭將軍。」

到了檔案室，弓箭手和管理員密談了一會兒後，管理員說：「你要調閱營區的檔案，必須有首相辦公室的許可公文。現在我要離開十五分鐘，到餐廳用餐。如果我回來時，你們還在的話，我就不得不叫警衛了。」

他們花了五分鐘弄清楚存檔方式，又花了三分鐘找到他們要的案卷，接下來他們讀了文件內容、用心記下、放回原位，然後趕在時間到之前離開了檔案室。

* * *

那名衛兵長是個典型的模範軍人，一生的軍旅生涯可說是毫無瑕疵。文件末了有一項資料令帕札爾十分感興趣：這名退役軍人手下有四個人，兩名年紀較大的守在司芬克斯的兩側，另外兩名則守在通往齊夫林金字塔大斜坡底部的圍牆外側。既然知道這幾個人的姓名，詢問他們之後或許便能夠解開這個謎團了。

凱姆激動地衝進帕札爾的辦公室，「她死了。」

「誰死了？」帕札爾被他弄得有點糊塗。

「衛兵長的遺孀。今天早上我到那一區巡視，殺手突然發現有點不對勁。那間房子的大門半開著，我推門進去，一眼便看見屍體了。」

「有打鬥的痕跡嗎？」

「完全沒有。她是因為年紀大，加上憂傷過度而死的。」

帕札爾要書記官確定一下，軍方是否會為她辦喪事，如果不然，他願意自己出一點喪葬費。雖然他不需要為老婦的死負責，但是她最後的這幾天不也受他打擾甚多嗎？

「你這邊有進展嗎？」凱姆問道。

「但願有，只是亞舍將軍一點忙也不肯幫。我這裡有衛兵長手下四名軍人的名字，你去查查他們的住址。」

凱姆正要離開，書記官亞洛剛好進門，「總有一天我會被我太太折磨死。昨天她又沒煮晚飯了。」

他一面賭氣一面抱怨，突然，他想到一件事，「對了，我差點忘了，我已經查過那些想到軍械庫工作的工匠了。只有一個有嫌疑。」

「他犯過罪？」

「他曾經參與護身符的非法交易。」

「有些什麼經歷？」

亞洛聽法官這麼一問，露出了得意的神色，「這個你一定有興趣聽。他是個臨時的細木工匠；也曾經當過喀達希的農地總管。」

＊　＊　＊

好不容易進到了喀達希診所的候診室，帕札爾在一個身材矮小的男人身邊坐了下來。那個人

黑髮和黑鬍鬚都經過細心剪理，一張表情生硬的長臉上佈滿了痣，看起來陰沉可憎。

法官向他行了個禮，「很難熬哦？」對方點點頭，帕札爾又問：「你很痛嗎？」

對方只是用手一揮，搪塞了過去。帕札爾向他坦承，「這是我第一次牙痛。你以前找過牙醫嗎？」

這時候，喀達希出現了，「帕札爾法官，你也牙痛嗎？」

「是呀！」

「你認識謝奇嗎？」他看了矮小的男子一眼。

「我還沒有這個榮幸。」

喀達希於是介紹道：「謝奇是宮裡最傑出的科學家之一，在化學方面，沒有人是他的敵手。所以我向他訂購了一些藥膏和補牙用的填充物質；今天他剛好要介紹我一樣新產品。你耐心等一下，我馬上就好。」

喀達希平常雖然不善言詞，這回卻表現得異常殷勤，好像接待多年好友一般。但如果那個名叫謝奇的還是如此沉默寡言，他們倆的談話恐怕就不會太長了。果然，十幾分鐘後，牙醫就來叫帕札爾進去了。

「坐到摺疊椅上去，身子往後躺。」

「那個化學家好像不愛說話。」

「他的個性有點封閉，不過為人很正直，值得信賴。你怎麼了？」

「嘴巴裡到處都痛。」

「嘴巴張開，我看看。」

喀達希利用一面鏡子和光線的反射，檢查帕札爾的牙齒問道：「你以前看過牙醫嗎？」

「以前在村子裡的時候，看過一次。是一個巡迴看診的牙醫。」

「你有點蛀牙，我用篤薅香脂（※註4）、努比亞土、蜂蜜、石磨碎片、綠眼藥和少許銅的混合劑幫你補起來，如果鬆動的話，可以用金線把這顆牙和旁邊的臼齒連起來……我看，沒有必要。你的牙齒很健康也很穩固。不過，牙齦要注意一下。我給你一瓶含有藥西瓜、樹膠、茴香和分割開的無花果的漱口水，你先把藥水在外面放一晚，讓它吸收露水。你還要用樟屬植物、蜂蜜、樹膠和油製成的藥膏塗抹牙齦。平常記得多嚼芹菜，這種蔬菜不只營養、開胃，更能強健牙齒。好了，說正經的，你的狀況還沒有嚴重到要看醫生。為什麼你特地抽空來見我？」

帕札爾站起身來，很高興不需要動用那些個恐怖的儀器，他說：「因為你的總管。」

「我已經把那個無能的人辭退了。」

「我說的是前一任。」

喀達希邊洗著手邊說：「我不記得了。」

「你仔細想想。」

「真的不記得了……」

「你收集護身符（※註5）嗎？」

雖然很用心地洗了，但是牙醫的雙手還是紅紅的。

「我手邊是有幾個，跟其他人一樣，可是我從來不重視這玩意。」

「美麗的護身符價值不菲的。」帕札爾口氣中帶點試探。

「大概吧……」

「你以前的總管對護身符就很有興趣，他甚至還偷竊過。所以我才擔心，不知道你是否也是受害者？」

喀達希似乎沒有聽出帕札爾話中有話，反倒氣憤地表示，「現在小偷越來越多了，全都因為孟斐斯的外國人越來越多。這裡很快就不再是埃及城市了。罪魁禍首就是那個一心想著要正直廉潔的首相巴吉。法老那麼信任他，所以沒有人能批評他，你當然更不可能了，誰叫他是你的頂頭上司呢？不過，幸好你階級太低，也就不必擔心碰見他了。」

「他很可怕嗎？」

「很難應付。凡是忘了他的存在的法官，全都被免職了，不過他們也都犯了錯。首相拿正義當藉口，拒絕將外國人驅離出境，這個國家遲早會被他拖垮。你逮捕我以前的總管了嗎？」

「他本來想進軍械庫工作，但一項例行的驗證程序使他的過去曝了光。很悲慘，真的。他拿了偷來的護身符到一間工廠去賣，結果被舉發，你挑選的接班人便將他辭退了。」

「他是為了誰去偷的？」

「不知道。如果我有時間，我會去查；可是我手邊沒有線索，又有那麼多事情要做！要緊的是你不是失主之一，那就好了。謝謝你幫我看牙齒，喀達希。」

* * *

警察總長在他的住處召集了幾個主要部屬；這次的會議將不做任何正式記錄。孟莫西仔細研究他們對帕札爾法官的報告後，大發雷霆，「沒有不為人知的惡行、沒有不良嗜好、沒有情婦、沒有人脈關係……你們說的是神啊？調查的結果一點用都沒有。」

「有一個名叫布拉尼的人，是他的精神支柱，就住在孟斐斯。帕札爾常常到他家去。」其中一人說道。

「他是個退休的老醫生，沒有威脅性也沒有權勢。」另一人補充說。

但有一名警察反駁道：「他在宮裡頭有眼線。」

「眼線早就沒了。」孟莫西不屑地說：「任何人都會有把柄，帕札爾也一樣！」

「他對自己的事業很執著，而且在戴尼斯和咯達希等人面前也不退縮。」又有另一個警察肯定地說。

孟莫西還是不相信，於是罵道：「一個公正廉明又勇敢的法官，誰會相信這種鬼話？你們認真一點，多找點比較可靠的資料回報。」

散會後，孟莫西走到他平常釣魚的水池邊，沉思了起來。他的確覺得不踏實，這次的情況如此難以捉摸，一切相關因素又那麼不確定，他真怕一個不小心，多年經營的聲譽就要毀於一旦。

這個帕札爾究竟是因為生性純樸，而一時迷失在孟斐斯這座大迷宮裡，或者他天生性格不凡，不管有什麼危險與敵人的阻擋，他都要堅定地走下去？無論如何，他都注定要失敗的。

但是還有第三種可能很讓人擔憂：這個小法官也許是某個人的密使，也許某個詭計多端的朝臣正在策劃一項陰謀，而帕札爾只是其中的一著棋。一想到竟然有人如此大膽想在太歲頭上動土，孟莫西不禁勃然大怒，他叫來總管，命他備妥馬車。他得到沙漠去獵獵野兔；殺幾隻驚慌的獵物，可以紓解紓解緊繃的神經。

※註1：埃及人對「殺手」的說法。

※註2：在宗教慶典上扮演神祇的祭司所戴的一種面具。

※註3：埃及人的說法，相當於我們所說的「狼人」。

※註4：黃連木的一種，所產樹脂可用於醫藥與宗教物品上。

※註5：塑成神祇、聖十字架或心形的小雕像，通常以陶土製成，埃及人總愛隨身攜帶以避禍端。

第十三章

蘇提的右手拂上情婦的背，撫摩她的頸子，又往下滑，輕撫著她的臀。

「還要。」她嬌聲嬌氣地說。

沒有等她說第二句，蘇提的手勁便跟著變強了，他喜歡這種滿足對方需求的感覺。

「不……別這樣！」

蘇提沒有理會她，仍繼續愛撫；他知道如何給予她快感，便毫不保留地付諸行動。她假意抗拒後，整個人回身投入情夫的懷抱。

溫存過後，心滿意足的女主人準備了一頓豐盛的早餐，而且硬要他答應隔天再來。

他走到港口，在一艘貨船的陰影下睡了兩個小時，等到日落時才去找帕札爾。帕札爾正盤坐著在寫字，狗兒則趴在他的左腳邊。蘇提熱情地拍拍門口的守衛北風後，走了進去。

「我可能需要你的幫忙。」帕札爾對他說。

「感情問題嗎？」蘇提則半開玩笑地問。

「怎麼可能？」

「總不會是關於警方的陰謀吧？」

「很不幸，是的。」

「有危險性嗎？」

「可能有。」

一聽朋友這麼說，蘇提的興致便來了，「這倒有趣了。我想多知道一點，還是你要我自己去摸索?」

「我為一個叫做喀達希的牙醫設下了陷阱。」

蘇提佩服地吹了聲口哨:「他可是個名人耶!只替有錢人看診喔。他犯了什麼罪?」

「他的行為令我起疑。本來應該把任務交給我手下那個努比亞警察的,但他在忙別的事。」

「我要闖入他的住所嗎?」蘇提興味盎然又問。

「這點你想都別想。你只要看到喀達希形跡可疑時,跟蹤他就好了。」

＊　＊　＊

蘇提爬上一棵酪梨樹監視著牙醫別墅的大門與主要通道。休息一晚也不錯,他可以一個人享受夜裡的沁涼與美麗的夜空。大宅的燈都熄了,四周悄然無聲,這時候忽然有一個黑影,從馬房的門邊溜了出來。那個人穿著一件大衣,頭髮斑白,看身影正是帕札爾所描述的牙醫。

跟蹤他並不難。喀達希雖然緊張,但步伐依然緩慢,而且一直沒有回頭。他往一個正在重建的老社區走去。破爛老舊的行政部門建築物,已經都打掉了,路中央堆滿了碎磚頭。牙醫繞過堆積如山的瓦礫後不見了。蘇提也跟著爬上瓦礫堆,他小心翼翼唯恐踏落磚塊暴露了行藏。到了頂端,他看見有三個男人圍著火堆,其中一人便是喀達希。

他們脫去了外衣,全身赤裸,只用一個小皮套遮住私處,並在頭髮上插了三根羽毛。他們手舞足蹈,雙手揮舞著小木棒,裝作要打鬥的樣子。另外兩名較年輕的男子突然兩腳一彎,縱身一跳,嘴裡並發出一聲狂呼。喀達希雖然有點跟不上他們的節奏,但卻不減他熱烈興奮之情。

舞跳了一個多小時。突然間,其中一個年輕舞者扯下了他的皮套,露出了雄性特徵,其餘二人也跟著照做。由於喀達希顯得有些疲憊,他們讓他喝了棕櫚酒之後,三人再度陷入瘋狂的狀態。

帕札爾仔細聽了蘇提的敘述，嘆道：「真奇怪。」

「你不知道利比亞人的習俗嗎？這種歡慶的儀式是很正常的。」

「目的是什麼呢？」

「為了顯示男性雄風、生殖力、誘惑力……他們可以從跳舞當中獲得新的能量。但是對喀達希而言，似乎有點困難。」

「看來我們的牙醫會覺得衰退了。」

蘇提笑著問道：「據我的觀察，他沒什麼不對勁。他到底做了什麼犯法的事？」

「到目前是沒有。不過他一向厭惡外國人，偏偏又不忘自己利比亞的根，你要知道，這個社會都極力抨擊這些習俗的。」

「我還算有點用吧？」

「太有用了。」

「帕札爾法官，下次出任務，監視的最好是女人。」

＊　＊　＊

這幾天，凱姆和狒狒警察發揮了堅定的毅力，往來孟斐斯和四周的郊區，找尋失蹤衛兵長的四名下屬。

凱姆等到書記官離開後，才和帕札爾相談，因為他對亞洛全然不信任。大猩猩一進辦公室，勇士便立刻躲到主人的椅子下去了。

「有困難嗎，凱姆？」帕札爾一開口便這麼問。

「我找到住址了。」

「沒有使用暴力吧？」

「過程絕對平和。」

「好，明天一早，我們就開始訊問這四名證人。」

「他們全都失蹤了。」

帕札爾整個人呆住了，無意識地放下手中的筆。他沒想到原本只是拒批一份平常的公文，竟然會惹出這一連串的神秘事件。他想知道凱姆還有什麼發現：

「沒有任何線索嗎？」

「有兩個搬到三角洲地區，另外兩個到底比斯地區。我知道他們住的村子。」

「你回去準備準備行李吧。」

* * *

這一晚帕札爾在老師家過夜。出門的路上，他覺得後面好像有人跟蹤，於是放慢了腳步，並回頭看了兩三次，但後來一直沒有再看到那個可疑的人影，也許是自己眼花了吧。

在種滿花的陽台上，帕札爾和布拉尼面對面坐著，他品嚐著鮮美的啤酒，感受著這個大城市即將入睡前的氣息。放眼望去，只剩下幾盞燈照著那些晚睡的人和忙碌的書記官。

在布拉尼的陪伴下，一切似乎都靜止了；帕札爾真想把這寶貴的一刻，緊緊握在手心，不讓它隨著夜深而隱沒。「奈菲莉受到分派了嗎？」他問老師。

「還沒有，不過就快了。她現在住在醫學院的宿舍。」

「工作由誰來決定？」

「由奈巴蒙主導的職業醫生團體。奈菲莉只會被分配到比較簡易的工作，然後隨著經驗的累積，會越來越困難。帕札爾，我覺得你還是不開朗，好像已經失去生命的樂趣似的。」

帕札爾把自己的遭遇簡單說了一下，最後說：「實在太多令人疑惑的巧合了，是不是？」

「你的假設是？」

「現在假設還太早。只能確定有職務上的疏失，但是到底是什麼性質，牽連又有多廣？一概不知。我或許是杞人憂天吧。有時候，我也想就此算了，可是儘管我的職位再小，我都沒有辦法昧著良心做事。」

布拉尼不忍見他如此困惑，鼓勵他說：「心靈會為你擬定計劃並指引你；而毅力則能保存成果、維護心靈的幻想。」（※註1）

聽了老醫生的話，帕札爾精神為之一振，「我不會失去毅力的。我發現什麼，就查什麼。」

「你一定要時時為埃及的安和樂利著想，不要擔心個人的成敗。只要你的行為是對的，將來必定能獲得加倍的回報。」

「如果一個人失蹤後無人聞問，公文又是偽造的，那麼埃及不就出現危機了嗎？」

「你的顧慮很有道理。」布拉尼若有所思地點點頭。

「不過只要有你的精神支持，再大的危險我都能面對。」

老醫生一心希望帕札爾為國家做點事，但也不希望他因為操之過急而受到傷害，便諄諄囑咐道：「你向來都很有勇氣，不過頭腦要更清醒一點，要懂得避開一些阻撓，因為正面的衝突只會讓你自己受傷。從旁邊繞過去，盡量利用敵人的力量，你要像蘆葦一樣柔軟，像岩石一樣堅毅。」

「耐心正是我最弱的一環。」

「你要學習建築師研究、加工、潤飾建材的精神，自我鞏固。」

「你不贊成我到三角洲去嗎？」

「你已經決定了。」

* * *

奈巴蒙穿著一件華麗的亞麻長袍，長袍上還滾有彩色的流蘇邊，並請專人修過指甲。他在孟斐斯醫學院的大廳裡，召開了全體大會，神色顯得有點傲慢。十來位聲譽卓著、從未誤過病患性命的醫生，將為這些剛通過測試的年輕醫生指派第一項任務。通常任務的指派代表了前輩對後輩的照顧，從來沒有引起過任何爭議，這一次應該也不例外，工作很快便能分配完畢。

「現在是奈菲莉。」一名外科醫生宣佈道：「孟斐斯、薩伊斯與底比斯方面都有很高的評價。她的表現極為出色，是難得的人才。」

「是的，可是她卻是個女人。」奈巴蒙反駁道。

「以前也有過女醫生啊！」

「奈菲莉很聰明，這我承認，但是她缺乏毅力。實際的經驗可不是一般的紙上談兵。」奈巴蒙堅持己見。

「她可是一連通過了好幾個實習階段，毫不鬆懈。」一名普通科醫生提醒說。

「實習的時候有人監督呀。」奈巴蒙用一種虛情假意的聲調溫溫地說：「當她單獨面對患者時，難道不會手足無措嗎？她的耐力實在讓我擔心，我真懷疑她是不是選錯行了。」

「那麼你的意思是……」

「給她一些不易醫治的病患，讓她再接受一次嚴格的考驗。如果她能成功，我們自然衷心祝福她。否則就得再做考量。」

奈巴蒙一番溫和的言詞立刻博得同仁一致的支持。他在奈菲莉執業之初，為她準備了一份意想不到的可怕禮物。等她心力交瘁，再把她從煉獄中救出來，到時候她自然會感激而順從地投入他的懷抱。

＊　＊　＊

奈菲莉果真嚇呆了，跑到一旁暗暗哭泣。

她是不怕吃苦的。但是她實在沒有想到自己竟然被派到軍中的醫務室，照顧這些從亞洲回來的重病傷兵。醫務室裡，三十多個人躺在草蓆上，有人痛苦地呻吟，有人精神錯亂喃喃自語，也有人內臟腸子都流出來了。營區的醫護官只是靜靜地站在奈菲莉旁邊，沒有給她任何指示。他也是奉命行事。

不久，奈菲莉恢復了鎮定。不管自己為什麼受此刁難，她還是要克盡職責，照料這些不幸的人。檢查過營區的藥品之後，她又有了信心。現在最要緊的是趕快為他們止痛；於是她採了一些曼德拉草，將曼德拉草根磨碎，以萃取一種極有療效的物質，既可止痛又可麻醉。然後她又將芳香的蒔蘿、蜜棗汁與葡萄汁混合在一起，加入葡萄酒中加熱；一連四天，她都讓傷患服用這劑藥水。

她叫了一個年輕的新兵打掃營區的中庭，「你要幫我的忙。」

新兵支支吾吾，不知該如何拒絕，「我？可是我……」

「以後你就是護士了。」

「可是指揮官……」士兵還是很猶豫。

「你馬上去見他，告訴他如果你不幫我，這三十個人就要死了。」

新兵只得服從；但是對於自己不得不加入這場殘酷的遊戲，心中很不樂意。

士兵一進醫務室，差點暈了過去，奈菲莉急忙轉移他的注意力，「你輕輕把他們的頭扶起來，我好餵他們吃藥；然後我們再幫他們洗身子，順便把醫務室清一清。」

剛開始他緊閉著雙眼，不敢呼吸。後來見奈菲莉如此鎮靜，這個沒有經驗的護士兵才忘卻噁心的感覺，而且還高興地說藥水真有效。呻吟與叫聲變小了，也有好幾個傷患已然入睡。

有一個傷兵緊緊抓住奈菲莉的小腿。她怒斥道：「放開我。」

「當然不能放了，美人兒，這種機會怎麼能白白放棄？我會讓妳快活似神仙的。」傷兵涎著臉說道。

這時護士突然放開了手，讓這名病患的頭重重摔落地面，並將他痛打了一頓。病患手指鬆動了些，奈菲莉才掙脫出來。她對新兵十分感激，「謝謝。」

「妳……不怕嗎？」新兵遲疑地問。

「當然怕了。」

「妳願意的話，我就用這個方法把所有的人都擺平。」小兵拍拍胸脯向她保證。

「必要的時候吧。」奈菲莉感謝他，但並十分不希望舊事重演。

「他們得的是什麼病？」

「痢疾。」

「嚴重嗎？」

「這種病我很熟悉，可以治得好。」奈菲莉信心滿滿地說道。

「一定是因為他們在亞洲喝了不乾淨的水；我看我還是把營區打掃乾淨好了。」

環境衛生達到一定的標準後，奈菲莉讓病人喝了以芫荽（※註2）為主要成份的藥水，藉以舒緩痙攣與清腸。她又將石榴根與啤酒酵母一起磨碎，拿一塊布過濾後，安置一整晚。這種顏色鮮紅的黃色果實能對抗腹瀉與痢疾。

病情比較嚴重的人，奈菲莉便幫他們灌腸；灌腸藥劑由蜂蜜、發酵過的黏膠（※註3）、甜啤酒與鹽混合而成，使用的器具則是一個銅角，較細的一端狀似鳥嘴。經過五天的密切照顧，成效斐然。幾天來只能吃牛奶和蜂蜜的患者，終於能站起來了。

＊　＊　＊

奈菲莉接下職務後的第六天，御醫長奈巴蒙帶著愉快的心情到營區參觀保健設施。他十分滿意，最後一站他來到了醫務室，也就是在亞洲戰役中得到痢疾的傷兵們的隔離療養之處。他想像著精疲力竭、無力支撐的奈菲莉哀求他替她換工作，並答應加入他的醫療團隊的情形，暗地裡得意地笑了。

可是一到醫務室門口，他看見一個新兵正在打掃，大門則敞開著；一陣風吹來，使得塗上了石灰、空蕩蕩的室內更乾淨了。

「我大概弄錯了吧。」奈巴蒙對士兵說：「你知道奈菲莉醫生在哪兒工作嗎？」

「就在你左手邊的第一間辦公室。」士兵答道。

女醫生正用莎草紙在抄寫名單。奈巴蒙一見到她劈頭就問：「奈菲莉！病人呢？」

「已經進入康復階段，離開醫務室了。」

「不可能！」奈巴蒙簡直不敢相信。

「這是病患的名單，上面還註明了治療的過程和離開醫務室的日期。」

「可是怎麼會……」御醫長還是不相信。

「我很感謝你把這項工作交給我，讓我能夠印證我們醫療措施的效果。」

她說話的口氣沒有一點憤恨，眼光也透著柔和。奈巴蒙忽然感到慚愧低聲地說：「我想我錯了。」

「你的意思是？」

「我表現得像個笨蛋。」

「外面的人對你的評價可不是這麼說的，奈巴蒙。」

「奈菲莉，妳聽我說……」

奈巴蒙意圖想解釋，但奈菲莉打斷他的話頭，只簡單說道：「明天你就會收到完整的報告了。是不是能請你盡快告知我的下一個任務？」

* * *

孟莫西依然在氣頭上。在這大宅子裡，只要這個當警察總長的主子怒氣未消，誰也不敢動一動。

在這段極度緊張的時期裡，他的頭皮老是發麻發癢，都被他抓出血來了。他腳邊躺了一堆撕得碎破的紙卷，全是他下屬交來的報告。

什麼都沒有。沒有確切的跡象、沒有眾所週知的過失、沒有貪污舞弊的記錄：帕札爾似乎是個廉明的法官，自然也是個危險的人物。孟莫西向來不會低估對手；尤其這次要對付的人更是可怕，想要制服他並不容易。在實際採取行動之前，一定要先找到答案：操縱他的人到底是誰？

※註1：布拉尼對帕札爾說的是收編在先賢語錄《教誨集》中的名言。

※註2：芫荽的果實乾燥後可做香料。

※註3：由植物提煉的物質，可增加濃稠度。

第十四章

單桅帆船航行在三角洲廣大的水域，風將龐大的布帆吹得鼓鼓的。駕船的人熟練地順流掌舵，帕札爾法官、凱姆和狒狒警察則在甲板中央的船艙裡休息，行李放置在船艙上方。船長在船頭用一枝長竿測過水深後，向船員們發號施令。艄艉皆繪有天空之神何露斯之眼，以求旅程平安。

帕札爾走出船艙，想好好看看剛才無意間發現的景致。那座山谷好遠啊，谷地裡的農田全都夾在兩個沙漠之間。在這裡，大河分出大大小小的支流提供城市、村落、農田的用水；柔和藍天裡偶爾點綴著幾朵白雲，千百隻鳥禽飛來飛去，帕札爾覺得開展在眼前的好像是茫茫的蘆葦與莎草海，其中突出海面的幾座小山丘上，還有大片大片的柳樹與金合歡林圍繞著幾間白色平房。這不正是古代作家提到最早的沼澤地？不正是環繞在世界四周、每天清晨迎起旭日的海洋所化身的陸地嗎？

有幾名獵人示意船家繞道，他們正在追捕一頭公河馬。這頭受傷的河馬剛剛潛入水中，很可能隨時從水底竄上來，即使體積稍大的船也會被他撞翻的。這頭巨獸一抗拒起來，將會十分凶狠。

船長不敢掉以輕心；於是取道尼羅河最東邊的支流雷河往東北而行。即將接近以貓為象徵的巴絲特女神之城布巴斯提斯時，他轉進「寧水運河」，沿著瓦第圖米拉朝大湖區前進。風猛烈地吹著；往右看，可以見到池塘裡有幾隻水牛在泡水，另一邊的檉柳樹下有一間小茅屋。

船靠岸了，船員拋下了舷梯。手腳不似水手那般靈活的帕札爾，走起來搖晃得厲害。一群小孩看見了狒狒，嚇得四處奔逃。孩子的尖叫聲驚動了村民；只見他們揮動著乾草叉，往剛下船的人這邊走來。

「你們不必害怕，我是帕札爾法官，他們是我手下的警察。」

於是村民放下了長叉，帶著法官去見村長。村長是個暴躁易怒的老人。

「我想找一個退役軍人，他在幾個禮拜前已經回到這裡來了。」帕札爾說明了來意。

「在人世間，你是見不到他了。」村長答道。

「他去世了？」帕札爾心中又是一驚。

「他的屍體是幾名士兵運回來的。我們已經把他葬在墓園裡了。」

「死因呢？」

「年紀太大了。」

「你檢查過屍體嗎？」

「他已經被處理成木乃伊了。」

「那幾個士兵跟你說了什麼嗎？」

「他們沒說什麼。」

帕札爾不能挖出木乃伊，否則對死者是大大的不敬。因此他和同伴又搭上船，往另一個退役軍人所住的村子而去。

「你們得涉水走過沼澤。」船長說：「因為這一帶有一些小島，很危險。我要盡量讓船遠離河岸。」

狒狒可不喜歡水，凱姆勸了好久，好不容易才說服牠走進一條蘆葦叢中開出來的路。狒狒還是不安心，不停東張西望的。帕札爾走在最前面，他迫不及待地想快點抵達山丘頂上的那幾間小

屋。而凱姆則一直留意著狒狒的反應：牠力大無窮，向來什麼也不怕，今天這麼反常應該是有原因的。

突然間，狒狒發出一聲尖叫，並推了帕札爾一把，然後從泥濘的水中抓起一條小鱷魚的尾巴。鱷魚正要張開口，就被狒狒向後扯開了。這種沿河居民所謂的「大魚」，經常會出奇不意地咬死前來飲水的羊隻。

鱷魚奮力掙扎著；可是牠還太年幼，體積又小，根本抵受不住狒狒在沼澤中的拉扯，終於被牠丟出幾公尺外。

「你替我跟殺手道謝。」帕札爾向凱姆說：「我會考慮升牠的官。」

這個村的村長坐在一張低矮的椅子上，椅面有點傾斜，椅背渾圓；他舒舒服服地靠著椅背，在無花果樹下乘涼，一邊享用豐盛的餐點，不但有雞肉、有洋蔥，平底籃中還放了一罐啤酒。

他請客人一起用餐；立了大功，不日便要高昇的狒狒，二話不說，抓起雞腿便大口大口嚼了起來。

「我們要找一名退役軍人，他退役後就到這兒來了。」帕札爾向村長重覆了相同的話。

沒想到村長的回答竟然也是，「唉，帕札爾法官，我們再見到他時，他已經成了木乃伊了。軍方將他送回來，並付了所有的喪葬費。我們的墓園雖然不大，但來生還是可以很幸福的。」

「他們說了死因嗎？」

「那些士兵什麼都不說，可是我堅持要知道。好像是意外吧。」

「什麼樣的意外？」

「這個我就不知道了。」

回孟斐斯途中，帕札爾掩不住心中的失望，衛兵長失蹤，兩名手下死了，另兩人恐怕也已變成木乃伊了。

「你不打算繼續找了嗎？」凱姆問道。

「不，凱姆，我一定要把事情弄清楚。」

「能再回底比斯倒也不錯。」凱姆輕描淡寫地說。

「你心裡怎麼想？」

「我希望這些人都死了，讓你找不出謎底，這樣才好。」

「你難道不想知道真相嗎？」

「當真相太具危險性時，我寧願不知道。我已經丟了一個鼻子，而現在你卻可能喪命。」

*　*　*

蘇提天亮回來時，帕札爾已經開始工作了，勇士還是趴在他腳邊。

「你沒有睡覺？我也沒有。我需要休息一下……這個農場女主人真要把我累死了，什麼樣稀奇古怪的玩意她都要嘗試，而且貪得無饜。囉，我買了幾塊熱烘餅，剛出爐的！」

勇士先吃了之後，兩個好友才一起用早餐。雖然蘇提累得幾乎站不住腳了，但他還是看得出帕札爾心裡很痛苦，便問他：「你要不是很累，就是有很大的困擾。是因為你心裡暗戀的那個人？」

「我不能說。」

「調查不公開，難道也包括我在內？那一定很嚴重了。」蘇提意識到事情並不簡單。

「調查一直沒有進展，可是我確定我已涉入一樁刑事案件了。」帕札爾忍不住還是透露了給摯友知道。

「你是說……殺人？」蘇提認真的問道。

「很可能。」

「你要小心，帕札爾。埃及犯罪的人並不多。你會不會是在老虎口中拔牙？你可能惹上重量級人物了。」

「當法官，這是難免的。」

「會是首相的計謀嗎？」蘇提大膽假設地問。

「要有證據證明。」

「有可疑的人嗎？」

「只有一點是確定的：有幾名士兵也參與了這次的陰謀。而這些士兵應該是聽令於亞舍將軍的。」

蘇提佩服地吹了一聲長長的口哨，「這可是隻大老虎呀！是軍事陰謀？」

「不排除這樣的可能。」

「他們有什麼企圖？」

「不知道。」

「這件事就包在我身上了，帕札爾！」蘇提說得胸有成竹。

「什麼意思？」

「我想從軍不只是夢想而已。我很快就會成為優秀的士兵，然後是軍官，甚至是將軍！反正，我會成為英雄。然後我會知道亞舍的一切。如果他確實犯了罪，我一定會知道，也一定會告訴你。」

「太冒險了。」

「不，這樣才刺激！這正是我夢寐以求的機會啊！我們倆就一塊兒拯救埃及吧，如何？如果真是軍事陰謀的話，就表示有人要謀奪政權了。」

蘇提的這番說法倒是讓帕札爾審慎起來，「好龐大的計劃，蘇提！我還不確定情況是否這麼糟。」

「這可不一定哦。就讓我照我的意思做吧。」

* * *

上午時分，有一名戰車副官在兩位弓箭手的陪同下，出現在帕札爾的辦公室。這名副官外表很粗獷但態度很謹慎，「你的手上還有一件調職案等著批准，上級派我來完成手續。」

「你說的該不會是司芬克斯前衛兵長的案子吧？」

「正是。」副官答道。

「只要這名退役軍人沒有親自向我說明，我絕對不會蓋章的。」

「我這回就是要帶你到他那兒去，以便結案的。」

這時候蘇提仍熟睡著，凱姆正在外巡邏，書記官也還沒有到。帕札爾驅走了心中疑懼的感覺；畢竟嘛，有哪個受法律監督的團體敢謀殺法官呢？即使軍隊也一樣。於是他拍拍勇士，安撫牠憂慮的眼神之後，便坐上了軍官的馬車。

馬車快速通過郊區，離開了孟斐斯，接著經由農地旁的一條道路進入沙漠。沙漠中矗立著古王國法老的金字塔，四周華麗壯觀的墓穴裡，則滿是舉世無雙的壁畫與雕塑。高聳於薩卡拉的階梯金字塔是左塞王與首相因赫台的傑作；巨大的石階猶如天梯，可供法老的靈魂上天與太陽神結合，並再度重返人間。從外頭只能見到這座巨大的建築的頂端，因為梯形牆將其團團圍住，唯一開啟的一道大門又時時有警衛守備，與俗世全然隔絕。每當法老的力量與統治能力枯竭時，他便會到廣大的內庭舉行再生的儀式。

帕札爾深深吸了一口沙漠的空氣，充滿生氣卻又乾燥無比。他真心喜愛這一方紅土地，這一片一望無際受太陽灼燒的岩石和黃金般的沙地、這一野充滿了祖先聲音的空曠。

馬車奔馳了一會兒，帕札爾向軍官問道：「你要帶我去哪裡？」

「就快到了。」

馬車在一棟遠離人居的房子前停了下來，房子只開了幾扇很小的窗戶，牆邊則擺了幾副石棺。風揚起了陣陣狂沙。附近見不到一叢灌木、一朵花，遠處只有金字塔和墓穴。一座石塊磊磊的小山阻擋了視線，見不到棕櫚林與農田。這間座落在死亡邊緣、寂落中心的屋子，似乎已經荒廢許久了。

「就是這裡。」副官拍拍他的手宣佈。

帕札爾滿心狐疑地下了車。這是個埋伏的好地方，而且沒有人知道他在哪裡。這時他忽然想到了奈菲莉，內心的深情尚未對她表白就這麼死了，真會是他一生最大的遺憾。

屋子的大門吱吱嘎嘎打開了。門口站著一個很瘦的男人，一動也不動，他的膚色慘白、雙手長得驚人、腳也細長。長臉上一雙黑色的濃眉極為搶眼，還在鼻子上方連成了一線；薄薄的嘴唇沒有一絲血色。他穿著一件山羊皮的圍裙，上面沾著一些淺褐色的汙漬。

他圓瞪黑色的雙眼看著帕札爾。帕札爾從來沒有看過這樣的眼神，強烈、冷冰冰、如刀刃般鋒利。他也不示弱地看著對方。

「裘伊是軍隊裡的木乃伊製造工人。」副官解釋道。

那個人低下了頭。

「請跟我來，帕札爾法官。」

裘伊側讓開來讓副官帶著法官進入。裡面是為屍體進行防腐作業的工作室，石桌上擺放著裘伊正在處理的一具屍體。鐵鉤、黑曜岩刀與磨尖了的石塊都一一掛在牆上，架子上有油罐、香料罐和裝了天然含水蘇打的袋子，這是製作木乃伊不可或缺的原料。木乃伊工匠依法不得住在城市內，經過訓練之後，這些人總是孤僻、安靜、讓人感到懼怕。

他們三人走下第一道階梯，前往一個巨大的地窖。階梯年久失修又很滑。裘伊手上的火把搖曳不定。地上躺著大小不一的木乃伊，看得帕札爾心驚肉跳。

「我接到一份有關於司芬克斯前衛兵長的報告。」副官向他解釋：「當初送到你手中的公文有誤，其實他已經在一次意外事件中死亡了。」

「而且是很可怕的意外。」帕札爾接口說道。

「為什麼這麼說？」

「因為至少已經有三名退役軍人因而喪命了。」

副官翻起衣領說道：「這個我不知道。」

「意外的現場情況如何？」

「詳情沒有人知道。在現場發現衛兵長的屍體後，便直接送到這裡來了。可惜有某個書記官弄錯了，竟然把安葬的公文寫成調職，這完全是行政上的疏失。」

「屍體呢？」

「我帶你來就是來看屍體的，以便讓這件憾事告一段落。」

「想必他已經變成木乃伊了吧？」

「當然。」

「屍體放進石棺了嗎？」法官問道。

副官對於法官的問題似乎有點茫然，他看看木乃伊工匠，只見工匠搖了搖頭。

「因此並沒有舉行最後的下葬儀式了？」帕札爾下此結論。

「是的，可是……」

「好吧，讓我看看這尊木乃伊。」

於是裘伊帶法官與軍官走進地窖最深處。衛兵長的遺體就站在牆壁的一個凹處裡，全身纏著細布條。還用紅墨水寫上了號碼。工匠把將來會貼在木乃伊上頭的標籤拿給了副官。副官於是對帕札爾說：「現在你只要蓋個章就好了。」

裘伊站在帕札爾身後。

火光搖晃，只聽得帕札爾冷峻說：「木乃伊就繼續放在這裡。如果不見或遭到破壞，我就唯你是問。」

第十五章

「你能不能告訴我奈菲莉工作的地點？」

「你好像有心事。」布拉尼看著帕札爾憂心地說。

「這事很重要。」帕札爾顯得很認真，「我已經掌握了一項物證，但是我需要醫生的協助才能採證。」

「昨晚我跟她見過面。她很成功地抑止了痢疾的流行，並且不到一星期就治癒了三十多名士兵。」

帕札爾聽了怒不可遏，「士兵？他們給她的是什麼任務啊？」

「是奈巴蒙故意刁難她的。」

「我非打得他滿地找牙不可。」

「這是法官的職責嗎？」布拉尼調侃道。

「應該給這個惡人一點教訓。」帕札爾自知失言，卻仍義憤填膺地說。

「他只不過行使他的職權而已。」

「你明知事實並非如此。你老實告訴我：這個無能的人這次又要讓奈菲莉接受什麼新考驗了？」

「他好像悔改了；奈菲莉現在擔任的是藥師的職務。」

＊　　＊　　＊

塞克美女神廟附近的藥劑實驗室（※註1）處理著數百種的植物，以便為醫生的處方配藥。為

了保持藥水的新鮮，實驗室每天都會送藥水到城裡與鄉下的醫生處。奈菲莉的任務是負責監督配藥的過程；與前一項工作比較起來，這回卻是降級了。據奈巴蒙的說法，這個階段是必要的，為的是讓她好好休息之後，再重新照料病人。一向唯命是從的奈菲莉依然沒有提出抗議。

到了中午，藥劑師們一起離開實驗室，到餐廳用餐。他們互相熱切地討論、提出自己發現的新處方、也為實驗的失敗慨歎。有兩名專科醫生正在和奈菲莉交談，臉上滿是笑意；帕札爾知道他們一定在追求她。

他的心跳得更快了；好不容易才鼓起勇氣打斷他們，「奈菲莉……」

她停下腳步，問道：「你在找我？」

帕札爾為她感到不平，憤憤地說：「妳所受到不公平的待遇，布拉尼都跟我說了。真是令人憤慨。」

「醫治病患就是我最大的快樂，其他的都不重要。」

見她如此心平氣和，帕札爾忽然不知道該說什麼，便直接提出要求，「我需要妳專業的幫忙。」

「你病了嗎？」

「是一件棘手的案子，調查過程需要醫生協助。只是做簡單的鑑定工作，如此而已。」

* * *

凱姆穩穩地架著馬車；他的狒狒蹲在車內不敢看路面。奈菲莉和帕札爾肩並肩站著，手腕用皮帶固定於車身以免跌落。偶爾一個顛簸，他們的身子會輕輕碰觸。奈菲莉好像渾然不覺，倒是帕札爾內心裡欣喜若狂。他暗自祈禱這段短暫的旅途永遠沒有盡頭，也希望路況越來越糟。有一次他的右腿碰到了奈菲莉的小腿，但他並未將腿縮回，他原本擔心會招來斥責，結果也沒有。能與她靠得這麼近、聞著她的香味，而她可能也並不排斥這樣的接觸……這個夢真是太美了。

木乃伊製作工作室前，有兩名站哨的士兵。

「我是帕札爾法官，讓我們進去。」

「上級嚴令不許任何人進入。這個地方已經受軍方徵用。」士兵答道。

「誰也不能與司法作對。你們忘了我們是在埃及嗎？」

「上級有令……」

「讓開。」

此時狒狒站了出來，面露凶相；牠挺直了身子、雙眼直瞪、臂膀彎起，眼看就要衝向前去。凱姆也漸漸鬆開鏈子。

那兩名士兵只得屈服。凱姆一腳踢開了大門。

裘伊正坐在製作木乃伊的桌上吃著魚乾。

「替我們帶路。」帕札爾命令道。

凱姆和狒狒不放心，在幽暗的房間裡四下搜尋，而帕札爾和奈菲莉則一塊兒下地洞去，裘伊持火把在前面帶路。

「好可怕的地方！」奈菲莉小聲地說：「尤其是對我這種喜歡空氣和陽光的人來說。」

「老實說，我也覺得很不舒服。」帕札爾坦白說道。

裘伊的步伐一如平常，每一步踏的都是舊腳印。

那個木乃伊沒有被移走，帕札爾仔細看了一下，發現沒有人動過。

「這就是妳的患者了，奈菲莉。現在我要在妳的監督下，為他寬衣解帶。」

法官小心地解開細布條；首先映入眼簾的是屍體前額上一個眼睛形狀的避邪物，接下來是頸

子上一道很深的傷口，應該是箭傷。

「到這裡就可以了。妳認為死者幾歲？」帕札爾停手問道。

「大約二十來歲。」奈菲莉做了如此的估計。

* * *

孟莫西一直在苦思如何改善孟斐斯的交通，現在交通問題已經使得生活品質日漸惡化了：太多驢子、牛、馬車、流動攤販以及閒逛的民眾，把巷道阻塞得水洩不通。他每年都會擬定新法令，但是一條比一條更行不通，這些新法也根本沒有上呈首相。他只是不斷允諾要改善，而其實誰也不相信。偶爾，他也會出動警力以安撫人心；警方會暫時清出一條路來，不許停車擋路，違規者將予以罰款，可是幾天過後，便又故態復萌了。

孟莫西將所有的責任都推到屬下身上，卻又想盡辦法不讓他們解決問題；他置身於這片混亂之外，又不時派自己人混入其中宣揚，因此他的聲譽一直居高不下。

下屬通報帕札爾已經在會客室等候，孟莫西便走出辦公室去和他打個招呼。這個人的禮貌周到，讓他產生了一些好感。

然而法官面色凝重，顯然不是什麼好事。

「今天早上我很忙，但是我還是願意接見你。」

「我想你別無選擇。」

「你好像心神不寧。」

「的確是的。」

孟莫西搔了搔前額。他將帕札爾帶進辦公室，隨而遣退他的私人秘書。他神情緊張地坐在一張華麗的椅子上，椅腳以牛蹄裝飾著。帕札爾則站在一旁。「有什麼事？說吧。」

∴

帕札爾於是說出原委，「有一名戰車副官帶我去找裘伊，也就是軍隊正式聘任的木乃伊製造工匠。他讓我看了我在找的那個人的木乃伊。」

「司芬克斯前衛兵長？這麼說他死囉？」

「至少有人想讓我這麼以為。」

「你是什麼意思？」孟莫西感到大惑不解。

「因為尚未舉行最後的葬禮，因此我在奈菲莉醫生的監督下，解開了木乃伊上半身的布條。那具屍體是一個二十來歲的青年，大概是受箭傷而死。不過，很明顯地，他並不是那名退役軍人。」

警察總長聽了顯得異常震驚，「這太不可思議了。」

但帕札爾不為所動，「而且有兩名士兵想阻止我進入工作室。我出來的時候，他們卻又不見了。」

「那名戰車副官叫什麼名字？」

「我不知道。」

「這是嚴重的缺失。」

「你不覺得他在說謊嗎？」

孟莫西勉強點點頭，又問：「屍體呢？」

「在裘伊那裡，他正看守著。我已經寫了一份完整的報告，其中還包括了奈菲莉醫生、木乃伊工匠和我手下的警員凱姆的證詞。」

孟莫西聽到凱姆的名字時，皺起眉頭問：「你對他滿意嗎？」

「他很盡責。」

「他的過去對他並不利。」

「他幫我辦事很有效率。」

「你要提防他。」

「我們還是談談這尊木乃伊，好嗎？」

這個警界龍頭對自己失去了主導權有些許不滿，不得已只好說道：「我會派人去把屍體運來，我們一定要查明他的身份。」

「還要查出他的死因與軍方是否有關，是否涉及謀殺。」

這麼嚴重的指控讓孟莫西大驚失色，「謀殺？你開什麼玩笑？」

「我這一方面也會繼續調查的。」

「往哪個方向調查？」

「調查是不能公開的。」

「怎麼？你對我有戒心？」總長很不滿意他的態度。

「這個問題問得不恰當。」

「這次的事件實在太複雜了，我跟你一樣毫無頭緒。因此我們更應該合作無間，不是嗎？」

「我覺得司法獨立作業似乎好一點。」

*　　*　　*

孟莫西的怒氣震撼了整個警察局。當天就有五十名高階官員受到懲處，並被削減了多項福利。這是他主掌警政以來，第一次沒有接到正式的通知。這對他的體系難道不是一種威脅？他絕不會束手就擒的。

唉！軍方似乎是這一切陰謀的幕後主使，原因卻令人費解。涉足軍方的領域危機重重，孟莫西是不會冒這個險的。如果最近因升官而一步升天的亞舍將軍，果真有任何意圖，那他這個警察總長根本就一籌莫展。

放手讓那個小法官去查，也有不少好處。因為他只有一個人，而且年輕氣盛根本不懂得提防，他很可能會誤闖禁區，觸犯他所不知道的法令。而孟莫西只要跟著他走，就能夠暗地裡得知調查的結果。就暫時與他組成另一種形式的聯盟吧，直到不再需要他為止。

但問題是，為什麼要上演這齣戲呢？策劃的人顯然低估了帕札爾，以為怪異的地點、令人窒息的氛圍與死亡的壓迫感，就能讓法官遠離木乃伊，就能讓他在拒絕蓋章之後終於死心不再追究。結果卻恰好相反；帕札爾對案情的興趣不僅沒有稍減，甚至是更濃厚了。

孟莫西試著安慰自己：一個擔任榮譽職務、小小的退役軍人的失蹤，總不至於對國家造成威脅吧！也許只是一個小士兵犯下的凶殺案，而亞舍或其同黨等高階將領想掩護他罷了。事情往這個方向查就錯不了了。

※註1：神廟附近常有一些實驗室負責試驗與製造各種藥劑。由於專有名詞翻譯上的困難，因此這類研究仍維持在基本的層面。

第十六章

立春是埃及人祭拜亡靈與祖先的日子。雖然這裡的冬天並不冷，但是一入春，陣陣的風從沙漠吹來，夜裡突然變得涼爽了。所有的大墓地內，家人都會在面向外的墓穴禮拜堂中插上鮮花，以表達對死者的追念。其實生與死並沒有清楚的界限，因此在世的人也能夠和已逝的人共同參與宴會，會中燈火便是亡靈的化身。燈火照亮了夜空，歡慶陰陽兩界的人重逢。奧塞利斯神的聖城阿拜多斯（※註1），正在舉行神秘的復活儀式，祭司們將一些小船放在墓穴的上層，好讓亡靈能航向天堂。

法老在孟斐斯的各大神廟點燃了供桌前的燈火之後，便往吉薩而去。和往年一樣，拉美西斯大帝都會在這一天單獨進入大金字塔，在齊阿普斯王的棺木前靜思冥想。就在這偌大的金字塔內，法老王獲得了他所需要的力量，統一了上下埃及，使之更為繁榮。他將注視著創建者的金面具與啟發他行動靈感的金手肘；再生儀式舉行之際，待時機成熟，他將手捧眾神的遺囑，向國人公佈。

拉美西斯走過齊阿普斯墓穴外牆的大門，那裡有一支精銳隊伍守護著。法老王只穿戴著一條簡單的白色纏腰布和一串大大的金項鍊。衛兵彎身鞠躬後拔出了門閂。拉美西斯大帝走到花崗岩石檻，然後開始沿著石灰岩板鋪設的斜坡往上爬。不久，他便會到達大金字塔入口，入口的機關只有他一人知曉，而他也會將此祕密傳給他的繼承人。

法老每年與齊阿普斯以及代表永恆不死之金會晤，心中的感受領悟便越來越強烈。治理埃及的工作雖然令人振奮，卻也累人，全憑藉這些儀式給予帝王必要的能量。

拉美西斯慢慢地爬上了大廳，進到放置石棺的墓室，渾然不知國家這一個能源中心已經變成了什麼也運生不出來的地獄了。

＊　＊　＊

碼頭邊充滿了節慶的喜氣；船隻上裝飾著花朵，啤酒川流成河，船員和一些熱情大膽的女孩跳著舞，樂師則四處遊走為群眾歡奏輕快的音樂。帕札爾和勇士走了一小段路後，正想離開熱鬧的人群，忽然聽到一個熟悉的聲音叫他，「帕札爾法官！你要走啦？」

戴尼斯那有著美麗白鬍鬚，卻又顯得笨拙的方臉，從人群中冒了出來。他推開旁人，朝帕札爾走過來。

「多美好的一天啊！大家玩得這麼高興，把憂愁都拋到一邊去了。」戴尼斯笑臉盈盈的向帕札爾說道。

「我不喜歡熱鬧。」

「你這個年紀不應該這麼嚴肅。」

「本性難移。」

「慢慢就會改過來了。」

「你好像很快樂。」

「因為一切都很順利，貨期都沒有耽誤，底下的人又聽話，我還有什麼好抱怨的？」

「你好像不記我的仇了哦？」

「你只是做你該做的事，怎麼能怪你？而且我還有個好消息。」

「什麼好消息？」帕札爾問道。

「由於這次的慶典，宮廷赦免了一些輕刑犯。這是孟斐斯的古老傳統，多少有點遭遺忘了。

這回我有幸名列赦免名單之中。」

帕札爾氣得臉都發白了，但是他還是忍住怒氣說：「你是怎麼辦到的？」

「我說過了：是節慶，全都是因為節慶的關係。你的起訴文件中，並未註明我的個案不適用於赦免令。你沒什麼好不服氣的：最後的結果你贏了，我也沒有輸。」

戴尼斯滔滔不絕，似乎希望所有人都感染到他的愉快心情，「我不是你的敵人，帕札爾法官。生意場上嘛，難免會養成些壞習慣。我和妻子都認為你給我們一個教訓是對的，我們會謹記在心的。」

「你是真心的嗎？」

「是的。抱歉，他們還在等我呢。」

帕札爾過於急功躁進，為了主持正義，卻竟忽略了這一點。心下正自懊惱，突然一列閱兵隊伍擋住了去路，前頭得意洋洋的領隊正是亞舍將軍。

* * *

「帕札爾法官，我之所以請你來，是因為我有新的調查結果要告訴你。」

孟莫西自信十足地說：「那個木乃伊是一名年輕的新兵，在亞洲一次衝突中喪生；他被箭射中後，當場就死了。由於他和司芬克斯前衛兵長的名字十分相似，所以文件才會搞錯了。負責的書記官辯稱自己無罪；事實上，根本沒有人想誤導你。我們以為的陰謀，其實只是行政上的疏忽罷了。還有懷疑？那你就錯了。我已經證實了每個細節。」

「我相信你說的話。」

「那就好。」孟莫西得意洋洋的說道。

「可是仍然找不到衛兵長屍體的下落。」

「這點的確很奇怪。他會不會為了逃避軍方的檢查而自己躲起來?」
「他手下的兩名退役軍人都死於……『意外』。」
帕札爾特別強調這個字眼;孟莫西不解地抓了抓頭。
「有什麼可疑的地方?」
「軍方應該有記錄,也應該會知會你。」
「絕對不會,這種事與我無關。」
帕札爾打算駁斥得他無言以對。因為據凱姆所說,他很可能策劃這次的陰謀,目的在於徹底排除異己,消滅那些個不滿他做法的公務員。
「我們是不是把情形看得太嚴重了?只不過剛好有幾宗不幸的事件串連在一起而已。」
「兩名退役軍人和衛兵長的妻子都死了,衛兵長本身則下落不明,這是事實啊!難道你不能要求軍方上層讓你看看他們的……意外報告?」
孟莫西盯著筆尖說道:「這樣做恐怕不恰當。軍方一向不喜歡警察,而且……」
「我自己來處理吧。」
兩人道別時,分別冷冷地行了個禮。

* * *

「亞舍將軍剛剛出使到外國去了。」軍隊的書記官對帕札爾法官說。
「什麼時候會回來?」
「這是軍事機密。」
「我想看看關於最近發生在大司芬克斯附近一起意外的報告,既然將軍不在,我應該找誰請調?」

「我應該幫得上忙。哎呀，我差點忘了！亞舍將軍交代了一份文件，要我趕快送到你那兒去的。你都來了，我就親手交給你吧。你簽收一下。」

帕札爾解開了綁著案卷的亞麻細繩。文中說明了吉薩司芬克斯衛兵長與其四名下屬，如何在一次例行檢查中喪命的不幸經過。當時這五名守衛爬上了巨大雕像的頭部，檢查石塊是否依然堅固、是否有被風沙損毀的情形。不料其中一人腳一滑，便拖著其他同伴一塊墜落，無人生還。幾名退役軍人都已送回老家安葬，有兩名在三角洲，兩名在南部。至於衛兵長，由於他擔任的是受人景仰的榮譽職務，因此遺體暫置於軍中的一間禮拜堂，即日起將進行長時間而精密的處理，製造成木乃伊。待亞舍將軍自亞洲返國，將親自主持葬禮。

帕札爾在登記簿上寫下自己的名字，證明簽收完畢。

「還有其他手續要辦嗎？」書記官問道。

「沒有了。」

* * *

帕札爾真後悔接受了蘇提的邀請。他說在入伍前，想到孟斐斯最著名的啤酒店好好慶祝一下。帕札爾不斷想著奈菲莉，想著這張有如太陽般照亮他夢境的臉。酒店裡擠滿了尋歡作樂的人，一片熱鬧聲中，帕札爾卻顯得失神落寞，他對赤身裸體的舞者、身材曼妙的努比亞女孩都沒有興趣。

顧客們坐在柔軟的椅墊上，面前擺了一鐔鐔葡萄酒與啤酒。

「年幼的不能碰。」蘇提神采飛揚地向好友解釋道：「她們只是為了讓顧客興奮起來而已。放心，帕札爾，老板都會提供上等的避孕藥，是用金合歡的刺磨碎後加入蜂蜜和蜜棗製成的。」

大家都知道金合歡的刺含有乳酸成分，可以破壞精子授精的能力；年輕人打從第一次的性愛經驗開始，便使用這個簡單的方法盡情享受魚水之歡。

約有十五名女子，蒙著輕薄透明的亞麻面紗，從環繞在中央大廳旁的小房間內走出來。她們個個濃妝豔抹，眼睛周圍特別用粗粗的眼線描過，嘴唇塗成朱紅色，散開的頭髮上別著一朵蓮花，手腕與腳踝上都是重重的環飾；她們朝圍坐在一旁的客人走去。自然湊成對之後，立即走進了以簾幕隔開的小房間裡。

帕札爾拒絕了兩名姿色動人的舞女邀請，仍端坐在外頭，由於蘇提不願丟下他一人，便留下陪他。

這時來了一個三十歲左右的女人，身上只繫了一條貝殼與彩色珍珠做成的腰帶。他們飲酒乾杯的同時，女子也一邊跳著慢舞一邊彈著希臘豎琴為他們助興。著了迷的蘇提注意到了她身上的幾個刺青：左大腿靠近陰部的地方有一朵百合，濃密的陰毛上方則刺了貝斯神，以革除性病的侵害。這是啤酒店老板娘莎芭布，她帶著厚重的假卷髮，髮色很淡，模樣比店裡最美的女孩都還要誘人。莎芭布屈起光滑的長腿，做了幾個猥褻挑逗的舞姿後，接著以腳尖連續點地，旋律節奏絲毫不亂。她身影所到之處，無不散發著身上勞丹脂（※註2）的迷人香味。

當她走近這兩個男人時，蘇提掩不住內心的興奮。

「我喜歡你，」她對他說：「我想你也喜歡我。」

「我不能丟下我的朋友。」

「別煩他了。你看不出他墜入情網了嗎?他的魂根本不在這裡。你跟我來。」

莎芭布把蘇提拉進店裡最大的房間。她讓他坐在一張放滿了彩色靠墊的矮床上，然後蹲下身去開始吻他。蘇提想抱住她的肩，卻被她輕輕推開，

「我們有一整晚的時間呢，別心急。你要懂得抑制你的欲望，讓這股欲望在腰際慢慢擴張，

好好享受全身血液沸騰的感覺。」莎芭布解下貝殼腰帶趴了下去，說道：「幫我按摩一下。」

蘇提順從地和她玩了幾秒鐘；可是看著眼前如此美麗、保養得如此用心的胴體，觸摸著如此芳香的肌膚，他再也按耐不住了。莎芭布見他欲火焚身，便也不再堅持。他熱烈地吻遍她的全身，激情難抑。

* * *

「你讓我享受到了快感。你跟大部分的客人不一樣，他們喝得太多，總是鬆軟無力。」

「如果不讚美妳的魅力，可真是對不起良心。」

蘇提撫摸著她的胸脯，並仔細地注意她的反應。多虧了情夫技巧純熟的雙手，莎芭布才能重新找回遺忘的感覺。

「你是書記官嗎？」

「馬上要去當兵了。我想在成為英雄之前，體驗一下最最溫柔的感覺。」

「這麼說來，我得卯盡全力了。」

莎芭布將舌尖微伸，輕輕舔觸，重新燃起了蘇提的欲望。他們緊緊纏繞住對方，再歡愛一次，高潮之際甚至忘情尖叫。雲雨過後，兩人深情對望著呼呼喘息。

「你真是把我迷住了，小公羊，因為你喜歡做愛。」

「還能有更美的幻夢嗎？」

「你卻是實實在在的人啊。」

「妳怎麼會當起啤酒店的老板娘的？」蘇提好奇的問道。

「因為厭倦了那些假貴族和偽君子。其實欲望一來，他們和你我根本沒有差別。你不知道……」

「說來聽聽。」

「你想刺探我的祕密？」

「有何不可？」

莎芭布雖然經驗豐富，雖然經歷過各種男人的身體，無論美醜，她卻難以抗拒這個新情人的愛撫。他喚醒了她復仇的念頭，向這個使她經常受到羞辱的人世報復。

「你成了英雄以後，會不會以我為恥？」

「怎麼會？我相信妳一定接過很多有名的客人。」

「沒有錯。」

「那一定很有趣……」

她用小指封住了情夫的嘴。「只有我的日記知道一切。我能夠過得如此平靜，全是日記的功勞。」

「妳把客人的名字寫下來了？」

「他們的名字、他們的習性、他們心裡的祕密。」

「的確是無價之寶！」

「只要他們不惹我，我就不會用到它。等我老了，再拿出來好好回憶一番。」

蘇提躺到她身上，「我還是很好奇。不然妳只要說出一個人就好。」

「不行。」

「說給我聽嘛，只給我一個人聽。」

蘇提邊說邊俯下頭吻她的乳頭，她打了個顫，想要抗拒。

「一個人就好，只說一個人。」

「我告訴你，有一個人人稱善的君子典範。可是等我說出他的惡行，他就完了。」
「他叫什麼名字？」
「帕札爾。」
蘇提馬上推開情婦豐滿的身子，質問道：「是不是有人要妳做什麼？」
「散佈謠言。」
「你認識他嗎？」
「從來沒見過。」莎芭布搖頭說道。
「妳錯了。」
「你怎麼……」
「帕札爾是我最好的朋友。今晚他也在你這裡，可是心裡只想著他心愛的女人和他堅持的理由。是誰叫妳誹謗他的？」
莎芭布沒有回答。
蘇提又說：「帕札爾是個法官，最正直的法官。不要惡意中傷他；反正妳手中握有把柄，又不必擔心。」
「我不能向你擔保什麼。」

※註1：位於埃及中部，現在仍能夠參訪到一座令人讚嘆不已的奧塞利斯神廟。
※註2：由一種樹膠脂萃取出來的香料。

第十七章

帕札爾和蘇提並肩坐在尼羅河畔，迎接新的一天的誕生。經過一晚的夜遊之後，太陽戰勝了黑暗與企圖摧毀它的邪惡之蛇，重新躍出沙漠，染紅了河水，魚群也歡喜地跳出水面。

面對著一片歡愉的朝氣，蘇提突然這麼問：「帕札爾，你是個認真的法官嗎？」

「你對我有什麼不滿嗎？」帕札爾反問他。

「如果法官盡喜歡做些不正經的事，可能頭腦就不會太清楚了。」

「啤酒店是你拉我去的。而且你玩樂的時候，我都在想公事。」

「是在想你的心上人吧？」

此時河面閃閃發光，破曉的血紅已漸漸淡去，只餘清晨的一片金黃。

「像這種充滿危險與神秘的色彩的歡場，你來過幾次？」

「你喝醉了，蘇提。」

「這麼說你從來沒見過莎芭布了？」

「沒見過。」

「可是只要有人有興趣聽，她就打算告訴他，你也是她眾多恩客中的一個。」

帕札爾臉都白了。他這時想到的倒不是自己的聲譽將從此一敗塗地，而是奈菲莉會怎麼想。

他憤然道：「有人收買了她！」

「沒錯。」蘇提點頭說。

「會是誰呢？」

「我們盡情地纏綿之後，她就愛上我了。所以才肯和我說這樁陰謀，但是她沒說出主謀是誰。不過我覺得並不難猜，這根本就是警察總長孟莫西的老把戲嘛。」蘇提十分確定地說，語氣有點調侃的味道。

「我會否認的。」

「這樣沒有用。我已經說服她什麼也別說了。」

雖然好友有這樣的自信，但是帕札爾對人性卻沒有如此把握，「別作夢了，蘇提！只要一有機會，她就會背叛我們的。」

「我可不這麼想。這個女孩還算有點道德良知。」

「對不起，我不得不懷疑。」

「在某些情形下，女人是不會撒謊的。」

「我還是想跟她談談。」

* * *

近午時，帕札爾法官在凱姆和狒狒的陪同下，來到了啤酒店門口。有一名努比亞女孩嚇壞了，慌慌張張地躲到椅墊下；另外一個女孩比較不害怕，便出面見法官。

「我要找你們的女主人。」帕札爾對她說。

「我只是店裡的員工，而且……」

帕札爾見她支支吾吾，似乎有意隱瞞什麼，便直接拿法律壓她，「莎芭布女士呢？做偽證是要坐牢的。」

「我如果坦白說，她會打我。」

「如果妳不說，我就依法控告妳。」

「我又沒做什麼壞事。」女孩一臉無辜的說道。

「妳只是還沒有被告發而已，快說實話。」

女孩在法官的脅迫之下，不得不照實說：「她到底比斯去了。」

「知道地址嗎？」

「不知道。」

「什麼時候回來？」

「我不知道。」

如此看來，酒店女主人決定一走了之，躲得遠遠的。

此後，帕札爾更需要步步為營，否則隨時會有危險。躲在暗處的敵人，已經開始進行對他不利的行動。有某個人，應該是孟莫西，收買了莎芭布散佈謠言毀謗他；莎芭布若是屈服於高層的威逼，便會立刻開始造謠中傷他。如今帕札爾的安全暫時不受威脅，完全要歸功於蘇提的誘惑力。

帕札爾心想，偶爾的荒唐其實也不是那麼罪不可赦。

* * *

幾經思量，警察總長終於做了一個可能導致嚴重後果的決定：要求私下面見首相巴吉。他難抑緊張的情緒，不斷地對著銅鏡反覆練習，以便找出最恰當的臉部表情。每個人都知道這位埃及首相絕不妥協的個性，孟莫西自然也不例外。巴吉一向不願浪費時間，因此頗吝於言詞。而他由於職責所在，一切控訴都要有真憑實據，否則他絕不受理；因此那些糾纏不清、捏造事實、惡意中傷的人，都會為自己的行為付出慘痛的代價。面對首相，你所說的每個字以及一舉一動，都得非常謹慎。

孟莫西在接近中午時分前往皇宮。早上七點，巴吉與國王交談，然後下指令給各個重要幹部，並審查來自各省的報告。接下來是他每天開庭的時間，專門處理其他法庭無法解決的各種案件。在用午餐之前，若有緊急狀況，首相也會格外接見。

他在辦公室接見了警察總長，室中陳設簡單樸實，完全無法與他身在高位聯想在一起：一張有靠背的椅子、一張草蓆、幾個置物箱和莎草紙簍。假如不是巴吉穿著一件又厚又長、只露出雙肩的袍子的話，真可能讓人誤以為他只是個小小的書記官。他的頸子上掛了一條有心形銅墜的項鍊，表示他有用之不竭的精力可以聽取申訴陳情。

首相巴吉今年六十歲，身材高大，背有點駝，長長的臉上挺著一個又高又尖的鼻子，頭髮捲曲，有一雙藍色的眼睛，但身子十分僵硬。他從來不做運動，皮膚很怕曬。他的手指修長而優雅，頗有繪畫的天賦；他最初當過手工藝匠，後來到文字廳教書，更成為幾何專家。頂著這項頭銜的他，更證實了自己個性上的一絲不苟。於是他受到朝廷重用，先後被任命為幾何總長、孟斐斯省大法官、門殿長老，最後當上了首相。有不少朝臣想抓他的小辮子，但都只是白費心思；這個讓人敬畏的巴吉，可說是自因赫台以降，促使埃及繁榮壯大的偉大首相之一。雖然他的嚴刑重罰偶爾會引發民怨，可是在法律上他總是站得住腳。

直到目前為止，孟莫西都只是遵循首相的命令辦事，討他歡心。因此這一次的會面著實讓他坐立不安。

首相滿臉倦容，看起來像是在打盹，「孟莫西，有話快說吧，簡略一點。」

「事情沒有這麼簡單……」孟莫西有點不知從何簡略起。

「長話短說。」首相還是惜字如金。

「是這樣的，有幾名退役軍人從大金字塔上意外跌落喪生了。」

「調查了嗎？」

「軍方調查過了。」

「有異常跡象？」

「好像沒有，我沒有調閱正式公文，但是……」

「但是你從其他管道得知了內容。孟莫西，這樣是不合乎規定的。」

這項指控使得警察總長有些擔心，不由得分辯道：「這是長久以來的習慣了。」

「要改過來。如果沒有不對勁，你為什麼來見我？」

「因為帕札爾法官。」

「他瀆職嗎？」首相一針見血地問。

孟莫西面對首相犀利的問話，鼻音變得更加濃厚了，「我不是要指控他，只不過他的行為令人擔憂。」

「他不守法嗎？」

「他堅信聲譽卓著的衛兵長之所以失蹤，其中有不尋常的原因。」

「他有證據嗎？」

「完全沒有。我覺得這名年輕法官是故意引起騷動，以打響自己的知名度。我對他這種用心感到遺憾。」

「你這麼說我覺得很欣慰，孟莫西。」首相嘉勉了這麼一句之後，話鋒一轉問道：「你本身對這件意外事故有什麼看法？」

他卻很不以為然地應道：「根本毫無意義。」

「不，我很想知道真相。」

如今陷阱已經逼得他進退兩難了。孟莫西實在不敢做選擇，他只怕一旦表明了立場會受到苛責。

首相張開了眼睛，湛藍的眼神中有一股冷冷的鋒芒，彷彿可以穿透人心。孟莫西逃避他的注視，支吾其詞，「這些不幸的人的死很可能並無可疑之處，只是我不知道文件的詳細內容，無法有確切的想法。」

「如果連警察總長都不能確定，那麼法官為什麼不能抱持懷疑的態度？他的首要工作便是不能接納現成的事實。」

「首相說的是。」孟莫西囁嚅道。

「孟斐斯不會任命一個無能的法官，所以帕札爾一定有他出色的地方。」

聽首相這麼讚美帕札爾，孟莫西還是不死心，「這個年輕人剛開始要適應大城市的新環境，加上他事業的野心，又突然握有這麼大的權力，他所背負的責任不會太重了嗎？」

「這個以後就知道了。」首相說道：「若真是如此，我會免去他的職位。不過這段期間內，就讓他繼續查吧，也希望你能夠給予支援。」

巴吉說完，頭往後一仰，又閉上了眼睛。孟莫西心想，他必定還透過闔著的眼瞼在觀察自己，便起身鞠躬，然後離開，一肚子的怒氣就留給他的下人了。

* * *

矮壯結實、皮膚被太陽曬得黝黑的卡尼，天亮後便來到了帕札爾法官的辦公室。他在緊閉的大門前面，傍著北風而坐。驢子，一直是卡尼夢寐以求的。有了驢子，就可以幫他背載重物，他也不必一次又一次挑著那麼重的水罐，到菜園子澆水了。由於北風張著大大的耳朵，他便娓娓說著自己一成不變的日常生活，說著自己對土地的熱愛，說著自己如何細心地挖鑿灌溉渠，說著自己見到作物收成時的欣喜。

他這番心裡的話被帕札爾敏捷的腳步聲打斷了。帕札爾有點訝異，「卡尼……你想見我？」

只見這名菜農用力地點頭。

「進來吧。」

卡尼遲疑了一下。法官的辦公室和大城市一樣，都讓他害怕。一離開鄉下，他就渾身不自在。這裡有太多噪音、太多令人作嘔的氣味、太多視野的阻隔。要不是事關他的未來，他絕不會踏入孟斐斯的街道一步的。

「我迷路迷了十次呢。」他向法官解釋。

「喀達希又找你麻煩了？」帕札爾則直截了當地問。

「是的。」

「這次是為了什麼事？」

「我要走，他不答應。」

「要走？」

「今年我菜園的收成比往年多了三倍，所以我可以獨立工作了。」

「這是合法的。」帕札爾讚許地點點頭。

「可是喀達希不承認。」卡尼顯得十分委屈。

「把你那一小塊園子描述給我聽聽。」

＊　＊　＊

御醫長奈巴蒙在豪華別墅外，綠葉成蔭的庭園裡接見奈菲莉。他坐在一棵開滿了花的刺槐樹下，喝著淡而清涼的玫瑰紅酒。身後有一名僕人幫他搧風。

「美麗的奈菲莉，真高興見到妳！」

奈菲莉的穿著正規保守，並戴了一頂舊式的短假髮。

「妳今天好嚴肅。這件衣服不是已經過時了嗎？」

奈菲莉不理會他的應酬話，仍正經八百問道：「你打斷了我的工作，把我叫來，請問有什麼事情？」

奈巴蒙要僕人先暫時離開。他對本身的魅力自信滿滿，又確信庭園的美會使奈菲莉動心，因此決定再給她最後一次機會。

「妳不太喜歡我哦？」

「你還沒有回答我的問題。」奈菲莉不改顏色。

「好好把握這美好的一天、品嚐這等美酒、享受我們身處的這個天堂吧。妳又美麗又聰明，比任何著名的執業醫生都還要有天份。但是妳沒有錢，缺乏經驗，我若不幫妳，妳將會在小村子裡默默度過一生。也許剛開始道德勇氣能讓妳克服艱難的考驗，可是年紀一大，妳一定會對自己所謂的清高感到後悔的。事業是不能以理想為基礎的，奈菲莉。」

奈菲莉交叉著雙臂，盯著水池看，蓮葉間有幾隻戲水的鴨子。奈巴蒙又繼續說：「妳將來會喜歡我的，我還有我做事的方法。」

「你的野心與我無關。」奈菲莉冷冷地說。

「妳有資格當御醫長的妻子。」

「你錯了。」奈菲莉仍舊毫不領情。

「我了解女人。」

「你確定嗎？」

奈巴蒙臉上哄人的微笑僵住了，「妳忘了你的未來全操縱在我的手上嗎？」

「你錯了，我的未來是在眾神的手上，不是你。」

奈巴蒙站了起來，一臉嚴肅說道：「我要妳放棄眾神，來服侍我。」

奈菲莉斷然拒絕，「不可能。」

「這是我給妳最後一次警告。」

「我可以回實驗室了嗎？」

眼見奈菲莉根本不為所動，奈巴蒙終於使出了殺手鐗。

「根據我剛剛收到的報告，妳的藥學常識非常不足。」

奈菲莉並不慌張失態，她放開雙臂，定定地看著這個批評她的人，「你明知道這不是事實。」

「報告上寫得很清楚。」

「是誰寫的？」奈菲莉不服氣的問道。

「幾個熱愛工作的藥劑師，由於他們小心謹慎，很快就能獲得遷昇。假如妳配不出複雜的藥方，我就不能讓妳成為菁英隊的一員。我想妳應該知道這意味著什麼吧；也就是說妳根本不可能有進階的機會。妳將停留在原位，無法使用實驗室裡最好的藥品，因為這些藥材由我控制，我會限制妳的使用權。」

「你這麼做，受害的是病患。」

「妳得把病患交給比妳更有能力的醫生。當妳無法忍受自己地位的卑微時，妳自然會拜服在我的腳下。」奈巴蒙得意洋洋地說。

* * *

戴尼斯的轎子來到喀達希別墅的門口時，帕札爾法官也正好要請門房通報。

「牙痛嗎？」戴尼斯問道。

「是法律上的問題。」

「算你運氣好！我的牙根暴露，難過死了。」戴尼斯抱怨病痛之後，不忘關心地問道：「喀達希有什麼麻煩嗎？」

「只是一點小事。」

紅手的牙醫見到上門的顧客，打了個招呼，問道：「哪一位先來？」

「戴尼斯是來看病的，至於我，則是來跟你談卡尼的事。」帕札爾說。

「我的園丁？」

「現在已經不是了。他的工作使他有權獨立門戶。」

「胡說八道！他是我雇用的人，永遠都是。」喀達希斥道。

「這份文件你蓋個章。」

「我不蓋。」喀達希顫抖著聲音拒絕了。

「那麼我只好採取訴訟途徑了。」

戴尼斯見情勢不對，趕緊出來打圓場，「你們先冷靜一點！就讓這個園丁走吧，我再幫你找一個。」

「這是原則問題。」牙醫反駁道。

「圓滿的安排總比打不贏的官司好吧！忘了這個卡尼吧。」

雖然滿心不情願，喀達希還是聽從了戴尼斯的建議。

＊　＊　＊

雷托波利斯是位於尼羅河三角洲的一個小城，城的四周全是麥田；這裡的祭司院專門研究何露斯神的傳說，這個神以獵鷹為化身，展開後的雙翅廣袤如宇宙。

奈菲莉請求要見院長，他是布拉尼的朋友，對於奈菲莉被官方醫生團體開除的事十分清楚。院長讓奈菲莉進入一間侍奉著阿努比斯神像的禮拜堂，這個狼頭人身的神祇，不只披露了木乃伊防腐的祕密，並負責為正直人士的靈魂開啟另一世的大門。他能將已無生氣的肉體轉變為光明體。

奈菲莉繞過了神像；在背後的柱子上刻了一連串很長的象形文字，這是一篇探討傳染病治療與淋巴淨化的專業醫學論文。奈菲莉將文字內容深深印在腦海中。布拉尼已經決定，將這一門奈巴蒙從來沒有碰觸過的醫療技術傳授給她。

* * *

這真是累人的一天。帕札爾徜徉在布拉尼家的陽台上，細細品嚐著夜的寧靜。整天留守在辦公室的勇士，現在也總算能好好休息一下了。即將沉滅的天光劃過蒼穹，直奔向天的盡頭。

「你的調查有進展嗎？」布拉尼問道。

「軍方打算把事情壓下來。而且有人正在策劃一項對我不利的陰謀。」

「是誰唆使的？」

「我實在不能不懷疑亞舍將軍。」

「不要有先入為主的想法。」布拉尼溫言勸道。

「我有一大堆公文要審查，根本動彈不得。這大概是孟莫西搞出來的。我本來預定要出遠門，現在也不得不取消。」帕札爾的聲音中透著疲憊與無奈。

「這個警察總長是個可怕人物，為了爬上這個位子，他已經毀了不少人。」布拉尼看著自己

的愛徒。

「不過，我至少讓一個人很快樂，就是卡尼！現在他是自由工，而且已經離開孟斐斯到南部去了。」

「他是我的藥草供應人之一。不好相處，但是熱愛自己的工作。喀達希對於你的介入一定很不高興。」

「他聽了戴尼斯的建議，服從了法律。」

「他不得不慎重。」

「戴尼斯說他學乖了。」

「他畢竟是個商人。」

不過帕札爾心裡還是有些懷疑，覺得事情太簡單了一點，便問老師：「你相信他是誠心改過的嗎？」

「大多數人的行為都還是為自己的利益著想。」

「你最近見過奈菲莉嗎？」帕札爾終於道出自己一心繫念的問題了。

「奈巴蒙還是不死心，竟然向她求婚。」

帕札爾臉色立刻變得蒼白。勇士感覺到主人不對勁，便抬起頭來看著他。

「她……答應了嗎？」帕札爾顫抖著聲音問道。

「奈菲莉雖然外表溫順，但是她不願意做的事，誰也強迫不了。」

沒有聽到老師具體的回答，帕札爾又追問了一句，「她拒絕了吧？」

布拉尼微笑著說：「你能想像奈巴蒙和奈菲莉站在一起的畫面嗎？」

帕札爾這才大大鬆了一口氣。狗兒看主人沒事了，又趴下去睡覺。

「奈巴蒙想盡辦法要使她就範。」布拉尼又說：「根據一份假造的報告，他以能力不足為理由，將奈菲莉逐出了官方醫生團體。」

帕札爾氣憤地握緊了拳頭，「我會辦這些做偽證的人。」

「沒有用的。很多醫生和藥劑師都是奈巴蒙底下的人，他們不會改口的。」

「奈菲莉一定很失望……」

「她已經決定離開孟斐斯，搬到底比斯附近的一個村子去。」布拉尼說出奈菲莉的下落。

第十八章

「我們出發到底比斯。」帕札爾對北風說。

驢子聽到這個消息很是高興，但是書記官看到他們的行李時，卻憂心忡忡地問：「你要離開很久嗎？」

「不知道。」

「必要的時候，我怎麼聯絡你？」

「先把文件放著，等我回來再說。」

「可是……」

亞洛終究覺得不妥，但帕札爾只勸了他一句：「準時一點，別老是讓女兒等那麼久。」

* * *

凱姆住在軍械庫附近一棟三層樓的建築，裡面大概有十來間二到三廳的公寓。帕札爾特地挑了他休假的時間，希望能在住處找到他。開門的是眼神呆滯的狒狒。

客廳裡放滿了刀子、長槍和投彈器。凱姆正在修理一把弓。見到法官，他極為詫異。

「你怎麼來了？」

「你的行李準備好了嗎？」帕札爾反問道。

「不是取消行程了嗎？」

「我改變心意了。」

「悉聽吩咐。」他還是只有這句老話。

投彈器、長槍、匕首、大頭棒、短粗木棍、斧頭、四方木盾……蘇提在這三天之中，把這些武器耍弄得靈活自如。他的表現純熟自信，完全沒有新兵的生澀，使得那幾個負責將新兵編列入隊的軍官，都對他另眼相看。

* * *

測驗期結束時，報名入伍的人全都集合在孟斐斯主要營區的大中庭。一旁馬廄中，一欄一欄的馬匹頗有興味地看著這一大群人；庭子中央有一個巨大的蓄水池。

蘇提參觀過馬廄，裡頭的地面上鋪了卵石，還有一道道排放污水的水溝。騎兵與戰車士兵都在此照料他們的愛馬；這些馬吃得好，又乾淨，並受到悉心照顧，享受著最好的生活。此外，蘇提對於建在一長排樹蔭下的營房，也留下不錯的印象。

可是他還是非常厭惡紀律。三天來，上級的命令和小兵的叫囂已經將他的冒險經歷制式化了。

新兵入伍的儀式遵循著確切的規定：有一名士兵會向志願者說明加入軍隊以後的種種好處，企圖說服他們，而主要的好處包括安全、受人敬重、退役福利優厚等等。旗手會高舉著幾個為阿蒙神、拉神、普塔赫神與塞托神效命的重要軍團的旗幟。並有一名皇家書記官負責登記入伍新兵的名字。他身後堆的全是裝滿了食物的籃筐，因為今晚將軍們特別為新兵準備了一頓豐盛的晚餐，有牛肉、雞鴨、蔬果等美食。

「以後有好日子過了。」蘇提的一個同伴小聲地說。

「我可沒有。」蘇提沒好聲氣地回他。

「你要放棄？」

「我寧願選擇自由。」

「你瘋了！隊長說你是我們這個梯次得分最高的，可能馬上就能得到一個好職務了。」同伴對他的決定真是大惑不解。

「我想要的是冒險經驗，不是要被編入軍隊。」蘇提的去意已決。

「我要是你，我會再考慮一下。」

他們兩人爭辯之際，有一名宮廷使者帶著一副捲軸快步通過大中庭。他將文件交給皇家書記官。書記官看後，站起身來下了幾個簡單的命令。不到一分鐘，營區的大門全都關上了。志願者紛紛交頭接耳。

「安靜！」軍官大喊了一聲，並開始解釋安撫：「我們剛剛收到上級的指示，依據法老的旨意，你們全部應召入伍。一部分人將前往外省營區，另一部分人明天出發到亞洲。」

「不是緊急情況就是戰爭。」蘇提的同伴說。

「我才不在乎。」

「別傻了。你如果溜走，可就成了逃兵了。」

同伴的這句話起了作用。蘇提評估了一下自己逃到牆邊、消失在附近巷道內的機率：等於零。這裡可不是書記官學校，而是佈滿了弓箭手和長槍手的軍營啊。

這群強制入伍的新兵一個一個地走過皇家書記官面前。書記官也和其他軍人一樣，臉上帶著一種皮笑肉不笑的表情，「蘇提……成績極佳。分發：亞洲軍團。你將擔任戰車尉身邊的弓箭手。明天天一亮就出發。下一個。」

蘇提看見他把自己的名字刻在一面書板上。如今想逃也不可能了，除非他打算一輩子躲在國外，不再見埃及和帕札爾。看來他註定要成為英雄。

「我會在亞舍將軍的麾下嗎？」

書記官怒瞪著他說：「我說了：下一個。」

蘇提分配到了一件襯衫、一件內長衣、一件外套、一個護胸甲、一個皮製護脛、一頂頭盔、一柄雙頭斧，以及一把以金合歡木製成、中心部位很厚的弓。這把弓高一百六十公分，張弓不易，若以直線射出，射程六十公尺，若以拋物線方式射出，則可達一百八十公尺。

「晚餐呢？」

「這裡有麵包、半公斤肉乾、油和無花果。」後勤軍官回答說：「吃吧，要水的話，水池裡有，吃完就去睡覺。明天，你就得吃塵土了。」

* * *

南行的船上，旅客談論的都是拉美西斯大帝的聖旨。根據不少傳令官大量散佈的消息說，法老下令清洗所有的神廟、統計所有的國有寶藏、盤點穀倉與公有倉庫的存量、將祭神的牲禮加倍並準備遠征亞洲。

但謠言卻誇張了事實，傳說有大災難將至、城市裡有武裝暴動、外省有亂民造反，還說赫梯人馬上就要入侵了。帕札爾身為法官，自然有責任維護公共秩序。

「留在孟斐斯會不會好一點？」凱姆問道。

「我們不會離開太久的。村長一定會告訴我們：意外死亡的兩名退役軍人已經製成木乃伊，而且下葬了。」帕札爾對這一點胸有成竹。

「你倒是很悲觀。」

「五人墜落死亡：這是官方記錄的事實。」

「但你不相信。」

「你呢？」帕札爾反問道，希望能多得到一點意見與支援。

「有什麼要緊的？只要一開戰，我就會被徵召了。」

帕札爾對謠言依然存疑，便反駁他開戰的說法，「拉美西斯一向鼓吹和赫梯人與亞洲各國和平相處。」

「可是他們卻會不斷地侵犯埃及。」

「我們的軍力那麼強大，又何必擔心？」

「那為什麼這次決定出征，又有這麼多奇怪的措施？」

「我也覺得困惑。」凱姆這麼一問，倒把帕札爾問住了，他想了一個比較可能的原因：「也許是國內的安全問題吧。」

「埃及國富民安，國王又受子民愛戴，國內人人不愁吃穿，也沒有盜賊橫行。沒有什麼動亂的跡象啊。」

「你說的對，不過法老的感覺似乎有點不同。」

風打在他們臉上，力道有點強勁；因此降下船帆，只靠著水波前進。這個時候的尼羅河面上，還有數十艘船南北往來，迫使船長與船員必須時時保持警覺。

到了孟斐斯以南大約一百公里處，有一艘河警的快艇駛到船邊，命令船長減速。隨後，一名警察攀住纜繩跳上了甲板。

「旅客中有一位帕札爾法官嗎？」

「我就是。」帕札爾站了出來。

「我必須帶你回孟斐斯。」

「為什麼？」

「有人控告你。」

＊　＊　＊

蘇提是最後一個起床、穿著完畢的人。營監還推了他一把，好讓他動作快一點。

他昨晚夢見了莎芭布，夢見了她的愛撫與她的熱吻。她給了他意想不到的歡愉，他決定不久便要再度探訪。

在其他新兵羨慕的眼光注視下，蘇提登上一輛兩輪戰車，點名叫他的戰車尉約四十歲，全身肌肉發達。

「站好了，孩子。」他用低沉的聲音提醒道。

蘇提還來不及把左手腕伸入扣帶中，戰車尉便催馬往前衝了。他們的車最先離開營區，往北奔馳。

「你打過仗嗎，小子？」戰車尉先開口問道。

「對抗書記官的仗。」

「你殺了他們？」戰車尉不懂他的意思，疑惑地問。

「應該沒有。」蘇提也不很確定。

「別失望，我會給你更好的機會。」

「我們去哪？」

「追擊敵人，我們還是前鋒哪！」戰車尉意氣風發地表示，「我們要穿越三角洲，沿著海岸走，要把敘利亞人和赫梯人打得落花流水。我覺得這份聖旨是對的，我已經好久沒有把這些野蠻人踩在腳底下了。」

「你不慢一點嗎？」蘇提在全速前進的戰車上，驚疑不定。

「一個好的弓箭手，就算在最不利的情況下還是可以命中目標的。」

「我要是沒有射中呢？」

「我會把你手上固定用的扣帶切斷，讓你下去吃土。」

「你好嚴厲。」蘇提不敢置信地說。

「亞洲十場戰役、五處傷口、比一般英勇戰士多兩倍的報酬、拉美西斯國王多次親自嘉勉，你說如何？」戰車尉數說著自己的輝煌歷史。

「一點錯都不能犯？」

「你不成功，便成仁。」

想成為英雄要比預期困難得多了。蘇提深深嘆了口氣，張滿弓，不再想著飛奔的戰車、一路的顛簸、崎嶇的道路。

「前面遠方的樹，射！」

戰車尉一聲令下，箭往天空飛射而去，畫出一條優美的弧線，命中那棵金合歡樹幹時，戰車正好從樹下呼嘯而過。

「幹得好，小子！」

蘇提卻長嘆一聲，問道：「你已經踢掉多少個弓箭手了？」

「我早就不數了。我最怕的就是那些半吊子。今晚我請你喝一杯。」

「在營帳裡？」

「軍官和助手可以上酒館。」戰車尉笑著說。

「那麼……女人呢？」對女人，蘇提可真是念茲在茲。

戰車尉往他背上重重打了一下，笑說：「你真是天生的軍人！喝過酒，我們就好好去風流一下。」

蘇提高興地親了親他的弓：老天真是眷顧他。

＊　＊　＊

帕札爾確實低估了敵人反擊的能力。他們一方面阻止他離開孟斐斯，前往底比斯調查；另一方面又想剝奪他法官的身份，讓他從此不能再插手。看來，他一直想揭開的真相，確實事關謀殺，而且不只一宗。

可惜，太遲了。他擔心的事終於發生了。莎芭布聽從警察總長的唆使，告發他行為不檢點。全體法官都將同聲譴責他荒唐的生活習性，認為他不再適任。

凱姆進到了辦公室，頭低低的。

「找到蘇提了嗎？」帕札爾緊張地問。

「他被招募進亞洲軍團了。」

「他走了？」

「他現在是戰車弓箭手。」

「能證明我清白的唯一證人也找不到了。」帕札爾向洩了氣的氣球。

「我可以代替他。」

凱姆雖然自告奮勇，帕札爾卻不能讓他冒這個險，「不行，凱姆。他們一定會發現那天你根本不在莎芭布那裡，那麼你就犯了偽證罪了。」

「我不能眼睜睜看你被毀謗。」

「我不該去追根究柢的。」帕札爾有點懊悔地說。

「如果連法官都不能表明事實，那麼人活著還有什麼意義？」凱姆的悲憤實在令人心碎。

「我不會放棄的，凱姆。但是我沒有任何證據。」

「他們就是要你閉嘴。」

「我不會順從的。」

「我，還有狒狒，都會站在你這邊。」

兩人不由得激動地擁抱在一起。

＊　＊　＊

帕札爾法官回孟斐斯的第三天，案子在皇宮前的木造門殿開庭。程序發展如此快速，主要是由於被告的身份特殊；只要法官有違法的嫌疑，就必須立刻審理。

帕札爾並不指望門殿長老會赦免他，但是當他見到陪審團的成員時，對於陰謀佈線之廣，不得不感到震驚。成員包括運輸商戴尼斯、他的妻子妮諾法、警察總長孟莫西、一名皇家書記官與一名普塔赫神廟的祭司，大部分都是與他對立的人。如果書記官與祭司保持沉默的話，那麼局面更是一面倒了。

理了光頭、穿著一件前交叉式纏腰布的門殿長老，臉色陰沉地坐在法庭最深處。他的腳下有一段約半米長的無花果木塊，代表瑪特神的出席。陪審團站在他的左手邊，右手邊則是一名書記官。帕札爾的身後有一群看熱鬧的民眾。

「你就是帕札爾法官？」門殿長老問。

「在孟斐斯任職。」

「你的部屬之中有一個叫做亞洛的書記官？」

「是的。」

「傳原告。」

帕札爾暗暗心驚，亞洛和莎芭布：多麼不可思議的組合！背叛他的竟是他最親密的工作伙伴。

可是出庭的並不是莎芭布，而是一個矮小的棕髮女人，她體型肥胖，面目可憎。

「妳是書記官亞洛的妻子？」

「我是。」她用一種尖銳粗鄙的聲音回答道。

「妳宣誓後，說出你控告的原因。」

「我丈夫喜歡喝酒，而且喝得很兇，尤其是晚上。一個禮拜以來，他老是在女兒面前罵我、打我。我可憐的女兒嚇死了。我身上有被他打的傷痕，我還有醫生的驗傷單。」女人叨叨訴說著被丈夫凌虐的經過。

「妳認識帕札爾法官嗎？」門殿長老問道。

「只是聽過。」

「妳想要求庭上怎麼做？」

「我要法庭判我丈夫還有負責他品行的雇主的罪。我還要兩件新衣、十袋穀子和五隻烤鵝。如果亞洛再打我的話，我就要雙倍的賠償。」

帕札爾聽了她的指控，極為吃驚。

「傳主要被告。」

亞洛十分窘迫地出庭了，愁眉苦臉的表情使得酒糟鼻更為醒目。他笨拙地為自己辯護：「是我太太惹我的，她不做飯。我打她是不得已的。是為了表達氣憤。你們要體諒我：替帕札爾法官工作很辛苦的，時間一點彈性都沒有，文件又多得不得了，實在需要再找一個書記官來幫忙。」

「要抗議嗎，帕札爾法官？」門殿長老轉向帕札爾問道。

帕札爾便為自己辯解道：「他這些說詞並不正確。我們的確有很多工作，但我也很尊重書記官亞洛的性格，體諒他家裡的問題，所以讓他能彈性上下班。」

「有人可以替你作證嗎？」

「區裡的居民應該可以吧。」帕札爾回答道。

門殿長老於是問亞洛：「我們要不要傳他們出庭？你承認帕札爾法官的話嗎？」

「不，不用……可是也不完全是我的錯。」亞洛自知理虧，卻又不甘心認錯。

「帕札爾法官，你知道你書記官打妻子的事嗎？」

「不知道。」

「你必須對你手下的品行負責。」

「我承認。」

「你沒有查證亞洛的品德行為，這是你的疏失。」

「我是沒有時間。」

「疏失才是唯一正確的用詞。」門殿長老不接受任何藉口，嚴厲指責道。

門殿長老先讓帕札爾退下，聽候吩咐，隨後問原告與被告是否還有話說。只有亞洛的妻子心緒激動地不斷重覆她的指控。

陪審團於是討論了起來。

帕札爾突然覺得想笑。他竟然為了一件家庭糾紛被懲罰，豈非不可思議？亞洛的軟弱和他妻子的愚蠢，設下了令人意想不到的陷阱，這正好順了對手的意。法庭將會遵守司法程序，將帕札爾貶得遠遠的，讓他再也無任何憑恃的力量。

不到一個小時的商議，陪審團便得出了結果。

門殿長老用他一貫的低沉聲音宣佈，「陪審團一致通過，書記官亞洛對妻子的行為確有不當，宣判有罪，他必須給予被告所要求的一切，並罰杖打三十板。若再犯，妻子得以立刻與其離婚。被告服不服？」

能夠如此順利了事，亞洛高興地二話不說便趴了下來，準備服刑。埃及法律對於向妻子施虐的暴徒，一向是不假寬貸的。打完後，亞洛哭哭啼啼地呻吟著，由一名警察帶到區裡的醫務室診療。

「陪審團一致通過，」門殿長老繼續宣佈，「帕札爾法官宣判無罪。本庭建議他不要辭退原來的書記官，給他一次改過的機會。」

*　*　*

孟莫西只跟帕札爾點了點頭，便匆匆忙忙到另一個法庭擔任陪審員了，這次審理的是偷竊案。戴尼斯和妻子則同來向他道喜。

「莫名其妙的指控。」妮諾法夫人憤憤地說，她身上那襲彩色長袍再度招來了全市市民的竊竊私語。

「無論哪個法庭都會判你無罪的。」戴尼斯語帶誇張地說：「我們孟斐斯正需要像你這樣的法官。」

「沒有錯。」妮諾法也附和道：「只有在平和公正的社會，商業才有前途。你的堅定意志讓我們印象非常深刻，我丈夫和我都很欣賞有勇氣的人。以後我們在生意上如果有什麼法律問題，一定會向你請教的。」

第十九章

經過一段快速而平靜的航程之後，載著帕札爾法官、北風、勇士、凱姆、狒狒警察和其他幾名旅客的船，終於接近底比斯了。每個人都靜靜地看著這個城市。

河的左岸矗立著卡納克與盧克索兩座美輪美奐的神廟。高牆擋住了世俗窺探的眼光，牆內有幾位男女信徒正在誠心膜拜，求神留在人間。有好幾條小徑通往神廟入口處的塔門，路旁種滿了金合歡和檉柳。

這回船隻沒有再受到河警攔截。帕札爾滿心歡喜地回到了故鄉；自從他離開之後，他不僅接受了各種考驗、經歷了各種磨練，而且最重要的是他體會到了愛情。奈菲莉無時無刻不在他的心裡；他沒有食欲，也越來越無法集中精神，夜裡他也會睜著眼睛，希望能突然看見她在漆黑中乍現。老是失魂落魄的他，彷彿有一種空虛感啃蝕著他的心，整個人漸漸消沉了下去。只有他心愛的女人能治好他的病，但是她看得出他的病因嗎？再也沒有任何神祇或祭司能重新賦予他生命的樂趣，沒有任何形式的成功能驅散他的痛苦，也沒有任何書籍能安撫他的心靈。而底比斯，奈菲莉所在的地方，是他最後的希望。

帕札爾對自己的偵查再也沒有信心了。他已經覺醒，知道這個陰謀計劃得完美無缺。無論他再如何懷疑，也永遠找不到真相。就在離開孟斐斯之前，他得知了衛兵長的木乃伊下葬的消息。由於出使亞洲的亞舍將軍歸期不定，因此軍方高層認為不必再將葬禮延期了。下葬的果真是那個退役軍人，或者是另一具屍首？那個失蹤的衛兵長是否還活著，躲在某個地方呢？帕札爾將永遠也解不開這個謎。

船在盧克索神廟前方不遠處靠了岸。

「有人在監視我們。」凱姆注意到了：「在船尾的一個年輕人，他是最後一個上船的。」

「進城以後先到處亂走，看看他會不會跟著我們。」帕札爾吩咐道。

那個男人果真尾隨著他們。

「是孟莫西嗎？」凱姆問道。

「很可能。」

「要不要我去擺脫他？」

帕札爾卻制止他說：「我另有打算。」

帕札爾到了警察總局，局長十分肥胖，辦公室裡還堆滿了水果和點心籃。

「你不是這個地區的人吧？」局長問他。

「我是，我是河西某個村子的人，前一陣子被調到孟斐斯，而且很榮幸能見到你們的首長孟莫西。」帕札爾故意這麼說。

「你現在回到家鄉了？」

「只待幾天而已。」

「是休假還是有任務？」

「我現在在處理木材稅（※註1）。我的前任法官對於木材稅的單據，記錄得不詳盡，疑點很多。」

胖局長嚥下幾顆葡萄乾後，說：「孟斐斯會有燃料短缺的問題嗎？」

「當然沒有；那裡的冬天很溫暖，儲備的木柴並沒有用完。只不過我覺得輪流砍柴的工人分配，好像不太公平：孟斐斯人太多，底比斯人很少。所以我想參考一下你這裡各個村落的名單，以便找出其中的弊端。有些人不想去撿小樹枝、荊棘和棕櫚木纖維，也不想送這些木料到撿選與分發中心。我們也該插手管管了吧？」

「當然，當然。」

其實，孟莫西已經將帕札爾即將到訪的事，發文通知底比斯警局的負責人了，並將他形容為可怕、激烈且好奇心旺盛的法官。可是這個胖局長見到的卻不是那麼令人憂心的人物，而是一個吹毛求疵、只注意微末枝節的法官。

「北部和南部木柴供應量的比較結果，是很有力的證據。」帕札爾繼續說道：「在底比斯所鋸的枯木並不符合規定，其中會不會牽涉什麼非法交易？」

「有可能。」

「這是我調查的重點，請你到現場實地記錄。」

「你請放心。」局長向他保證道。

胖局長接見負責跟蹤帕札爾的年輕警員時，把稍早會晤的情形說了一遍。他們兩人都有相同的看法：這個法官已經忘了他最初的動機，如今已陷入常軌之中了。如此明智的處事態度免除了他們不少煩惱。

* * *

暗影吞噬者對猩猩和狗特別留意。他知道動物有多麼靈敏，很容易就會察覺歹徒的犯罪意圖。因此他只是遠遠地窺視著帕札爾和凱姆。另一個大概是孟莫西派來的警員，停止跟蹤後，他的任務變得輕鬆多了。只要法官一接近目標，暗影吞噬者便不得不干涉，否則他只須暗中監視就好了。

命令十分明確，而他從來沒有違抗過命令。若非逼不得已，他是不會輕取人命的。衛兵長的妻子之所以喪命，只能怪帕札爾太頑固了。

自從發生司芬克斯的慘案後，這名退役軍人就逃回河西的故鄉來了。為國盡忠職守這麼多年，總算能在此安享晚年。意外事件的說法對他而言，再恰當不過了；他這把年紀，何苦再去打一場沒有勝算的仗呢？

* * *

回到村子以後，他把烤爐修好，當起了麵包師傅，頗受村民的好評。店裡的女工用篩子將穀粒的雜質過濾之後，先放入石磨中磨碎，再置入石臼內，以一把長柄杵搗得細碎。這樣就磨出了第一階段的粗麵粉，接下來還要過好幾次篩，粉粒才會變細。然後加水讓麵粉變糊變稠，再加入酵母。接著，有一部分的人要用大口甕揉麵，其他的人則要將麵團放到一塊傾斜的石板上滴水。再來就是麵包師傅的工作了。他把一些比較簡單的麵包放在炭火上烤，至於複雜一點的則要放進烤爐；烤麵包的爐子是在三塊直立的石板上方，平放上另一塊石板而成的，然後在平放的石板下燒火加熱。此外麵包師傅也會利用模子做出穿了洞的糕點，或者將麵糊倒在石盤裡，做成圓形大麵包、橢圓形的麵包或烘餅。有時候他也應孩子們的要求，在麵包上畫一隻躺著的小牛，然後看著他們大口大口地咬得痛快。每逢豐收之神敏神的慶典，他還會烘烤一種外皮金黃、中心又白又軟的陽具形狀麵包，供村民在遍地的金黃稻穗之間享用。

老師傅已經忘了打仗時的吶喊聲和傷者的哀號；如今火焰的劈啪聲聽起來多麼悅耳，熱烘烘的麵包又是多麼柔軟！從前的軍旅生涯中，唯一存留下來的是他專制的性格；將烤盤放入爐內時，他會支開所有的婦人，只允許一名助手留下。這名助手是他的養子，也是他將來的繼承人，年約十五歲，長得高高壯壯。

這天早上，這孩子遲到了。老兵正惱怒之際，聽到了坊內的石板地有腳步聲響起。他回轉過

身來喝斥道：「我要你……」見到來人，他連忙住嘴改問：「你是誰？」

「我來代你助手的班，他今天頭痛。」來人回答道。

「你不是村子裡的人。」

「我在另一家麵包店工作，離這裡大約半小時路程，是村長叫我來的。」

「幫我忙吧。」老兵不疑有他，立刻吩咐道。

由於烤爐很深，老兵必須把頭和上半身探進去，才能在爐內擺滿模子和麵包。這時助手要拉著他的大腿，萬一出了什麼意外，可以隨時將他往後拉出。

老兵以為一切都很安全。可是就在今天，帕札爾法官就要到他的村子來了，他將會得知老兵的真正身份，並加以盤問。暗影吞噬者已無選擇。於是他抓住老兵兩腳腳踝，用力一托高，便將老兵整個人推進了烤爐。

* * *

村口一個人也沒有。沒有女人站在自家門口，沒有男人在樹下睡覺，也沒有小孩在玩木娃娃。帕札爾知道一定發生了不尋常的事，他要凱姆先不要動。狒狒和狗則四處張望。

帕札爾很快地走過矮房林立的大街。

所有的居民都圍在爐灶邊，一邊尖叫、一邊推擠、一邊求神保佑。有一名青少年不斷地解釋說，他正要出門到麵包店幫他的養父時，被人給打昏了。他為這起可怕的意外事件感到自責，涕泗縱橫。

帕札爾擠進人群中，問道：「發生什麼事了？」

「我們的麵包師傅剛剛死了，而且死得很慘。」村長解釋道：「他一定是滑了一跤，才會跌進爐子裡去的。通常，他的助手會拉住他的腳，就是要避免類似的意外發生。」

「他是不是從孟斐斯回來的退役軍人？」帕札爾已經有了不祥的預感。

「是啊。」

「這起……意外有目擊者嗎？」

「沒有，你為什麼問這些問題？」

「我是帕札爾法官，我是來訊問這次的犧牲者的。」

「為了什麼事？」

「沒什麼。」

突然有一名婦人歇斯底里地抓住帕札爾的左臂，「他是被夜魔殺死的，因為他答應要把麵包、把我們的麵包，送去給哈圖莎，給那個異族的回教女人。」

帕札爾不發一語，只是輕輕把她的手拿開。女人繼續說道：「既然你是執法的人，那麼就替我們的麵包師傅報仇，抓住這個惡魔。」

＊　＊　＊

帕札爾和凱姆在鄉野間一口井旁用餐。狒狒很優雅地剝著甜洋蔥的皮，他已經漸漸能接受這個法官，不再抱著懷疑的態度了。勇士心滿意足地吃著新鮮麵包和黃瓜，而北風則一口一口嚼著苜蓿。

帕札爾心情仍未平復，將裝水的羊皮袋緊緊抱在懷中說：「一起意外，五個人犧牲！凱姆，軍方根本在說謊。那份報告是假造的。」

「只是行政上的過失。」

「這是謀殺，又一次的謀殺。」帕札爾斬釘截鐵地說。

「我們沒有證據。麵包師傅的死是意外，事實很明顯啊。」

帕札爾無法接受這種說法，也無法掩飾內心的激動，「殺手知道我們抵達村子，所以比我們先一步找到這名軍人。不會有其他人知道這第四個老兵的下落，也不會有其他人會插手管這件事。」

「不要再查了。你已經揭發軍方清算的內幕了。」凱姆好意地勸他。

「如果司法就此放棄，那麼統治的將不再是法老，而是暴力。」

「你的生命難道不比法律重要？」

「是的，凱姆。」

「你真是我所見過最有毅力的人了。」

但凱姆錯了！帕札爾就無法將奈菲莉趕出腦海，即使在這種人命關天的時刻也一樣。經過了這件事，證明他的懷疑確實並非空穴來風，他理應更加專心進行調查；然而愛情卻像強烈的南風，把他的決心都給吹走了。他站起來，靠在井邊，閉上了雙眼。

「你不舒服嗎？」凱姆問。

「一會兒就好了。」

「第四個老兵還活著，第五個會不會也是呢？」凱姆靈光乍現說道。

「要是能詢問他，一切謎底就能揭曉了。」

「他住的村子應該也不遠。」

「我們不去。」

凱姆微笑著說：「你終於恢復理智了！」

「我們不去，因為有人跟蹤我們，而且動作比我們快。麵包師傅就是因為我們來才死的。如果第五個老兵的確還活著，我們又如此貿然去找他，必然也會將他害死。」

「你有什麼打算？」

「還不知道。現在先回底比斯吧。跟蹤的人會以為我們已經遠離線索了。」

*　*　*

帕札爾要求調閱前一年度的木材稅報表。胖局長翻開了檔案，一邊喝著角豆果汁，心想：這個小法官可真是一點頭腦也沒有。趁著帕札爾查閱成堆的帳簿時，局長寫了一封信給孟莫西，請他放心，這個法官不會惹出什麼事來的。

雖然警局幫帕札爾安排了一間舒適的房間，但他卻一夜輾轉難眠。他一心想再見奈菲莉，卻又得繼續追查案情；想見她，可是她無動於衷；想繼續調查，案子卻又陷入膠著，究竟該如何是好？

眼看主人心神不寧，勇士也難過地挨著他，希望將身上的熱度傳送給他，讓他更有精力。帕札爾愛憐地摸摸勇士，想起了以前在尼羅河邊散步蹓狗的日子，當時的他是那麼無憂無慮，原以為自己就要這麼平靜地在村子裡度過一生，默默地迎接春去冬來。

然而命運的轉變竟是如此殘酷，令人不可預料。現在只要放棄那些瘋狂的夢、放棄奈菲莉、放棄事實真相，不就能再回到過去寧謐的生活了嗎？但自欺是沒有用的。奈菲莉將會是他這一生唯一的愛。

*　*　*

黎明為他帶來了一線希望。有一個人能幫他。於是他出發前往底比斯的河堤邊，這裡每天都有一個大市場。食物卸下船之後，一些小商家便立刻擺上貨攤販賣。這一帶有許多大大小小的露天舖子，賣著各式各樣的食品、布料、衣服和各種物品。一個燈心草棚底下，有幾名船員在喝啤酒，同時色瞇瞇地看著那些詢問貨品的美麗女子。一旁，一名漁夫坐在蘆葦編成的魚簍前，用尼羅河鱸換了一小瓶香脂；一名糕餅商拿點心換了一條項鍊和一雙涼鞋，還有香料商以蠶豆換取掃帚。每次的交易，買賣雙方總是在言詞激辯、討價還價之後才達成協議。假使對商品的重量有爭議，便一起到書記官那裡借秤子解決。

帕札爾終於看見他了。不出他所料，卡尼果然在市場裡賣鷹嘴豆、黃瓜和大蒜。

狒狒突然出其不意地猛力拉扯皮帶，向一個誰也沒注意到的小偷撲了過去。這個人偷了兩大棵蔥，正打算溜走，就被狒狒一口給咬住了大腿。他痛得大喊了一聲，奮力想掙脫這隻龐然巨物，但沒有成功。凱姆趁著狒狒尚未撕咬下他腿上的肉，趕緊出聲制止，並將他交給了兩名警員。

「你真是我的守護者。」菜農感激地說。

「卡尼，我需要你幫個忙。」

「再兩個小時就可以賣完了。我帶你到我家去。」

* * *

卡尼在菜園的邊緣種了一些矢車菊、曼德拉草和菊花。他利用排列得整整齊齊的花壇劃分出一小塊一小塊的土地，每一塊土地各種著一種蔬菜，還有蠶豆、鷹嘴豆、濱豆、黃瓜、洋蔥、大蒜、胡蘆巴。菜園子後方，有一個棕櫚樹林是防風用的；左側則有一片葡萄園和果園。卡尼的作物收成後主要都送到神廟去，剩下的才運到市場上賣。

「生活過得還好嗎？」

「工作還是一樣多，不過我多賺了一點。神廟的總管對我很滿意。」

「你也種了藥草嗎？」

「跟我來。」

卡尼讓帕札爾參觀了他最引以為傲的成果：一塊方地，種了各類藥草和藥劑配方所需的草本植物；千屈菜、芥末、小白菊、除蚤薄荷、洋甘菊只不過是其中幾種而已。

「你知道奈菲莉現在住在底比斯嗎？」

「你弄錯了，法官。她在孟斐斯擔任很重要的職務。」

「奈巴蒙把她趕走了。」

卡尼的眼神變得異常激動，「他竟敢……這隻鱷魚竟敢這麼做！」

「奈菲莉已經不是官方醫生團體的一員，也不能再使用大實驗室了。她只能在小村莊看病，嚴重的患者必須送到符合資格的醫生那兒去。」

卡尼氣得直跺腳，「太不要臉，太不公平了！」

「我們幫幫她吧。」

卡尼不解地看著帕札爾說：「怎麼幫？」

「如果你能供應她一些稀有珍貴的藥用植物，她就能自己配出藥方治療病患了。我們可以一起努力重建她的聲譽。」

「她在哪裡？」

「我不知道。」

「我會找到她的。」卡尼有信心地說，接著又問：「這就是你要我幫忙的事嗎？」

「不是。」

「那麼你說吧。」

「我在找一名守護司芬克斯的退役軍人。他已經回到河西老家，準備安享晚年了。但是他躲起來了。」

「為什麼？」

「因為他知道某個祕密。他要是告訴我，他就可能會死。他有一個同伴退休後當了麵包師傅，我本來要去找他談的，結果他也不幸犧牲了。」

「你要我怎麼做？」

「幫我找到他。然後，我會非常小心地再找機會出面。有人在跟蹤我，要是我親自調查的話，我還沒機會跟他說話，他就會沒命了。」

卡尼大驚失色，「被謀殺！」

帕札爾語氣變得沉重而嚴肅，「我不能瞞你，現在的情形的確很嚴重，也很危險。」

「你是法官，難道……」

「我沒有證據，而且軍方已經把我想查的事結案了。」

「如果是你弄錯了呢？」

「假設這個老兵還活著，只要讓我聽聽他的證詞，一切就都明朗化了。」

「河西的各個村鎮我都很熟，沒問題的。」

見卡尼拍著胸脯保證，帕札爾有點不安，「卡尼，這是很冒險的，因為隨時會有人不計一切地殺人。」

「這次就讓我幫忙吧，法官。」

＊　＊　＊

每個週末，戴尼斯都會宴請賓客，以答謝他所屬運輸船的船長和幾名高階官員，這些官員在簽發運輸、裝貨與卸貨等許可時都相當乾脆爽快。來賓對主人家裡偌大的花園、水池和關著熱帶鳥類的鳥籠，都讚不絕口。戴尼斯穿梭在人群中，跟這個話話家常，對那個說幾句讚美的話、問問家人的近況等等。而妮諾法夫人則像隻美麗的孔雀到處炫耀著。

這一晚的氣氛稍微凝重了一點。拉美西斯大帝的聖旨使得高層領導階級人心惶惶，彼此互相懷疑對方知道某些祕密訊息卻不願透露。戴尼斯和兩名同僚正在談話，他已經買了他們的船隻，打算併購該公司。忽然間，他見到了一位稀客——化學家謝奇，便上前和他打招呼。謝奇絕大部分的時間都待在皇宮中最隱密的實驗室內，極少與貴族來往。他身材極為矮小，雖然面貌陰沉而令人厭惡，但據說能力極強，也很謙虛。

「親愛的朋友，你的蒞臨真使得寒舍蓬蓽生輝呀！」

謝奇只微微一笑。戴尼斯接著又問：「你最近的實驗進行得如何？要守口如瓶，這是當然的，可是全城的人都在談論呢！你應該已經研究出一種特殊合金，可以製造出任何外力都無法損壞的劍和長槍了吧。」

謝奇疑惑地搖搖頭。戴尼斯還是不停口，「軍事機密，沒錯！加油了。看看我們即將面臨的……」

「說清楚一點。」其中一位賓客要求道。

「法老的聖旨說了，打一場漂亮的勝仗！拉美西斯國王想打垮赫梯人，擺脫亞洲那些有反叛意圖的小國。」戴尼斯向大夥兒解釋。

「拉美西斯一向愛好和平的。」一名商船船長反駁道。

「官話是一回事，實際行動又是另外一回事。」

「這可糟了。」

「怎麼會呢？埃及誰也不怕，什麼也不怕，不是嗎？」

「不是有謠傳說這份聖旨透露出國王的權力變弱了嗎？」有賓客這麼說。

戴尼斯大笑起來，「拉美西斯是最強大的，永遠都是！別把一個小小的意外就說成了大災難。」

「還是應該確保倉庫裡有足夠的存糧才是……」

妮諾法夫人插嘴說：「一切程序都很清楚：準備徵收新稅與稅法改革。」

「因為需要錢購買新武器。」戴尼斯加油添醋地說：「如果謝奇願意的話，跟我們說說法老到底有什麼打算吧。」

眾人的眼光全部集中到謝奇身上。他仍然不發一言。交際手腕靈巧的妮諾法夫人，為了轉移注意力，便領著賓客到一個小亭子去，那裡已經準備了清涼的水果和飲料。

警察總長孟莫西抓著戴尼斯的手，把他拉到一邊。「你那些法律上的問題都解決了吧？」

「帕札爾沒有再追究，他比我想像得要明理多了。年輕法官難免有野心，這也是值得稱許的呀，不是嗎？我們有現在的成就以前，也都經歷過他這個階段。」

孟莫西卻不以為然，「他整個人的性格……」

「會慢慢改善的。」

「你倒是很樂觀。」

「我是實際。帕札爾是個好法官。」

「他廉潔嗎？你覺得。」孟莫西想了一下，問道。

「他廉潔、聰明，而且懂得尊敬守法的人。多虧有他這樣的人，商業才能繁榮，國家也才能安定。我們還能奢求什麼呢？朋友，相信我，要幫助帕札爾。」

「好個寶貴的意見。」孟莫西撇了撇嘴說。

「有他在，就不會有貪污舞弊的現象。」

「這點倒是不能忽視。」
「你還是覺得遲疑。」
「他的積極讓我有點害怕；他好像不太會拿捏分寸。」孟莫西坦承道。
「因為他年輕，缺乏經驗。」戴尼斯為帕札爾解釋道，並問：「門殿長老怎麼說？」
「他的想法跟你一樣。」
「你等著看吧。」
底比斯方面快遞給警察總長的消息，與戴尼斯的評價不謀而合。孟莫西這陣子是杞人憂天了。帕札爾不也處理了木材稅和納稅人誠信上的問題了嗎？
也許他不該這麼快就驚動首相的。不過小心一點總是好的，不是嗎？

※註1：木材是埃及稀有的材料，因此價值不容忽視。

第二十章

帶著北風和勇士到鄉間散步、查閱警局的檔案、確實建立木材稅納稅人的名冊、視察實際登錄的村落、與村鎮長和領主面談行政管理問題……帕札爾在底比斯這幾天就是這麼度過的，最後他又去拜訪了卡尼。

看到卡尼低著頭工作的樣子，帕札爾就知道他既沒有找到奈菲莉，也沒有找到第五個老兵。又過了一個星期。孟莫西手下的人仍然按時回報法官一成不變的活動，凱姆也天天到市場抓小偷。他們也該回孟斐斯去了。

帕札爾穿過棕櫚樹林，沿著灌溉渠旁的一條小土堤，然後走下階梯到卡尼的園子去。當太陽開始西斜，他就得來照顧這些需要費心費力照料的藥草。他每天晚上澆了水以後，就睡在園子旁一間簡陋的小屋裡。

園子裡似乎沒有人。帕札爾很驚訝地繞了一圈，又打開小屋的門看看。空的。他索性坐到一面矮牆上，欣賞夕陽餘暉。稍晚，圓圓的滿月照得河面銀光閃閃。時間一分一秒過去了，他心裡也越來越憂慮。卡尼也許發現了第五名老兵，也許他也被跟蹤，也許……帕札爾真後悔把卡尼拖進這個他們根本無法掌握的案子裡來。萬一卡尼真的遇到什麼不幸，罪魁禍首就是他。

儘管夜涼如水，帕札爾仍舊一動也不動。他耐心地等到天破曉時，心裡明白卡尼是回不來了。他咬著牙、全身發抖，只恨自己為什麼這麼浮躁。

這時候，有一艘小船划過了水面。帕札爾急忙站起來，朝河岸跑去，興奮地叫道：「卡尼！」

卡尼靠岸之後，把小船繫在一根短木樁上，才慢慢地爬上斜坡。
「你怎麼這時候才回來？」帕札爾焦急地問。
「你在發抖？」卡尼反問他。
「有點冷。」
「春天的風很容易讓人生病。我們進屋去吧。」
卡尼坐在一段木頭上，背緊貼著一堆木板，帕札爾則坐在工具箱上面。
「老兵呢？」
「沒有線索。」
「有遇到什麼危險嗎？」
「完全沒有。我到處搜購稀有的植物，順便跟一些老朋友探聽消息。」
帕札爾忍不住問：「奈菲莉呢？」說話時，甚至能感到嘴唇的滾燙。
「我沒見到她，不過我知道她住在哪裡。」

* * *

謝奇的實驗室共有三大間房，位於一個附屬兵營的地下。住在這個營區裡的，都是一些被分派從事土方工程的二等兵。大家都以為謝奇的工作地點在皇宮內，其實他真正的研究工作都是在這個隱密的地點進行的。表面上，好像沒有特別的警戒；然而只要一有人接近建築物深處通往地下間的樓梯，便會立刻受到攔阻與嚴密的盤查。
謝奇被皇家技術部門徵調入宮，乃是因為他在材料力學方面卓越的學識。以製造銅器起家的他，不斷改良生銅的加工過程，為石匠們製造出更精良的鑿子。
由於研究成果豐碩，加上他工作態度認真，官位因而節節高昇。最後當他發明了堅固耐用無比的工具，為拉美西斯大帝在底比斯河西地區所興建的「萬年廟」（※註1），切割出無數完美的石塊時，他的名聲也因此傳到了國王的耳中。

此時，謝奇叫來了三名主要的工作伙伴，他們都是年紀成熟、科學經驗豐富的人。地下室點了不會冒煙的燈火。只見謝奇慢慢地、小心翼翼地整理著他記錄了最後計算結果的紙卷。

那三名技師耐著性子等，但有些不安。雖然謝奇平時並不多話，但是他如此沉默卻也不是什麼好兆頭。他這麼突然地命令他們前來，實在不像他一貫的作風。

這個留著黑色小鬍子的矮小化學家背轉身去，問道：「是誰多嘴了？」

沒有人回答。

「別讓我再問一遍。」

「這個問題是什麼意思？」其中一人問道。

「宴會席上，有一位要人提到了合金和新式武器。」

「不可能！別人胡說的。」

「我當時也在場。是誰多嘴的？」

三人還是默不作聲。

「沒有確實的證據，我不可能調查。不過就算外面流傳的資訊並不正確，我卻已經沒有信心了。」

「你的意思是……」

「我的意思是你們被撤職了。」

＊　＊　＊

奈菲莉選擇的村子是底比斯地區最貧窮、最落後的。村子位於沙漠邊緣，十分缺水，皮膚病的病例多得異常。不過，奈菲莉既不傷心也不氣餒，雖然她的自由是以似錦的前程換來的，然而能脫離奈巴蒙的魔掌終究值得慶幸。她以手邊僅有的資源，照料這些貧苦的人，雖然一個人住在鄉下，也毫無怨言。如果有醫護船要前往孟斐斯，她便順道去看看老師布拉尼。布拉尼了解她的個性，因此也就不費心說服她改變心意。

奈菲莉抵達村子的第二天，便醫好了這一帶最重要的人物，他是一個填餵鵝的專家，有心律不整的毛病。經過一番長時期的按摩並將脊椎關節復位之後，總算使得他康復了。他坐在地上，身旁的矮桌上有幾粒從水容器裡掉出來的小麵糰。他緊緊抓住一隻鵝的脖子，鵝奮力掙扎，但專家一點也不鬆手，然後一面熱切地鼓勵，一面慢慢將飼料團塞進鵝的喉嚨。鶴的填餵過程就必須更專注了，因為這類美麗的鳥禽常常會偷吃飼料。至於他所製造的鵝肝醬，更是享譽全區。

治好了這第一個病患，奈菲莉立刻被村民奉為神明，成了村子的大英雄。農民會來請教她如何對抗農田與果園的天敵，主要都是蚱蜢和蟋蟀。不過，女醫生卻更急於對付另一個禍害：蒼蠅和蚊子，因為她覺得村裡不管大人小孩所患的皮膚感染，應該都是蚊蠅作祟的緣故。而這裡之所以蚊蠅滋生，乃是由於一灘已經三年沒有排放的死水。奈菲莉請人將水排乾，要求村民消毒家居環境，若有人被蚊子叮咬，她就幫他們塗抹黃鸝油或其他新鮮的油類。

只有一個心臟衰竭的老人讓她有點煩惱。如果情況繼續惡化，就得送到底比斯的醫院去。要是她手邊有幾種稀有的藥草，就可以省去這些麻煩了。這一天，當她在病人床邊照料時，有一個小男孩跑來告訴她說有個陌生人在打聽她的事。

都到了這裡了，奈巴蒙還不放過她！他還要替她安什麼罪名？還要她落魄到什麼地步呢？她要躲起來。村民不會說出去，那麼御醫長的使者就會離開了。

＊　＊　＊

帕札爾感覺得到這些人在說謊；即使不說話，也看得出他們對奈菲莉這個名字並不陌生。這個村落十分封閉，房舍又遭受沙漠的威脅，因此居民對外來客總抱持著戒心，放眼望去，大多數的屋門都關得緊緊的。

他正氣惱地想走了算了，竟忽然看到一名女子朝滿佈著石子的小山丘走去。他興奮地大喊：「奈菲莉！」

奈菲莉聽到有人叫她，又是驚訝又是懷疑，轉過身來打算瞧個究竟。她認出是帕札爾，便往回走。

「帕札爾法官……你在這裡做什麼？」

「我想跟妳談談。」

她的雙眼飽含著燦爛的陽光。在鄉下的這些日子使她的皮膚曬黑了。帕札爾想表白自己的情感，想傳達自己對她的感覺，但是卻怎麼樣也開不了口。

「我們到這座山丘頂上去吧。」奈菲莉提議道。

別說是這座山頂，就算是到天的盡頭、到海底深處、到地獄，他也會隨著她去的。能跟她並肩而行，坐在她身旁，聽著她的聲音，這已經是令帕札爾為之心醉的幸福了。

「布拉尼把一切都告訴我了。妳想不想告奈巴蒙？」

「告也沒有用。有太多醫生的前途都靠他提拔，他們一定會向著他的。」奈菲莉認命地說。

「我可以以偽證罪起訴他們。」

「人數太多了，再說奈巴蒙也會想辦法阻止你的。」

雖然春天的氣候相當溫和，帕札爾卻直打哆嗦，忍不住還打了個噴嚏。

「感冒了嗎？」奈菲莉關切地問。

「我昨晚在外面過夜，我在等卡尼。」帕札爾老實告訴她。

「那個菜農？」

「就是他找到妳的。他現在住在底比斯，有自己的一片園子。妳的好運來了，奈菲莉；因為他也種了一些藥草，而且以後還會培植一些珍貴的品種。」

「你是說在這裡開闢一間實驗室？」奈菲莉簡直不敢相信。

「有何不可？以妳藥學方面的常識絕對綽綽有餘。妳不但能夠醫治重症患者，還能重建妳的聲譽。」

帕札爾興奮地勾勒著美好的遠景，奈菲莉卻只是淡淡地說：「我一點都不想打這場仗。我對目前的生活很滿意。」

「不要浪費了妳的天賦啊。就算是為了病患吧。」

帕札爾又打了一個噴嚏。

「這麼說來你是第一個囉？書上說鼻炎會使骨頭斷裂、顱骨碎裂、腦汁流失，我可不能讓你遭受這樣的災難。」

她露出善意的微笑，並無嘲諷之意，令帕札爾感到身心舒暢。

「妳願意接受卡尼的幫助嗎？」

「他向來很固執。他決定的事，我反對又有什麼用？我們還是先辦正事吧，感冒可是很嚴重的。先灌一點棕櫚樹汁到鼻孔裡去，沒有效的話，就改用母乳和芳香樹膠。」

但是帕札爾的感冒症狀不僅沒有舒緩，反而更嚴重了。奈菲莉便帶他回到住處，房子就在村子裡，裡邊的陳設相當簡樸。由於帕札爾開始咳嗽，她便讓他服用一種含砷的天然硫化物雄黃，一般人都稱之為「使人心花怒放的藥」。

「我們試試讓病菌不再蔓延。你坐到那張蓆子上去，不要動。」她下指令的聲音還是跟眼神一樣那麼柔和。帕札爾倒是暗地裡希望感冒症狀持續越久越好，這樣他就能一直待在這間小屋裡了。

奈菲莉將雄黃、樹脂和有消毒作用的葉子混合在一起搗碎，加熱煮成糊狀後，塗在一塊她已事先放在帕札爾面前的石塊上，然後再在石塊上倒放一個底部打了洞的碗缽。

「這根蘆葦拿著。」她對病人說：「從洞口放進去，然後呼吸，有時候用嘴巴，有時候用鼻子。這種煙燻療法會讓你舒服一點。」

就算沒有效果，帕札爾也不會介意的，只不過這次真的有效了。鼻塞沒有那麼嚴重，呼吸順暢多了。

「不會打顫了吧？」

「覺得有點累。」

「這幾天我建議你吃得豐盛一點，甚至最好油膩一點，多吃點紅肉，食物上面也淋一點新鮮的油。休息休息當然是更好了。」

「我得放棄了。」帕札爾沮喪地說。

「你為什麼到底比斯來？」奈菲莉仍覺得好奇。

他真想吶喊道：「因為妳，奈菲莉，全都是因為妳！」但是，話依舊梗在喉頭。帕札爾確信奈菲莉已經察覺了他的愛，除了耐心等著她給自己表白的機會以外，他實在不敢用這種也許會讓她反感的瘋狂激情，破壞了原有的平靜。

「或許是一樁謀殺案，也或許不止。」

說完之後，帕札爾忽然覺得奈菲莉似乎因為這起與她無關的慘案，而顯得心緒不寧。他不禁遲疑了，這件事連他自己都還不知道真相，他有權拖她下水嗎？

「奈菲莉，我絕對信任妳，但是我不想拿我個人的問題來煩妳。」

「你不是也該保密嗎？」

「直到我下結論以前，的確是的。」

「謀殺案……這會是你的結論嗎？」奈菲莉的聲音有些顫抖。

「這是我心裡的想法。」

「已經好多年沒有發生過兇殺案了！」奈菲莉嘆息著說。

「有五名負責守護大司芬克斯的退役軍人，在一次例行檢查過程中，不幸摔死了。意外死亡：軍方正式的記錄上是這麼寫的。可是其中有一個人倖免於難，後來躲到河西的一個小村落裡當麵包師傅。我本來想詢問他的，沒想到這回他真的死了。又一次意外。警察總長派人跟蹤我，好像我調查這件案子有罪似的。我已經完全失去方向了，奈菲莉。算了，別把我說的話放在心上。」帕札爾一口氣把事情的始末大概說了，可是又擔心成了奈菲莉的負擔。

「你想放棄嗎？」

「我對於追查真相與正義，向來有一股熱忱。如果放棄，就等於是自我毀滅。」

「我能幫上什麼忙嗎？」

帕札爾的眼中再度冒出熾熱的火花，「假如我們偶爾可以談談，我會更有勇氣的。」

「感冒可能引起一些後遺症，最好能密切注意，所以回來複診是有必要的。」

※註1：此指拉美西斯二世的陰廟「拉美塞姆」，建於底比斯的河西地區，功能在於讓法老到了另一世，依然能統治「萬年」。

第二十一章

在酒館度過的這一夜讓人身心暢快，卻也疲累不堪。除了美味的烤牛肉薄片、奶油茄子和吃不完的蛋糕之外，還有一位四十歲、艷麗動人的利比亞女人，她逃離自己的國家到這裡來取悅埃及士兵。戰車尉的確沒有騙蘇提：光是一個男人，對她而言是不夠的。他原以為自己已經是男人中的男人了，結果也不得不投降讓長官接班。這個利比亞女人喜歡打趣說笑，火辣撩人，採取的姿勢也都是最令人意想不到的。

戰車重新上路時，蘇提才勉強睜開眼睛。

「孩子，要懂得放棄睡眠。」長官給他來一段機會教育：「別忘了，敵人總會趁你疲倦時展開攻勢。告訴你一個好消息：我們是前鋒的前鋒。第一場仗是非我們莫屬了。你想當英雄，機會來了。」

蘇提將弓緊緊摟在胸前。

戰車沿著王牆（※註1）前進；這一列固若金湯的邊界堡壘，最初由中王國時期的君主建成，後來因歷任帝王不斷地加以鞏固而有了現今的風貌。由這面高大城牆連接起來的各項防禦工事之間，都以發光信號互通訊息，且都因人和其他的亞洲人根本無法跨越雷池一步。從地中海岸綿延至赫利奧波利斯的王牆，不僅有軍隊長期駐守，而且還有專門保衛邊界的特種部隊與海關人員加入防守的行列。每個進出埃及的人都必須呈報姓名與理由；商人也要註明商品性質並繳稅。警察會將來歷不明的外國人驅逐出境，至少得詳細檢查其證件、看他是否已由首都的移民官員正式核發簽證，才能發給通行證。就像法老在石碑上所刻寫的：「通過邊界的人，就是我的子民。」

戰車尉向城堡的指揮官出示了證件。這座城堡的牆有兩道斜面，牆高六公尺，四周護渠環繞。雉堞上有弓箭手，主塔上則有哨兵。

「守備加強了。」戰車尉觀察了一下，說道：「不過各個看起來都貪生怕死。」

有十個武裝的衛兵向戰車這邊圍靠過來。

「下車。」衛兵長命令道。

「你開什麼玩笑？」

「你的證件不合規定。」

戰車尉抓緊了韁繩，隨時準備策馬狂奔。所有的長槍與箭都對準了他。

「馬上下車。」衛兵長又喝令了一聲。

戰車尉轉身問蘇提：「你覺得怎麼樣，小子？」

「將來還有更美好的仗要打呢。」

於是他們跳下了車。

「你們少了王牆第一座小堡壘的通行章，折回去吧。」衛兵長解釋道。

「我們已經遲了。」

「規定就是規定。」

「不能打個商量嗎？」

「到我的辦公室吧，不過別抱太大的希望。」

沒過多久，便看見戰車尉從辦公室跑出來，衝向戰車抓起韁繩，朝往亞洲的道路飛奔而去。

車輪吱吱嘎嘎輾過沙土路面，揚起了陣陣塵土。

「為什麼這麼急？我們已經符合規定了啊。」蘇提莫名其妙問道。

「可以這麼說吧。我已經敲得很用力了，不過那個白痴可能很快就會醒來。像他這種頑固的人，怎麼講也講不通。所以我就自己蓋了章了。小子，在軍隊裡，一定要懂得變通。」

頭幾天倒是頗為平靜。每天總是要趕很長的一段路，然後照料馬匹、檢查裝備、露宿野外，到了小鎮上補給糧食的時候，戰車尉都會和一名軍隊的信使或者祕密勤務的成員接頭，所謂祕密勤務，就是專門負責為軍隊主力打前鋒、探聽行進路線的情況。

風突然轉向了，變得凜冽刺骨。

「亞洲的春天通常很涼，穿上外套吧。」戰車尉對蘇提說。

「你好像有點擔心。」

「危險漸漸逼近了。我的嗅覺很靈敏的，像狗一樣。我們還剩多少糧食？」

「還有三天份的烘餅、肉丸、洋蔥和水。」蘇提看了一下答道。

「應該夠了。」

說著說著，戰車駛進了一個靜悄悄的村子，大廣場上，一個人都沒有。蘇提忽然感到全身一陣痙攣。

「不用擔心，人也許都在田裡。」長官安慰他說。

車子緩緩前進。戰車尉緊抓著長矛，以鋒利的眼神掃射四周，最後在一棟官邸前停了下來，這是軍方代表與翻譯員的住處。還是空無一人。

「軍方收不到報告，就會知道出了嚴重的事故。這很明顯是叛亂。」

「我們要留在這裡嗎？」

「我想應該繼續往前走，你覺得呢？」

「看情形。」蘇提沒頭沒腦地應道。

「什麼情形呀，小子？」長官果然不懂。

「看看亞舍將軍在哪裡？」

「誰跟你提到他的？」

「他在孟斐斯很有名啊。我想投效到他的麾下。」

戰車尉聽他這麼一說卻笑開懷：「你的運氣真好，我們就是去跟他會合的。」

「會不會是他撤走村民的？」

「絕對不是。」

「那麼是誰？」

「是貝都因人（※註2）。」戰車尉咬牙切齒地說：「最卑鄙、最瘋狂、最狡猾的人。掠奪、洗劫、強押人質，全都是他們的作風。如果不能消滅他們，他們馬上會搞垮亞洲、埃及、紅海間的半島，還有附近的省份。他們已經準備跟所有侵略者聯手；我們多愛女人，他們就多蔑視她們，而且還唾棄所有的美麗事物與眾神。我什麼都不怕，就只怕這些人，這些鬍鬚像亂草、頭上裹布條、身上穿長袍的人。小子，你要記得：他們全是些小人，隨時會從你背後偷襲。」

「他們會殺了所有的居民嗎？」

「很可能。」

「那麼亞舍將軍不就脫離了軍隊主力，被孤立起來了？」

「可能。」

蘇提的黑色長髮在風中飛舞著。即使他長得虎背熊腰，內心卻不禁感到脆弱而無力。他又問道：「將軍和我們之間，有多少貝都因人？」

「十個、百個、千個……」

「十個，可以上。百個，要考慮。」蘇提很認真地說。

「有一千個，小子。這樣才是真英雄。你不會拋下我不管吧？」

戰車尉鞭策馬匹再往前奔走，直到一個細谷入口處才停下來。細谷兩旁崖壁高聳，谷底岩石上胡亂長著一叢叢的灌木，只空出了一條狹窄的通道。馬兒直立了起來，仰天嘶鳴，戰車尉連忙加以安撫。

「牠們感覺到了前面有陷阱。」蘇提不安地說。

「我也有預感，小子。貝都因人就躲在灌木叢中。他們會趁我們經過時，用斧頭砍斷馬兒的腳，讓我們跌落，然後割斷我們的喉嚨，切下我們的睪丸。」

蘇提不禁打了個冷顫，「我覺得當英雄的代價未免太高了一點。」

「不過幸虧有你在，我們不會有危險的。你只要向每個灌木叢射箭，我再快馬加鞭，就能安全通過了。」戰車尉計劃得信心十足。

「你有把握嗎？」蘇提還是不放心。

「你不信？想得太多不是好習慣。」

戰車尉一拉轡，馬兒也只好不情願地衝入細谷內。蘇提還來不及害怕，便一箭接著一箭地射向灌木叢，頭兩箭都撲了空，第三箭則射中了一個貝都因人的眼睛，只聽他一聲慘叫，從隱蔽處衝了出來。

「繼續射，小子。」戰車尉命令道。

蘇提緊張得頭髮倒豎、血液逆流，只是下意識地左轉右轉忙著射箭，速度快得連他自己都不敢相信。而貝都因人也一一倒下，有的被射中腹部、有的是胸部、也有的是頭。

到了細谷的出口時，許許多多石頭和荊棘形成一道藩籬，擋住了去路。

「小子，站穩，我們要跳了！」

蘇提不再射箭，牢牢地抓著車身邊緣。這時候，有兩名沒有被他射傷的敵人，拿斧頭朝他們扔了過來。

兩批戰馬全速衝越過這道障礙的最低處，但是荊棘刺傷了馬的腳，右輪的輪輻也被一塊石頭撞壞了，另一塊則捅穿了右側車身。霎時間，車子搖晃了起來；最後，戰馬奮力一躍，終於越過了障礙。

戰車繼續又跑了幾公里，速度並未減緩。蘇提在顛簸晃盪的車上，驚嚇得已經有點昏沉，但還是極力保持了平衡，弓也牢牢握在手中。兩匹戰馬已然氣力使盡，全身冒汗，鼻孔也噴出白沫，到了一座山丘腳下便再也跑不動了。

「長官！」蘇提著急地喚著。

有一把斧頭深深嵌進了戰車尉的肩胛，他整個人倒臥在韁繩上。蘇提試著將他拉起來。

「小子，你要記住……這些卑鄙小人總是從背後偷襲的……」

「你別死啊，長官。」

「現在，你是唯一的英雄了……」話一說完，他便兩眼翻白斷氣了。

蘇提緊緊地摟著屍體，好久好久。然而戰車尉再也不會動、再也不會鼓勵他、再也無法向不可能挑戰了。只剩下他一人，迷失在這個危機四伏的地方，他是英雄，而唯一能讚揚他這個英勇事蹟的，卻是他懷裡的死人。

蘇提埋了長官之後，仔細地在腦海裡記下這裡的一景一物。假如有機會生還，他一定會回來把戰車尉的屍體運回埃及。對於一個埃及的子弟來說，人生最殘酷的事莫過於遠葬他鄉了。

如果現在調頭，又會再度落入陷阱；但若要繼續前進，卻可能遭遇其他的敵人。幾番考慮之後，他做了第二個選擇，只希望能盡快和亞舍將軍率領的隊伍會合；當然了，如果他們沒有被殲滅的話。

戰馬也可以重新上路了。但是若再有一次埋伏，蘇提絕不可能一邊駕車一邊拉弓。他繃緊了全身的肌肉，沿著碎石路走到一間傾圮的屋子。他隨手抓起一把劍跳下車來。只見一縷縷的煙從簡陋的煙囪冒出來。「出來！」

屋子門口站了一個衣衫襤褸、蓬頭垢面的女孩，她手裡揮動著一把製作粗糙的刀子。

「妳不用害怕，刀子放下。」蘇提輕聲說道。

她的身影看起來很纖弱，似乎毫無抵抗之力，因此蘇提也不放在心上。他走到她身邊時，女孩突然撲了過來，把刀子對準了他的心臟刺下去。蘇提側身躲開，但立刻感到左上臂一陣灼熱。女孩見一刺不中，狂怒之下又刺了第二刀。蘇提見情形不對，一個飛腳將女孩手上的刀踢落，然後將她按倒在地。這時，血已經順著他的手臂流下來了。「妳冷靜點，不然我就把你綁起來。」

女孩發了狂似地不停掙扎，蘇提忍不住把她的身子翻轉過來，在她的頸背上用手肘猛力一撞，女孩便昏了過去。他在女人這方面的紀錄向來輝煌，如今卻多了這項不良的前科。他把女孩抱進屋內；屋裡的地板是結實的泥土地，四面牆髒兮兮的，家具也破舊不堪，壁爐上還結了一層厚厚的煙炱。蘇提將這名可憐的俘虜放到一張破破爛爛的草蓆上，然後用繩子把她的手腳綁了起來。

經過這番苦戰，蘇提真是疲憊不堪。他背靠著壁爐坐下，全身不住地發抖。他是打心裡害怕。

四處的灰塵污垢讓他很不舒服。剛好屋子後面有一口井，他打了水，先清洗手臂的傷口之後，又把屋內沖洗得乾乾淨淨。「妳也需要來一次大掃除了。」他看著女孩自言自語地說。

他把水往女孩身上潑，女孩驚醒後又開始尖叫。第二桶水再潑下去，她才安靜下來。當蘇提動手去脫她的髒衣服時，她卻像條蛇般扭動個不停。

「我不是要強暴妳，傻瓜。」

她看出他的用意了嗎？總之，她是順服了。她全身赤裸地站著，享受淋浴的快感。蘇提替她擦身子的時候，她還微微一笑。見到她滿頭金髮，蘇提還真是嚇了一跳。

「妳好美。有人吻過妳嗎？」

一待看到她張開雙唇、攪動舌頭的模樣，蘇提就知道這不是她的第一次。

「只要妳答應乖乖的，我就放開你。」

她眼中露出哀求的神色。於是蘇提解開了綁在她腳踝處的繩子，然後開始撫摸她的小腿、大腿，並輕吻著她下體處捲曲的金色毛髮。她全身有如一張緊繃的弓。接著她伸出被鬆開的雙手，摟住了蘇提。

* * *

蘇提安安穩穩睡了十個小時，一個夢也沒有。突然傷口的刺痛使他驚醒，他急忙跑出屋外。那個女孩把他的武器偷走了，還割斷韁繩，兩匹馬都跑了。

他沒有了弓、沒有了匕首、沒有了劍、沒有了靴子、沒有了外套。晌午時分，開始下起傾盆大雨，車子只能繼續陷在那裡，毫無用武之地。這個受野女孩愚弄而淪落至此的英雄，只得邁開腳步往北走去。

憤怒之餘，他拿石頭將戰車砸毀，免得落入敵人手中。他只穿著簡單的纏腰布，身上背著一大袋的東西，像隻笨驢慢慢往前走，大雨依然下個不停。袋子裡裝的是已經發硬的麵包、一段用象形文字刻著戰車尉姓名的轅木、幾瓶清水和那張破爛的蓆子。

他來到一個山口，穿越一座松林，走下一段漸漸沒入湖中的陡坡，然後沿著高高的堤岸繞湖而行。

山路越來越荒涼。他在岩石下安度過沒有東風侵擾的一夜，翌日，爬過一條滑溜的小徑後，來到一個貧瘠的地區。存糧眼看就要空了；他開始覺得口渴得好難過。

好不容易發現一個鹹水塘，喝了幾口水解解渴，他卻忽然聽見樹枝喀擦折斷的聲音。有幾個男人正向他這兒走來。他趕緊鑽到一棵巨松的樹幹後面躲起來。有五個人推著一個雙手反綁的俘虜過來。為首的那個人身材矮小，他抓住俘虜的頭髮，逼他跪下。蘇提離得太遠，聽不清楚他說的話，但俘虜遭刑求所發出的哭喊聲，很快便劃破了山中的寧靜。

如今的形勢是一對五，而且沒有武器……蘇提根本不可能救出這可憐的傢伙。

為首的人將俘虜痛打一頓後，又質問了一次，沒有結果再打，然後他叫手下把那人拖到山洞裡去。最後一次的訊問結束後，便割斷了他的喉嚨。

等到這些殺人犯走遠了，蘇提仍繼續在樹後待了一個多小時。他想起了帕札爾，想起了他對正義與理想的熱愛；如果面對這場野蠻行為的人是他，他會怎麼做？他不知道在離埃及不遠的地方，存在著這樣一個無法無天、草菅人命的世界。

蘇提努力地朝山洞往下爬。腳下踉踉蹌蹌，腦中卻還回盪著那人臨死前的呼喊。從他的纏腰布和外表看起來，應該是埃及人，也許是亞舍將軍的手下落到了亂賊的手中。蘇提用手在山洞內幫他挖了個墳。

他懷著難過疲憊的心，再度上路，一切就聽天由命吧。若再遇上敵人，他已經沒有力氣抵抗了。

當兩名帶著頭盔的士兵叫住他時，他再也支撐不住，昏倒在一片濕潤的土地上。

是帳棚，有床，有枕頭，有被。

*　　*　　*

蘇提翻坐起來，可是鋒利的刀尖抵住他，要他躺回去。

「你是誰？」問話的是一名臉上已經出現皺紋的埃及軍官。

「蘇提，戰車弓箭手。」

「你從哪來的？」

蘇提將自己的遭遇說了。軍官卻問：「你能證明你說的話嗎？」

「我的袋子裡有一塊戰車轅木，上面刻有我長官的名字。」

「他人呢？」軍官繼續追問。

「被貝都因人殺了，我把他埋了。」

「你呢？你逃走了。」

蘇提當然不容他如此侮蔑，憤憤然道：「當然不是！我用箭射死了至少十五個人呢。」

軍官聽他說得神勇，便問：「你什麼時候入伍的？」

「這個月初。」

「才兩個星期不到，你就已經是傑出的弓箭手了！」

軍官的諷刺口吻，擺明了不相信他的話，但蘇提也只簡短答道：「這是天賦。」

「我只相信訓練。你還是說實話吧。」

蘇提甩開被單，怒道：「這些都是實話。」

「戰車尉該不會是你殺的吧？」

「真是胡說八道。」蘇提氣憤地說。

「讓你到地牢裡待一段時間，你也許會想得清楚一點。」

蘇提急急衝向門外，卻被兩名士兵分別抓住雙臂，另外一名士兵則在他肚子上打了一拳，接著他的頸背上又挨了一記重拳，馬上便暈死了過去。

「我們是應該好好照顧一下這個間諜，這樣他才會多說點話。」軍官看著昏倒在地的蘇提，獰笑說道。

※註1：護衛著埃及東北邊界所有防禦工事的總稱。

※註2：貝都因人和利比亞人從早期的王國時期開始，便是埃及的主要亂源。古代埃及人稱他們為「風沙游人」。

第二十二章

帕札爾進到底比斯最受歡迎的小飯館坐定後，便開始談起哈圖莎——拉美西斯大帝經由外交途徑娶得的妻子。在與赫梯人締結和平盟約時，這個亞洲小國的國王為表誠意，便將自己一名女兒送給了法老作為妻子，她就是哈圖莎。她身為底比斯後宮的第一嬪妃，自有享不盡的榮華富貴。

一般人接觸不到也見不到的哈圖莎，並不受民眾歡迎。市井之間，有關於她的閒言閒語更是廣為流傳：她可能會使妖法、也可能跟夜魔有關係、她一定有問題，不然為什麼每次盛大慶典都不出席？

「都因為她，香脂的價錢足足貴了兩倍呢。」飯館的老板說道。

「為什麼是因為她？」

「她的女侍一整天都要化妝，而且人數越來越多。後宮裡使用的上等香脂多得不得了，買的價格又貴，市面的行情也就跟著哄抬起來了。油也是一樣。我們要到什麼時候才能擺脫這個外國女人呀？」

連連的抱怨聲中，沒有人出面替哈圖莎辯解。

* * *

河東後宮的建築群四周環繞著草木青蔥，運河從中穿流而過：豐沛的水流灌溉之處，有幾個專屬於宮中年長、守寡的女眷的庭園、一個大果園和一個供紡紗與織布女工休憩徜徉的花園。底比斯的後宮也和埃及其他地方的後宮一樣，擁有許多工作坊、舞蹈、音樂與詩詞學校，並且有一個香料與化妝品製造中心；有許多專家在這裡製作木材、琺瑯與象牙加工品；也有服裝師專門設計高級亞麻長袍，以及花卉大師致力於精緻的插花藝術。氣氛積極活躍的後宮也是教育中心，為埃及與外國培育高級行政人才。因此，來往於後宮中的除了佩戴著璀璨寶石的仕女外，還有手工藝匠、教師以及為所有人準備新鮮食物的管理員。

帕札爾一大早就到了主殿。由於他氣宇非凡，輕易便通過了守衛那關，見到了哈圖莎的總管。總管收下了法官的求見函，交給女主人，出乎他意料之外的是女主人竟然沒有拒絕。

帕札爾被帶進一間有四根柱子、牆上繪有花鳥圖的房間。彩色的石砌地板更增添了幾分亮麗。哈圖莎坐在一張木製鍍金的寶座上，身旁有兩名忙得暈頭轉向的梳妝女侍。她們先搬來了彩妝用的瓶瓶罐罐，拿著小匙一下子舀這瓶、一下子舀那罐的，還要用好幾種香料調配成特殊香味，最後還有一道最困難的晨妝程序：調整假髮，她們將略有瑕疵的髮鬈一一換掉之後，手比較巧的那人還要再加貼上幾綹假髮絲。

約莫三十來歲的赫梯公主，拿起一面手柄有如金色蓮花莖的鏡子，欣賞著自己美麗的容顏，一派得意、倨傲的神氣。

「這麼早，就有法官到我這兒來了！我很好奇，你來見我有什麼目的？」

「我想問妳幾個問題。」帕札爾開門見山地說。

她放下鏡子，將女侍遣退。

「我們一對一談談，可以吧？」

「再好不過了。」

「總算有點消遣了！宮裡的生活好無聊。」

皮膚白皙、手指修長、眼珠黝黑的哈圖莎，雖然令人著迷，卻也令人不安。她愛開玩笑、言詞尖刻、反應機靈，對人毫不留情面，總是喜歡直接揭發他們的缺點和外表的缺陷，並譴責他們用詞不當、行止笨拙。

她仔細地打量帕札爾，說道：「你不算是頂好看的埃及男人，不過女人卻會瘋狂地愛上你，而且一輩子不變心。你沒有耐心、心中又充滿了熱情與理想……這些全都是嚴重的缺點。你也太認真了，甚至有點嚴肅，根本沒有青春的氣息。」

帕札爾不理會她，還是一本正經地繞著主題轉，「我可以開始問妳了嗎？」

哈圖莎果然被他不敬的態度激怒了，「你好大的膽子！你知道自己有多冒失嗎？我可是拉美西斯大帝的妃子，我隨時可以撤你的職。」

「妳知道這是不可能的。我會在首相主持的法庭上為自己辯護，而妳則會因為濫用權力而被傳喚出庭。」

「埃及這個國家真奇怪。民眾不但相信法律，而且還會遵守並關心法律的施行。這種奇蹟維持不久的。」

哈圖莎又拿起了鏡子，開始一一檢查起假髮髮鬈。

「如果你的問題夠有趣，我才要回答。」

「為妳送新鮮麵包來的人是誰？」

哈圖莎驚訝地睜大了眼睛，「我吃的麵包你也關心？」

「不只是麵包，還有河西那位想為妳工作的麵包師傅。」

「每個人都想為我工作！大家都知道我很慷慨。」

「可是他們並不喜歡妳。」

聽帕札爾這麼說，哈圖莎卻有另一番見解，「我也不喜歡他們啊。不管是底比斯或其他地方的人，都一樣笨。我是外國人，我也以身為外國人為傲。現在我底下有數十個僕人，因為國王讓

我掌理這個後宮，而我也把這裡變成了最活躍的一座後宮。」

「能說說麵包師傅嗎？」帕札爾仍不忘拉回正題。

「去找我的總管，他什麼都知道。如果這個師傅送麵包來過，他會告訴你。這個很重要嗎？」哈圖莎有些不耐，但又不解。

「妳知道發生在吉薩司芬克斯附近的一宗慘案嗎？」

「你是不是話中有話啊，帕札爾法官？」

「沒什麼重要的。」

「這種遊戲真無聊，跟那些慶典一樣，也跟朝裡的大臣一樣！我只有一個希望，就是回家。要是赫梯的軍隊能侵犯埃及，擊垮你們的士兵，那該有多好啊。好好打一場漂亮的復仇仗！不過，我恐怕只能老死在這裡，一輩子守著這個最強勢的國王，守著這個我只在婚禮上見過一次面的男人。更可悲的是這場政治婚禮出席的全是外交官與法學家，他們只關心確保兩國人民的和平和幸福，那我的幸福呢？又有誰來關心？」哈圖莎一陣意氣風發過後，想到自己的遭遇與未來不禁悲從中來。

帕札爾不願多作評論，行了禮便打算告退：「謝謝妳的合作，王妃殿下。」

這個法官如此不懂禮數，哈圖莎著實為之氣結，「結束談話的人是我，不是你。」

「我並無意冒犯妳。」

「出去吧。」

哈圖莎的總管證實，他的確曾向河西一位手藝很精湛的師傅訂過麵包，可是他一直沒有把麵包送來。

帕札爾滿心困惑地走出後宮。這次他還是不改舊習，為了探查一點點的線索，便毫不猶豫地驚動了高高在上的王妃。她是否多少和這個陰謀有所關聯呢？又是一個無解的謎。

＊　＊　＊

孟斐斯市市長助理張開了嘴巴，表情十分苦惱。

「放輕鬆一點。」喀達希對他說。

喀達希老實對患者說了：臼齒必須拔掉。雖然經過一連串密集的診療，還是挽救不了。

「再張開一點。」

喀達希的手的確不像以前那麼穩健，可是他還是會努力不懈，來證明自己的能力。為患者做了局部麻醉後，他開始進行第一階段的拔牙程序，用鉗子鉗住臼齒的兩側。

他鉗牙鉗得不精準，手又抖個不停，以致弄傷了牙齦。但他還是使勁地拔。由於過度緊張，喀達希這次的拔牙十分失敗，因用力過猛，而導致牙根出血。他趕緊拿起尖端插在挖洞木頭裡的鑽子，再利用一副牽鑽弓讓鑽子飛快地轉動，產生一些火花。等到火焰夠大的時候，他才將柳葉刀放到火上加熱，然後用刀燒烙患者的傷口。

市長助理捧著又腫又痛的下巴離開了牙科診所，一句謝謝也沒有說。喀達希失去了一個重要的患者，而他也一定少不了要說說牙醫壞話的。

其實，喀達希現在正面臨一個抉擇的時刻。他無法接受自己老去的事實，也不願承認技術退步了。不錯，再去和利比亞人跳跳舞便又能夠提振他的精神，為他灌注一點短暫的精力，但是這些已經不夠了。解決之道彷彿近在眼前，卻總是可望不可及！喀達希必須使用其他的武器、使技術更臻完善、證明自己寶刀未老！另一種金屬：這就是他所需要的。

＊　＊　＊

渡船啟程了。帕札爾用力一跳，安全地降落在平底船參差不齊的甲板上，旁邊擠滿了牲畜和人潮。

渡船不停往來於兩岸之間，雖然行程很短，但乘客仍趁機在船上交換消息，甚至商談生意。

帕札爾被牛屁股擠了一下，撞到一個女人，但是那個女人並沒有反應。

「對不起。」

她不理不睬，而且還用手遮住了臉。帕札爾覺得奇怪，便特別看了她幾眼。

「妳不是莎芭布女士嗎？」

「別煩我。」

莎芭布穿著一件咖啡色長袍，披著栗色披肩，頭髮蓬鬆雜亂，看起來就像個窮苦的女人。

「我有話跟妳說，妳應該也有話跟我說吧？」帕札爾盯著她說。

「我不認識你。」

「妳記得我的朋友蘇提吧。是他說服妳不要散佈謠言中傷我的。」

她越聽越驚慌，轉身就要往湍急的河水裡跳。帕札爾一把抓住她的手臂說：「尼羅河這個河段很危險，妳跳下去很可能會沒命的。」

「我不會游泳。」

渡船一靠岸，有幾個小孩等不及立刻便跳上岸去了。隨後跟著的是驢子、牛和農夫。帕札爾和莎芭布最後才下船。他還是不放這個妓女走。

「你為什麼一直纏著我？我只不過是一個女傭，我……」

「妳的說詞真奇怪，妳不是跟蘇提說我是妳的老恩客嗎？」

「我不懂。」

「我是帕札爾法官，妳記得了嗎？」

她嚇得拔腿就想跑，但是帕札爾的手還是緊緊抓著她。

「妳理智一點好不好？」

「你讓我覺得害怕。」

「是妳要誹謗我的。」

莎芭布頓時哭了起來。帕札爾不知如何是好，便鬆開了手。即使她是敵人，但看著她現在的處境，帕札爾也心有不忍。

「是誰叫妳毀謗我的？」

「我不知道。」莎芭布無力地搖搖頭。

「妳說謊。」

「跟我聯絡的只是下面做事的人。」

帕札爾仍不死心追問道：「是警察？」

「我怎麼知道？我又沒問。」

「他們給妳什麼報酬？」

「讓我平平靜靜過日子。」

「那麼妳為什麼幫我？」

她苦笑了一下，「多美好的生活和回憶……我父親曾經在鄉下當法官，我很愛他。他死了以後，我開始厭惡我住的村子，便搬到孟斐斯。一次又一次遇人不淑之後，我成了妓女，一個有錢又受人尊重的妓女。有人會付錢打聽我啤酒店老主顧的隱私。」

「是孟莫西，對不對？」

「你自己想吧。沒有人能夠強迫我污衊法官。為了保持對我父親的敬意，所以我放過了你。

如果你有危險，也只能算你倒楣了。」

「妳不怕他們向妳報復嗎？」

「我過去的經歷會保護我。」

「如果主謀不吃妳這套呢？」

她垂下雙眼黯然說道：「所以我才離開孟斐斯躲到這裡來。因為你，我失去了一切。」

「亞舍將軍到妳那裡去過嗎？」

「沒有。」

「真相一定會大白的，我向妳保證。」

「我已經不相信什麼保證了。」莎芭布悶悶地說。

「有信心一點。」

「為什麼他們要毀了你，帕札爾法官？」

聽她這麼一問，帕札爾故意坦承，「我在調查一起發生在吉薩的意外事件。那裡的五名守衛都死了，至少官方是這麼說的。」

「這件事沒聽過什麼謠傳啊。」

帕札爾的用意沒有成功。她若非什麼都不知道，就是她不肯說。

突然，她右手按住左肩，發出了一聲痛苦的叫聲。

「妳怎麼了？」帕札爾緊張地問。

「急性風溼痛。有時候手臂會痛得動彈不得。」

帕札爾稍稍考慮了一下便決定了。她曾經幫過自己，現在他也該救她。

*　*　*

帕札爾向奈菲莉介紹莎芭布時，她正在醫治一隻腳受了傷的小驢子。莎芭布答應了帕札爾要隱瞞身份。

「我在渡船上遇見這個婦人。她肩膀痛，妳能不能幫她看看？」

奈菲莉很仔細地洗了手，然後問道：「以前就會痛嗎？」

「已經五年多了。」莎芭布回答得很衝，接著又問了一句：「妳知道我是誰嗎？」

「一個我現在要醫治的病人。」

「我叫莎芭布，是一間啤酒店的老板，也是妓女。」

帕札爾的臉整個都白了。不過，奈菲莉倒似若無其事：「性行為太頻繁，加上性伴侶也許衛生習性不好，可能都是妳病痛的來源。」

「替我檢查吧。」

莎芭布脫去了長袍，全身一絲不掛。帕札爾不知道自己是該閉上眼睛、轉過身去或者挖個地洞鑽進去？奈菲莉絕不會原諒他帶給她的這番羞辱的。引介一位歡場女子當病患，多麼意外的「驚喜」呀！他若出口否認也只會更顯得荒唐而多餘，一點作用也沒有。

奈菲莉摸摸莎芭布的肩膀，然後用食指沿著一條經脈而下，按了幾處的穴道，又摸一摸看肩胛的彎曲度。她說：「情形很嚴重，風溼已經讓妳的肩胛變形了。如果再不治療，妳的四肢就會癱瘓。」

莎芭布剛才的威風全不見了。她結結巴巴地問：「那……我應該……應該怎麼做？」

「首先要戒酒，然後每天吸一點純的柳皮酊，再來要每天抹一種由天然含水蘇打、清油、篤薅香脂、乳香、蜂蜜、河馬油、鱷魚油、六鬚鯰油和鯔魚油（※註1）混合成的油膏。這些都是很昂貴的產品，我這裡沒有，所以妳要到底比斯找醫生。」

莎芭布穿上了衣服。

「要盡快醫治。」奈菲莉向她建議道：「我覺得病情惡化得很快。」

帕札爾送莎芭布到村口，心裡有如萬蟻鑽動般地難過。

「我自由了嗎？」莎芭布怯怯地問。

「妳不守信用。」

「說來你也許不信，可是有時候我很怕說謊。面對她這樣的女人根本無法作假。」

帕札爾往路邊一坐，任由塵土飛撲得滿頭滿臉。他太天真了，才會落得這般悲慘的下場。莎芭布這突如其來的舉動，終究還是完成了任務；帕札爾覺得自己全毀了。他這個自命清廉的法官，竟然和一個妓女同聲相應、同氣相求，奈菲莉一定覺得他是個放蕩的偽君子。

可人兒般的莎芭布，為了懷念父親而尊重法官的莎芭布，機會一到手，她仍然毫不猶豫地出賣了他。明天，她也會將他出賣給孟莫西，如果她還沒有這麼做的話。

據說溺斃的人到了另一世出庭時，會受到奧塞利斯神的赦免。尼羅河水將會洗清他們的罪。失去了愛情、名聲有了污點、理想也受盡蹂躪……帕札爾不由得有了自殺的念頭。

突然，奈菲莉的手搭著他的肩膀問道：「你的感冒好了嗎？」

他動也不動，只說：「對不起。」

「你為什麼難過？」

「那個女人……我發誓我……」他舌頭像打了結似的，話怎麼說也不完整。

「你帶來了一個病患，我希望她趕緊去醫治，不要拖延了。」奈菲莉柔聲說道。

「她本來打算毀謗我，但是她說她願意放過我。」

「這麼說她是一個好心的妓女？」

「我本來也這麼想。」

「誰會怪你呢？」

「為了慶祝我朋友蘇提從軍入伍，我和他去了莎芭布的酒店。」

奈菲莉沒有把手拿開。帕札爾繼續說道：「蘇提是個很不可思議的人，全身有用不完的精力。他最喜歡酒和女人，一心想成為英雄，不願受任何約束。我們倆是生死與共的朋友。那天，莎芭布帶他進房間以後，我一直坐在外面，想著我的調查工作。請妳一定要相信我。」

奈菲莉沒有回答，只說：「有一個老人很讓我擔心。我得去幫他洗澡和消毒房子，你願意來幫我嗎？」

※註1：六鬚鯰和鯔魚都是尼羅河產的魚類。

第二十三章

「站起來。」士兵喝令道。

蘇提終於離開了被關禁的監獄。他全身髒兮兮的，肚子又餓，不過還是不停地唱著猥褻的色情歌曲，懷想著從前依偎在孟斐斯美女懷中的美妙時刻。

「走！」

喊口令的軍人是個外國傭兵。他本來是海盜（※註1），後來由於埃及給予退休軍人的福利優厚，因而選擇加入埃及軍隊。這名軍人頭戴三角頭盔，佩戴一柄短劍，臉上沒有任何情緒起伏。

「你就是那個叫蘇提的？」

蘇提沒有馬上回話，軍人便往他肚子打了一拳。蘇提痛得彎下腰來，但並沒有跪到地上。

「你很驕傲也很強壯嘛。聽說你和貝都因人交過手。我可不信。因為通常我們殺了敵人，都會剁下一隻手呈給上級，依我看，你八成逃得跟兔子一樣快。」

「我要開溜，還會帶著轅木嗎？」蘇提反問他說。

「那是你搶來的。你說你會射箭，我們就來證實一下。」

「我餓了。」

「待會兒再說。有實力的戰士就算沒有力氣，也一樣能打仗。」

那個士兵把蘇提帶到樹林邊，並給了他一把很重的弓。弓的正面是實心木材，外覆角質護層，背面則是一層樹皮。弓弦是由牛筋裹上亞麻纖維之後，在兩端打結而成的。

「目標是你正前方六十公尺處的橡樹。你有兩箭的機會。」

當蘇提一張弓，背上的肌肉簡直像要撕裂了一樣。眼前金星亂舞。現在，他必須張好弓、拉好箭、瞄準目標、忘記賭注、心神合一，讓自己與弓箭合一，飛射出去正中標的。

於是他閉上雙眼，彎弓射出。

軍人往前走了幾步。「差一點就正中紅心。」

蘇提撿起第二支箭，再次拉弓，這次卻瞄準了士兵。「你太大意了。」

士兵鬆開短劍。

「我說的都是實話。」蘇提鄭重地說。

「當然！當然！」士兵魂都嚇走了一半，只是連連附和。

蘇提將箭射出。還是射在橡樹幹上，就貼在前一支箭的右側。士兵這才鬆了一口氣問道：「是誰教你射箭的？」

「天生就會的。」

「到河邊去，大兵。洗個澡，穿好衣服，準備吃飯。」

蘇提背著他最心愛的金合歡木弓、穿著靴子和一件羊毛外套、佩著匕首，飽餐過後，帶著一身乾淨的香氣去見統領百來名步兵的軍官。這回，軍官仔細地聽他訴說整個經過，並詳細寫成報告。

「我們和基地以及亞舍將軍之間的聯繫都被切斷了。將軍紮營的地方離這裡三天腳程，他帶領的是一支菁英部隊。我已經派了兩名傳令兵南下告急，好讓主力軍行進速度加快。」軍官說道。

「是叛亂嗎？」蘇提開口問。

「是兩個亞洲小國、一個伊朗部落和一些貝都因人互相勾結。為首的是一個被驅逐出境的利比亞人埃達飛。他自稱復仇之神的使者，決定消滅埃及，登上拉美西斯大帝的王位。有人說他只是個傀儡，也有人認為他瘋狂得可怕。他常常不顧協定，不按牌理出牌。如果我們繼續留在這裡，將會全軍覆沒。在亞舍將軍和我們之間有一座守衛森嚴的小堡壘，我們要以突襲的方式攻下堡壘。」

「我們有戰車嗎？」

「沒有，但有一些梯子和一個活動攻城塔，現在只缺一名神箭手了。」

＊　＊　＊

帕札爾下了十次百次的決心要告訴她，但最後他能做的卻只是扶起老人家、把他抱到棕櫚樹下免於風吹日曬，然後幫忙奈菲莉清理老人的屋子。他留意著奈菲莉的一舉一動有無指責的意味，觀察著她的雙眼有無譴責的神色，而她只是一心一意地工作，卻彷彿渾然不在意。

前一天，帕札爾到卡尼的園子去過，他的調查也還是沒有結果。卡尼很謹慎地走訪了大部分的村落，也和數十名村民與工匠談過，但沒有人知道有這麼一個從孟斐斯回來的退役軍人。他若真的就住在河西，保密功夫也未免做得太好了。

「再過個十天，卡尼會幫妳帶來第一批藥材。」他對奈菲莉說。

「村長給了我一間廢棄的房子，在沙漠邊，剛好可以用來當診所。」奈菲莉的語氣十分興奮。

「水呢？」

「村民會盡快幫我開一條水渠。」

「可以住嗎？」

「地方不大，不過還算乾淨舒適。」

帕札爾想到她的處境，嘆著氣說：「昨天還在孟斐斯，今天就流落到這個荒地來了。」

奈菲莉卻比較樂觀，「至少這裡沒有敵人。在那邊天天要作戰。」

「醫生團體不可能永遠由奈巴蒙稱霸的。」

「這只有天知道了。」

「妳會回去的。」

「有什麼關係呢？」奈菲莉一副無可無不可的神情，突然想到了什麼，問道：「對了，我忘了問你，感冒好一點了嗎？」

「春天的風讓我好不了。」

「你要再做一次吸入療法。」

帕札爾沒有拒絕。他喜歡聽著她準備消毒糊漿、配製藥方、把糊漿塗到石板上，再蓋上底部鑽了洞的碗缽的聲音。無論她做什麼動作，他都愛看。

＊　＊　＊

帕札爾的房間整個被翻遍了。就連他的蚊帳也都被扯下，揉成一團丟在木板地上。行李袋全被掏空，書板和莎草紙軸散落一地，草蓆上都是被踩過的痕跡，纏腰布、內長衣和外套也都被撕成了碎片。

帕札爾跪了下來，想找出一點蛛絲馬跡。

但是入侵的歹徒沒有留下絲毫的線索。

＊　＊　＊

帕札爾把情形告訴胖局長，局長又訝異又憤怒，「有什麼可疑之處嗎？」

「我不敢說。」

「請你一定要說。」

由於局長一再堅持，帕札爾便實話實說：「有人跟蹤我。」

「你知道是誰嗎？」

「不知道。」

「能不能形容一下？」

「沒辦法。」

局長假裝惋惜地嘆道：「真可惜。這樣調查工作就很困難了。」

「我明白。」

局長忽然轉移話題，「我這裡和區內其他警察單位都有消息給你，你的書記官一直在找你。」

「為什麼？」

「不清楚。他要你盡快趕回孟斐斯。你什麼時候走？」

「呃……明天吧。」帕札爾心有不捨，但這下子更是非走不可了。

局長眼看這個燙手山芋就要脫手，開心得不得了，巴巴地問：「需要我派人護送嗎？」

「我有凱姆就夠了。」

「隨你的意思吧，不過要小心點。」

「有誰敢惹法官呢？」

* * *

凱姆佩帶著弓箭、劍、短粗木棍、長槍和一面覆蓋著牛皮的木盾，總之，就是一個正式警員準備執行重要勤務時的全副裝備。至於狒狒，只要有牠的利牙就夠了。

「誰出錢買這套裝備的？」帕札爾好奇地問。

「市場的商家。因為我的狒狒把一幫小偷集團的成員一個一個地逮著了，他們已經猖狂一年多了呢。所以商販們堅持要謝我。」

看凱姆驕傲的樣子，帕札爾提醒了他一下，「你得到底比斯警方的許可了嗎？」

凱姆早知他有此一問：「我的武器已經都登錄編號了，完全合乎規定。」

「孟斐斯出了一點問題，我們得回去了。第五個老兵有消息嗎？」

「市場上一點傳聞也沒有。你那邊呢？」

「沒有。」帕札爾真覺得洩氣。

「他跟其他人一樣，死了。」

凱姆說得肯定，帕札爾卻不這麼想，「那麼他們為什麼還要來搜我的房間？」

「從現在起，我再也不離開你半步。」

「別忘了，你是聽令於我的。」

「保護你是我的職責。」

對於他的頑固，帕札爾也無計可施，只得敷衍著說：「我會看情形的，你在這裡等我，順便也該準備出發了。」

「總可以跟我說你要上哪去吧。」

「我馬上就回來。」

＊　＊　＊

奈菲莉就在底比斯河西地區一個偏僻村落裡當起了女王。對這個小社區而言，能夠有醫生長期住在這裡真是莫大的福音。這位年輕女醫生帶著溫柔的威嚴中，彷彿有一股神奇的力量：無論大人小孩都樂意聽她的話，他們再也不怕生病了。

奈菲莉為村民訂定了一些衛生守則，並嚴格要求他們遵守，只不過大家偶爾還是會忘記：要經常洗手，尤其飯前絕對不能忘，每天洗澡，進屋前要先洗腳，要常漱口刷牙，定時刮除毛髮和剪頭髮，要使用角豆樹果實做成的香膏、化妝品和除臭劑。不論貧富，大家都會使用一種以沙和油混合後加入天然含水蘇打的乳液清潔並消毒肌膚。

禁不住帕札爾一再要求，奈菲莉才答應和他到尼羅河畔走走。

「妳快樂嗎？」帕札爾問她。

「我覺得在這裡可以幫助人。」

「我真欽佩妳。」

「其他醫生也值得你欽佩。」奈菲莉不敢居功。

帕札爾猶豫了好一會兒，才不情願地說：「我得離開底比斯了。孟斐斯有事，我得回去處理。」

「跟這件怪案子有關嗎？」

「我的書記官沒有說。」

「目前有進展嗎？」

「還是找不到第五個老兵。如果他在河西有固定的工作，應該不會查不出來。我的調查工作已經進了死胡同了。」

風向變了，春天也變得暖而溫和。再過不久，就要開始刮風沙了，埃及人也不得不在家裡躲個幾天。

現在，到處洋溢著一片生氣盎然。

「你會回來嗎?」奈菲莉問道。

「我會盡快回來的。」

「我覺得你有心事。」

「有人闖進我的房間搜東西。」

「為了讓你打消念頭?」

「他們以為我手中握有一份重要的文件。現在,我們都知道這份文件是假的了。」

「你會不會太冒險了?」

「就因為我能力不夠,才會犯下這麼多錯誤。」帕札爾顯得又苦惱又氣餒。

「不要對自己太嚴苛,你沒有什麼好自責的。」奈菲莉安慰他說。

「我要平反妳所受到的冤屈。」想到奈菲莉,帕札爾又變得雄心萬丈。

「你會忘了我的。」

「永遠不會!」帕札爾信誓旦旦地說。

她心下感動,笑了笑,「年輕的誓言總會隨著晚風消散的。」

「我的不會。」

帕札爾沒有移動身子,只是轉過身去,拉起她的手說:「我愛妳,奈菲莉。妳不知道我有多愛妳……」

她的眼神蒙上了一層陰影,「我的未來在這裡,你的卻在孟斐斯。我們的命運已經注定了。」

「我不在乎我的前途。只要妳愛我,其他的都不重要。」

「你太天真了。」

「妳才是我的幸福，奈菲莉。沒有妳，我的生命根本沒有意義。」

她輕輕地掙開他的手，說道：「我要考慮一下，帕札爾。」

這時的他好想伸出雙臂，把她緊摟在懷裡，不讓任何人拆散他們。不過，現在絕對不能任意妄為，而粉碎掉她答覆中所透露的一點點希望。

＊　＊　＊

暗影吞噬者目睹了帕札爾離開。他就這麼離開底比斯，沒有和第五名老兵談過話，也沒有帶走會連累任何人的文件。搜索他房間的結果是一無所獲。

至於他本身的收穫也不大，只查到第五名老兵曾經在底比斯南部的一座小鎮待過，他本來打算在那裡定居，以修車維生。後來，當了麵包師傅的同僚慘死的消息傳來，驚恐之餘，人也跟著失蹤了。

法官和暗影吞噬者都找不到他。

這名老兵知道自己有生命的危險，因此，他一定會守口如瓶的。暗影吞噬者這麼一想，心安了些，搭上下一班船，也回孟斐斯來了。

※註1：有一些地中海的海盜會放棄海上劫掠的生活，加入埃及軍隊成為傭兵。

第二十四章

首相巴吉正受著腳痛之苦。他的兩隻腳好沉重，而且過度腫脹，連腳踝凹陷的部分都不見了。他只能穿著鞋帶寬鬆的大鞋，除此之外，他實在沒有時間去醫治。他越是坐在辦公桌前，腫痛的情形就越是嚴重；然而國事之繁忙卻不容許他休憩或缺席。

他的妻子奈蒂婉拒了法老分配給首相的大別墅官邸，巴吉也同意她的作法，因為他喜歡都市勝過於鄉村。因此他們便住在孟斐斯市中心一棟簡樸的屋子裡，日夜有警衛看守。埃及的首相向來是安全無虞的，自從埃及創建以來，就從來沒有首相被謀殺或襲擊過。

巴吉雖然位極人臣，卻並未因而變得富有。他總是把工作放在第一位，生活倒是其次。奈蒂一直無法適應丈夫的加官晉爵；由於她的五官不突出、身材嬌小、體重又屢升不降，因此她從不參加社交活動，也不出席任何官方舉辦的宴會。她好懷念從前當巴吉還是個小職員，工作壓力不大的日子。那時候，他總是早早就回家，而且會幫她做飯、照顧小孩。

前往皇宮的路上，首相想起了自己的一雙兒女。他的兒子原本是手工藝匠，但工匠師傅發現他經常偷懶。首相知道這件事後，便讓工坊把兒子開除，然後讓兒子去當製造生磚的庸工。法老卻責備首相處事不公，認為他對自己家人過於苛求。雖然首相必須注意不能讓家人享有特權，但是過度的嚴厲卻也應該受到譴責（曾經有一個首相因為怕被指為徇私偏袒，而對自己的家人過於嚴格不公，結果因此被革職）。於是巴吉的兒子升了一等，負責鑑定熟磚的工作。其實，他的兒子毫無野心，唯一熱衷的就是和年齡相仿的男孩玩跳棋。至於女兒，就讓他欣慰多了；儘管其貌不揚，她做事的態度卻非常認真，並希望將來能進入神廟當織布工。她沒有接受父親任何幫忙，之所以能成功，完全是靠自己努力得來的。

首相坐得累了，便拿開椅子，坐到一個由魚刺繩製成、中心略凹的座位上。每天面見國王之前，他都要先看過各部會上呈的報告。此時的他弓著身子，忍著腳痛，努力地集中精神。

正當他看報告時，特別助理突然前來，「很抱歉，打擾你一下。」

「什麼事？」

「一位亞洲軍團的傳令兵來報。」

「簡單說一下。」

助理於是簡報了前方的軍情，「亞舍將軍率領的菁英部隊與主力軍之間的聯繫，已經被切斷了。」

「是叛亂嗎？」

「是利比亞的埃達飛、兩個亞洲小國還有一些貝都因人。」

「又是他們！我們的祕密組織也被襲擊了。」巴吉憤憤然說道。

「我們要派軍支援嗎？」

「我馬上去請示國王。」

拉美西斯又派出兩個兵團前往亞洲，並下令主力軍加速前進。國王很重視這次的出征；亞舍若未戰亡，就必須肅清所有的叛賊。

自從頒布了那份令朝廷上下都為之震驚的聖旨之後，首相已經不知該如何執行法老的命令了。由於他管理嚴格精確，因此埃及國庫與各種存糧的清點只花了幾個月的時間；但是他的密使卻還要詢問各神廟的負責人與各省省長、撰寫為數可觀的報告、並剔除其中所有因作業不精確而導致的謬誤。國王的這些苛求引起不少人心裡的反彈；而巴吉既然被視為這次行政調查工作的總負責人，便不得不盡力安撫眾多要臣的情緒、排解他們的怒氣。

傍晚時，巴吉確定命令都已經完全遵照辦理了。翌日，他將加派雙倍的軍力，前往駐守一直處於備戰狀態的王牆。

＊　＊　＊

在營地裡，夜晚顯得特別陰森可怕。明天，埃及士兵就要進攻叛軍的小堡壘，以突破孤立的情勢，並企圖與亞舍將軍聯絡上。這次的突擊行動相當困難。恐怕有很多人就要在此喪命，回不了家了。

蘇提和部隊裡年紀最大的士兵一起用餐，他是孟斐斯人，性喜戰鬥，明天他將負責操控活動攻城塔。

「再過六個月我就要退休了。」他對蘇提說：「孩子，這是我在亞洲的最後一次戰役。來，吃點蒜頭，這可以清除體內雜質，讓你不受風寒。」

「配點香菜和玫瑰酒會好一點。」

「大餐哪，戰勝以後再享用吧！通常部隊裡面的伙食是很不錯的，常常吃得到牛肉和糕餅，蔬菜也還算新鮮，啤酒更是多得不得了。以前，士兵的手腳不太乾淨，後來拉美西斯嚴令禁止偷竊，還把偷東西的人趕出軍隊。我可從來沒偷過東西。退伍以後，他們會給我一棟鄉下的房子、一塊地和一個女傭。我不用繳很多稅，而且想把財產給誰就可以給誰。你來當兵就沒錯啦，孩子，未來可就穩當了。」老兵對軍中生活確實相當滿意。

「那也得活著離開這個虎穴才行。」蘇提倒是沒有忘記現前的危機。

「我們一定能攻下這座小堡壘的。你要特別注意左手邊；男人的死神都從左手邊來，女人的則從右邊來。」

訓。

「敵人那邊沒有女人嗎？」

「有，而且還勇敢得很呢！」

蘇提不會忘記注意左邊，也不會忘記右邊，他還會記得留意背後，這是戰車尉留給他的教

* * *

埃及的士兵開始瘋狂地跳起舞來，手上的武器在頭頂上不停旋轉，並向天高舉，以祈求好運與至死方休的作戰勇氣。根據各國之間的協定，天亮後一個小時才開始打仗；只有卑鄙的貝都因人才會偷襲。

年老的士兵在蘇提的黑髮上插了一根羽毛，說道：「這是慣例，神箭手都要這麼做。這根羽毛代表了瑪特女神，她會保佑你心志專一，百發百中。」

步兵們扛著梯子，走在最前面的，是那個從前當海盜的士兵。蘇提爬上了攻城塔，跟那名老兵在一起。十幾個軍人把他們往小堡壘的方向推。工兵勉勉強強整理出了一條砂土路，讓活動木輪行進起來不會太困難。「左轉。」老兵下令道。

此時地勢變平了。堡壘高處，敵人的弓箭手開始放箭。有兩名埃及人被殺，還有一支箭從蘇提的頭旁邊略了過去。「該你上場了，孩子。」

蘇提拉開了有角質護層的弓把；若以拋物線方式射出，箭可飛至兩百公尺遠。弓弦已經拉到了極致，他集中精神，直到鬆手射出了箭才吐了一口氣。

一名貝都因人心口被箭射中，從雉堞上摔了下來。這一擊使得步兵們信心大增，立刻邁開大步衝向敵人。在距離目標百餘公尺處，蘇提換了另一把弓。這把金合歡木製的弓可以射得更準，拿起來也輕便得多，包管他每射必中，很快就能清除半數雉堞上的敵兵。不久，埃及士兵也就可

以搭梯子了。

當攻城塔距離目標只有二十公尺時，操控的老兵被箭射中了腹部，倒了下來。活動塔的速度跟著加快，撞上了小堡壘的圍牆。當夥伴們跳上牆頭，攻入堡內之際，蘇提則忙著照料老兵。

傷口太深了。

「你一定會光榮退伍的，孩子，你等著瞧……我只是運氣不好而已。」

話才說完，老兵的頭就垂下去了。

埃及士兵扛著羊頭撞錘用力地撞；那名當過海盜的士兵也用斧頭猛砍，終於攻破了城門。敵軍驚慌地四下逃竄。當地的小國王跳上馬背，還驅馬踩踏喝令他投降的軍士。埃及士兵看在眼裡不禁勃然大怒，自然饒他不得。堡壘被大火吞噬的同時，有一個穿著破破爛爛的敵兵，逃過了埃及士兵的警戒，直奔向樹林裡去。蘇提再度逮到了他，扯住滿是補丁的長袍時，由於用力過猛，給撕破了。

原來竟是個力大無窮的年輕女孩，而且就是偷了他所有配備的那個野女孩！

女孩赤裸著身子繼續跑。在同袍們的笑聲和鼓動聲下，蘇提終於把她緊緊地按在地上。她驚嚇不已，掙扎了好久。最後，蘇提扶她站起來，綁住她的雙手，再為她披上那件破舊的衣服。

「她是你的了。」一名步兵喊道。

有幾名生還者用雙手抱著頭，他們的弓、盾、鞋子和木棍都丟了。用埃及人慣用的字眼來形容，就會說他們「丟了靈魂、沒了姓名、精液全洩光了」。戰勝者奪走了銅製的餐具，還有牛、驢、羊，並燒了營區、家具和布料。堡壘裡，只剩下一堆破碎焦黑的石塊。

當過海盜的士兵走向蘇提，「長官死了，操縱攻城塔的人也死了。現在你是我們之中最英勇的一個，又是神箭手，就由你來指揮吧。」

「可是我毫無經驗。」

「你是英雄啊，我們每個人都能作證。沒有你，我們一定會失敗的。帶領我們往北前進吧。」

最後，蘇提接受了袍澤們的請託。他要求大家不可虐待囚犯。經過快速的審問後，他們確定了唆使這次叛變的埃達飛並不在這座堡壘中。

蘇提手握著弓，走在隊伍最前方。他的右手邊，便是那名女俘虜。

「妳叫什麼名字？」

「豹子。」

她的美令蘇提著迷，一副野性難馴的模樣、金黃的頭髮、炯炯發光的雙眼、身材玲瓏有致、嘴唇性感迷人；還有著熱切而吸引人的聲音。

「妳從哪兒來的？」

「利比亞。我父親是個活死人。」

「什麼意思？」

「有一次埃及人掠奪我們的村子，他的腦袋被刀子刺中。他本來應該要死的，可是他成了戰俘，在三角洲地區開墾農地。到後來他竟然忘了自己的語言、自己的同胞，變成了埃及人。我恨他，所以沒有去參加他的葬禮。我重新投入了戰爭。」

「妳對我們有什麼不滿？」

他的問題讓豹子吃了一驚，高聲喊道：「兩千年來我們就一直是敵人了！」

「現在不正是休戰的最好時機嗎？」

「不可能。」

「我會說服妳的。」

蘇提的魅力畢竟不可忽視，豹子終於抬起頭來看他。「我會成為你的奴隸嗎？」

「在埃及是沒有奴隸的。」

忽然有一名士兵大叫了一聲，所有的人都跳到地面上來。山丘頂上的矮樹叢中，似乎有東西在移動。大家定定地注視了一會兒，卻見到一群狼從樹叢中鑽出，狼群上下打量士兵之後，便跑開了。士兵們鬆了一口氣，感謝眾神的保佑。

「有人會來救我的。」豹子肯定地說。

「一切只能靠自己，別太依賴別人。」

「一有機會，我就會背棄你。」

「誠實是難得的美德。我開始欣賞妳了。」

她為了賭氣，不肯再說一句話。

他們在滿佈石子的地面上走了兩個小時，然後走上了激流乾涸後的河床。蘇提兩眼緊盯著兩岸陡峭的岩壁，密切留意著任何一點的風吹草動。而當十多名埃及弓箭手擋住他們的去路時，他們知道自己獲救了。

＊　＊　＊

帕札爾十一點左右到辦公室時，大門還關著。

「替我去把亞洛找來。」他生氣地命令凱姆。

「帶著狒狒去？」

「帶著狒狒去。」

「他如果生病呢？」

「不管他現在怎麼樣，馬上帶他來見我。」

凱姆不敢再多問，連忙便去找人了。

亞洛臉色發紅、眼皮腫脹，一邊呻吟一邊解釋道：「我因為消化不良，所以在家休息。我在牛奶裡加了枯茗子，可是還是想吐。醫生要我喝刺柏茶，還讓我請兩天假。」

「你為什麼不斷地讓底比斯的警局傳話給我？」帕札爾沒好氣地問。

「有兩件急事。」

帕札爾一聽，怒氣稍減，「快說。」

「第一件急事：我們沒有莎草紙了。第二件急事：穀倉存糧的盤點需要你出面查核。根據專業部門清算的結果，主要儲藏塔內的小麥存量少了一半。」

亞洛接著放低了聲音說：「這一旦爆發出來，可是條大新聞。」

* * *

祭司將最初收成的稻穀獻給豐收女神奧塞利斯，並為女神奉上麵包。一長列的搬運工扛著一籃籃珍貴的糧食往儲藏塔走，一面還唱著：「又是美好的一天……」他們走進方形或圓柱形的穀倉，爬上通往倉頂的樓梯，再從一個以小活門開關的天窗，將背上的珍貴食糧倒入。有一個門，是散糧的時候用的。

穀倉總管迎接帕札爾時，態度顯得異常冷漠，「國王下旨命令我查核穀倉存糧的清點。」

「已經有專業人員幫你查對過了。」

「結果呢？」

「他沒有向我報告，只有你才有權知道。」

「在主要穀倉正面架一面大梯子。」帕札爾直接下令。

「還要我再說一遍嗎?專業人員已經查對過了。」總管對法官的要求極為不耐。

「你想違抗法令?」

法令這字眼一搬出來，總管立刻變得和顏悅色，「我是為你的安全著想啊，帕札爾法官。爬那麼高是很危險的，你又沒什麼經驗。」

「你難道不知道你有一半的穀糧不見了?」

總管似乎驚愕不已，「太可怕了。」

「可以解釋嗎?」

「一定是穀蟲作祟。」

「防蟲不正是你的主要任務嗎?」

面對法官的質問，總管倒是把責任推得一乾二淨，「我都交給衛生單位全權負責了，要怪也要怪他們。」

「一半的存糧，這可不是小數目。」

「可是一旦有了蛀蟲……」

他話還沒說完，帕札爾便打斷他說：「架梯子吧。」

「真的沒有用的。這也不是你法官該做的事。」

「我要是在公文上蓋了章，你就得負法律責任了。」

於是總管讓兩名雇員搬來了大梯子，架靠在儲藏塔的牆面。帕札爾攀著梯階往上爬，心下忐忑不安；木梯條嘎嘎響得厲害，看起來也不太穩。爬到一半時，他的身子晃了起來，不由得急得大叫：「下面穩住!」

總管往身後看了一眼，似乎打算逃跑。凱姆便走上前去，將手搭在他肩上，狒狒也靠到他的腳旁。

「聽法官的話。」凱姆冷冷地說：「你該不會是想讓他出意外吧？」

待他們一起平衡住梯子，帕札爾才又安心地往上爬。終於爬到離地八公尺高的頂端，他推了一下插栓，打開了一扇天窗。儲藏塔裡滿滿的都是稻穀。

＊　＊　＊

「真奇怪！一定是查核員騙了你。」總管對帕札爾說。

「還有一個可能：你也是同謀。」帕札爾想了想說道。

「你要知道，我也被騙了。」

「我不知道該不該相信你。」

狒狒低低咆叫了一聲，露出了獠牙。

「牠最恨說謊的人了。」凱姆解釋道。

「約束一下這隻野獸。」

「要是有證人惹惱了牠，我也控制不了。」

總管只好低下頭說：「他說只要我為他的專業作擔保，他就會給我豐厚的報酬。我們原本打算把報失的穀糧賣掉，這應該是個天衣無縫的計劃。不過既然沒有實行，我還能不能保住我的工作？」

＊　＊　＊

這一夜，帕札爾工作得很晚。他簽下了總管的撤職令，並條列出撤職理由。他還翻遍了公務員名單，卻找不到該查核員的名字。他用的一定是假名。盜用穀糧的情形並不罕見，但是如此龐大的數量，這還是頭一遭。這只是發生在孟斐斯某個儲藏塔的個案，或者是官員普遍腐敗的現象？若是後者，那麼法老之所以頒布如此聳動的聖旨，原因也就不難理解了。他不正是希望趁此機會重建公理，為扭曲變形的公義重新樹立新風範嗎？無論職位高低，只要每個人的行為都不偏不倚，紀律風氣很快就能匡正了。

熾熱的燈火中，他又見到了奈菲莉的臉、她的眼、她的唇。這麼晚了，她應該睡了吧。她是否也想著他呢？

第二十五章

帕札爾在凱姆和狒狒陪同下，搭上了快船前往三角洲地區最大的莎草種植區，在此墾植的是申請了皇家許可的美鋒紙廠。有鬚毛傘形花和三角柱形長莖的莎草，在泥漿和沼澤中可以長到六公尺高度，形成一片濃密的草叢。這種珍貴的植物頂端，密密長滿了形狀如傘的花，其他部位則各有不同的用途：木質根可製造家具；纖維與莖皮可編製草蓆、簍筐、網袋、繩索、細線，甚至可以做成窮人穿的鞋子和纏腰布；至於莖皮下層豐富的黏稠汁液，經過適當程序處理之後，便可成為舉世聞名的莎草紙了。

莎草自然生長的量並不足以供應美鋒紙廠的需求，因此，紙廠又開墾了大片的土地，以增加莎草產量，一部分並用來外銷。對所有埃及人而言，莎草翠綠的莖代表了年輕活力；眾女神的權杖均為莎草的形狀，神廟裡也都是用石頭雕成的莎草柱。

草叢中開了一條大路；途中，帕札爾遇見了一些赤身背著一大捆草束的農民。他們一邊嚼著嫩枝，吸了汁液之後便把渣吐掉。隨後，他來到了乾燥的大倉庫，放在裡面的材料有的用木箱裝，有的用陶土瓶裝。倉庫前面有幾個專家正仔細地清理篩選過的纖維，然後才能鋪到蓆子或木板上。

製作草紙時，先截取長約四十公分的草莖，再切成長條片狀，然後將這些長條片以互相垂直的方式鋪成兩層。接著由另一組技師將這兩層莖條覆上一塊溼布，並以木槌敲打一段時間，莖條乾了之後，便會自動緊密地黏合在一起，無須藉助任何添加劑。

「很神奇吧？」

對帕札爾說話的男人矮矮壯壯，臉很圓，但沒有什麼血色，烏黑的頭髮用髮油抹得服服貼貼。他的手腳都很胖，骨架也粗，但看起來相當有活力，甚至有點過度急躁的感覺。

「你的到訪讓我倍感榮幸，帕札爾法官。我叫美鋒，是這個地方的主人。」

他拉拉纏腰布，整理了一下細亞麻布襯衫。雖然他衣服的布料都出自孟斐斯頂尖的紡織工之手，但是他穿起來卻不是太小，就是太寬太大。

「我想跟你買一些紙。」帕札爾對他說。

「你跟我來，我讓你看看最好的樣品紙。」

美鋒把帕札爾拉進他存放高級紙張的庫房，裡面堆滿了一捲一捲的莎草紙，每一捲都大概有二十張。美鋒攤開了其中一捲，「你仔細看看這紙的光澤，摸摸看這質地多麼細緻，還有紙張的顏色黃得多美。絕對沒有其他廠商能夠模仿得出來。日曬的時間長短是祕訣之一，當然還有其他重點我就不便透露了。」

帕札爾摸了摸紙捲的末端，讚道：「的確很好。」

美鋒掩不住內心的驕傲，「這種紙是專門供給那些抄寫與補充古代智慧書（※註1）的書記官用的。下個月，宮中的圖書館也訂了一打。而且我也供應陪葬用的《死者之書》的抄本。」

「你的生意好像很不錯。」

「如果日夜趕工的話，是不錯。不過我不覺得苦，因為我喜歡這份工作。供應紙張，記錄各種作品與象形文字，這不是很重要嗎？」

「我的經費有限，買不起這麼好的紙。」

「我還有品質差一點的，但也相當不錯。絕對耐用。」

這次看的紙很合用，但是帕札爾覺得還是太貴了。

美鋒尷尬地搔搔後腦，說道：「帕札爾法官，你對我很好，我也希望有所回報。我重視法律，因為這是幸福的根源。是不是就請你接受我的餽贈呢？」

「我很感激你的慷慨，但是我不能接受。」

「請你一定要收下。」

「無論任何形式的禮物都視同賄賂。如果你願意讓我遲一點付款，也必須正式通知，並加以記錄。」

帕札爾堅持不收贈禮，紙商也不便再勉強他，「既然這樣，好吧！我也聽說了，你對那些不守法的富商是毫不留情的。你真是勇氣可嘉。」

「職責所在罷了。」

「最近，孟斐斯的商人品行越來越差了。我想法老的聖旨應該可以遏阻這種令人遺憾的轉變吧。」

「我和我的同僚都會盡力的，雖然我並不十分了解孟斐斯人的習性。」

「你很快就會知道了。近幾年來，商人之間的競爭極為激烈，為了打擊對手，常常會不擇手段。」

見美鋒說得憤慨，帕札爾便問他：「你受到過打擊嗎？」

「大家都一樣，但是我會反擊。剛開始，我只是三角洲地區一個大地主家的助理會計，當時莎草種得並不多。由於薪水微薄，工作時數又長，我便向地主提出了一些改善措施，他不但接受了，還升我當會計。如果不是遇到那件不幸，我是可以平靜過日子的。」

他們兩人出了倉庫，走上一條兩旁長滿了花的小徑，小徑盡頭便是美鋒的住家。

「我可以請你喝一杯嗎？這絕對不是行賄，我向你保證。」

帕札爾笑了笑。他感覺得到這位紙商還想說話，便助了他的興：「你說的不幸是什麼？」

「一次不甚光彩的遭遇。我娶了一個年紀比我大的妻子，她是愛利芬丁島的人；雖然偶爾有些小摩擦，不過大致上我們處得還不錯。我回家回得晚，她也可以接受。有一天下午，我覺得不太舒服，大概是太過操勞吧，便請同事送我回家。沒想到竟看到我妻子和園丁兩人躺在床上，我氣得想殺了她，後來又想告她通姦……可是懲罰實在太重了（※註2）。結果我只是立刻宣佈和她離婚。」

「真是一次痛苦的經驗。」

美鋒又繼續說道：「我受傷很深，便藉由加倍工作來忘記痛苦。後來地主給了我一塊沒有人要的地。我自己設計了一套灌溉系統，讓這塊地有了價值：第一次的收成就大豐收，加上價格公道，顧客也很滿意……最後還獲得宮廷的認同！能成為皇宮的紙供應商，我真是太高興了。我還得到了你剛才經過的那片沼澤地。」

「恭喜！」

「努力就會有收穫。你結婚了嗎？」美鋒話鋒一轉，脫口問道。

「還沒有。」

「我後來又冒了一次險，結果證明我是對的。」

美鋒吞下了一錠含有乳香、油莎草（※註3）與腓尼基蘆葦成分的圓片，以使口氣清香。「我來為你介紹我的年輕妻子。」

* * *

西莉克斯夫人一心只擔心著臉上出現皺紋，煩惱得不得了。因此，她自己製造了具有光滑肌膚作用的胡蘆巴油。她先將豆莢與豆果分開，然後搗成糊狀再加熱，表面便會結成一滴一滴的油

了。西莉克斯小心翼翼地敷上含有蜂蜜、紅色天然含水蘇打與北方鹽的面膜，還用雪花石膏粉按摩身體的其他部位。

多虧了奈巴蒙醫生的手術，她的臉和身形都按照她丈夫的意思變得優美了。當然了，她還是覺得自己太重，也有點太胖，不過美鋒對於她圓滾滾的臀部卻不甚在意。在招呼丈夫享用豐盛的餐點前，她在嘴唇上塗了口紅，兩頰上抹了溫和的乳液，眼睛周圍也塗上綠色的眼影。然後又在頭皮上擦了消毒劑，其中的主要成分蜂蠟和樹脂可以預防白頭髮。

* * *

西莉克斯最後戴上了一頂用真髮製成、而且每一根髮絲都散發著香氣的假髮，她十分滿意地看著鏡中的自己。這頂寶貴的假髮是丈夫在他們的第二個小孩，也是第一個男孩出世的時候，送給她的。

女僕進來通知她美鋒來了，還帶了一位客人。

西莉克斯驚慌失措地又拿起鏡子來。她打扮得夠不夠仔細？或者有什麼她沒注意到的小缺失？會不會受到批評？然而她也沒有時間再化妝或換衣服了。

她也就這麼冒冒失失地出了房門。

* * *

「西莉克斯，親愛的！我給你介紹一下，這是孟斐斯的帕札爾法官。」

年輕的妻子微微一笑，帶著一種得體的拘束與靦腆。

「我們接待過很多買主和技師，」美鋒接著又說：「但是你是我們第一個接待的法官。真是太榮幸了。」

這名莎草紙商的新別墅，總共有十來間房，光線都不太強。西莉克斯夫人怕曬，因為膚色會變黑。

有一名女僕端了新鮮的啤酒進來，她身後跟著兩個小孩，女孩子一頭的紅髮，男孩子則像極了父親。他們向法官敬了個禮後，便笑著跑開了。

「唉，這兩個孩子啊！我們是很愛他們，可是有時候實在是累人。」

西莉克斯點點頭，也同意丈夫的話。很幸運地，她的兩次生產都很順利，加上產後長時間的調養，並沒有使身材走樣。為了掩飾身上幾處難以消除的贅肉，她穿了一件上等亞麻織成的寬鬆長袍，還點綴著一些小小的紅色流蘇邊。她戴的耳環是從努比亞進口的，小環上套了一塊象牙寶石。

主人請帕札爾坐上一張長形的莎草椅。

「很特別吧？我喜歡有創意的東西。」美鋒解釋著說：「如果造型討喜，我會大量製造銷售。」

帕札爾對於別墅的格局感到很驚訝，所有隔間都又長又低，而且沒有陽台。

「我頭有點暈。在屋子裡，比較不會熱。」

「你喜歡孟斐斯嗎？」西莉克斯問帕札爾。

「我比較喜歡我本來的村子。」

「你現在住哪裡？」

「我辦公室樓上。地方有點小；自從我就任以後，大小案件一件接著一件，檔案堆得到處都是。再過幾個月，可能就太窄了。」

「這個簡單。」美鋒說：「宮裡檔案室的管理員跟我關係很好。國家倉庫的場地就是由他決定安排的。」

「我不想享受特權。」

「這不是特權。他遲早都會傳喚你進宮會面，不過當然是越早越好。我把他的名字告訴你，你自己看著辦吧。」

啤酒的滋味好極了；由於特別存放在一些大罈子裡，仍然十分新鮮清涼。

「今年夏天，」美鋒說：「我要在軍械庫附近開立一個莎草倉庫，這樣送貨到行政機關就快多了。」

「那裡剛好是我的管轄區。」

「好極了。如果我沒看錯的話，你的監督一定會又嚴格又有效率，如此一來，我的名聲就會更穩固了。儘管現在有這樣的趨勢，但我實在不敢舞弊，因為總有一天會被抓到的。埃及人向來不喜歡作弊的人。就像諺語說的：謊言永遠找不到船渡河。」

帕札爾靈機一動，忽然問道：「你聽說過一起穀物走私的交易嗎？」

「這件醜聞一旦爆發，關係人一定會受到重罰。」

「可能牽涉到誰呢？」

「據說有幾個人打算侵占一部分已經入倉的穀物。只是謠傳，不過大家都這麼說。」

「警方沒有調查嗎？」帕札爾追問道。

「調查了，沒有結果。留下來跟我們一起用餐好嗎？」美鋒這麼一問，便把剛開始的話題又結束了。

「我不想太打擾你們。」

「我和我太太都很歡迎你。」

西莉克斯輕輕點了一下頭，向帕札爾面露微笑，表示歡迎。

於是帕札爾和他們一起享用了美味的餐點：有鵝肝醬、鮮嫩的蔬菜沙拉配上橄欖油、新鮮豌豆、石榴和甜點，此外還有拉美西斯大帝登基那年製造的三角洲紅酒。孩子們坐在另一桌，但直嚷著要吃大人桌上的蛋糕。

「你打算建立家庭了嗎？」西莉克斯問道。

「我工作太忙了。」帕札爾答道。

「娶妻生子不才是人生的目的嗎？人生最大的滿足莫過於此了。」美鋒很肯定地說。

紅髮女孩趁著大人不注意，偷偷拿了一塊蛋糕。不料父親眼尖，一把抓住她的手腕，罵道：「不許妳出去玩，也不能去散步。」

女孩一聽放聲大哭，並直跺腳。

「你太誇張了。沒有這麼嚴重。」西莉克斯護著女兒說。

「什麼都不缺的人還偷東西，太叫人痛心了！」

「你小的時候，不也是這樣嗎？」

「我父母親很窮，可是我從來沒有偷過任何人的東西，我也不許我的女兒有這種行為。」受懲罰的女孩哭得更大聲了。

「把她帶走好嗎？」

西莉克斯照著丈夫的意思做。

「教養兒女難免碰到這種情形。所幸眾神保佑，歡樂的時刻要比痛苦多得多了。」美鋒嘆了口氣，不知是惋惜或是滿足。

美鋒給帕札爾看了要給他的那批莎草紙，順便幫他加強紙的四邊，並多給了他幾捲顏色較白、質地較差的紙，可以用來打草稿。

兩人這才熱情地致意道別。

* * *

孟莫西光禿的頭頂泛紅，洩漏了他極力隱藏的憤怒。

「謠言，帕札爾法官，這全是謠言！」

「可是你也做了調查。」

「例行公事嘛。」

「沒有結果？」

「沒有。有誰敢侵占儲藏在國家穀倉的穀物呢？太荒謬了。你為什麼要管這件事？」

「因為這個穀倉位於我的管轄區內。」

警察總長尷尬地放低聲量說：「這倒是真的，我忘了。有什麼證據嗎？」

「有最好的證據：一份文書。」

孟莫西看了文件說：「查核員記錄有一半的存糧被取用……這有什麼不對嗎？」

「儲藏塔還是滿滿的，我親自看過了。」

孟莫西站了起來，背轉過身望向窗戶外頭，「這份文件簽了名了。」

「是假名。派任的查核員名單上沒有這個人。要找出這個奇怪的人物，由你負責應該最恰當不過了吧？」

孟莫西恨他如此直截了當不留情面，不免語帶譏諷，「我想你大概已經詢問過穀倉總管了，對吧？」

「他說他不知道和他談這筆交易的人叫什麼名字，而且他們只見過一次面。」

「你認為他說謊？」

「應該沒有。」

雖然當時狒狒也在場，但是總管沒有再說什麼，因此帕札爾相信他說的是實話。

「必定是陰謀！」總長言之鑿鑿。

「有可能。」帕札爾也同意。

「很明顯，總管就是主謀。」

「越明顯就越值得懷疑。」

「把這名盜匪交給我吧，帕札爾法官，我有辦法讓他實話實說。」

「絕對不行。」

「那麼你有什麼打算？」孟莫西實在不明白這個年輕法官葫蘆裡究竟賣什麼藥。

「暗中派人全天候監視儲藏塔。盜賊那一夥人來搬運穀糧時，就可以現行犯的罪名加以逮捕，也可以馬上知道所有罪犯的姓名了。」

「但是總管的失蹤會讓他們有所警惕。」

「所以要讓他繼續擔任原有的職務。」

「這個計劃太複雜也太冒險了。」孟莫西有點遲疑。

「不會呀。不過你若有更好的意見，可以聽你的。」

孟莫西果然提不出更好的做法，只好妥協，「好吧，我會做我該做的事。」

※註1：代代相傳的格言集。

※註2：在當時的埃及，通姦是非常嚴重的罪，因為婚姻原本是建立在夫妻彼此的誠信上，而通姦就等於連自己的諾言也背叛了。

※註3：乳香是一種樹脂，油莎草則是一種芳香的蘆葦。

第二十六章

布拉尼的房子可以說是唯一的避風港，讓帕札爾受盡折磨的心得以稍微紓解。他寫了一封長信給奈菲莉，再度向她傾訴他的愛意，並祈求她能早日表白她的心意。如此騷擾她，他也感到自責，但就是無法壓抑這股熱情。從此，他的一生就交給奈菲莉了。

布拉尼在第一間房間裡，為祖先的雕像供奉鮮花。帕札爾則在一旁靜思。綠蕚矢車菊和酪梨樹的黃花可以讓人永懷祖先，並能讓奧塞利斯天堂裡的賢人長伴左右。

祭拜完畢之後，師生二人爬上了陽台。帕札爾最喜歡這個時刻，天光逐漸淡入夜色，等待著明日重生。

「你的青春已經像是老去的肌膚再也回不來了。年輕的你很快樂，也很平靜。但是現在你要做的，是成就你的人生。」

「我的一切，你都知道。」帕札爾只簡單回了老師這麼一句。

「有些事你並沒有告訴我。」

「跟你是無須多說的。你覺得她會接受我嗎？」

「奈菲莉從來不會虛情假意，她表現出來的都是真實的感受。」

一陣陣的焦慮湧上帕札爾的喉頭，使他難以言語：「我大概是瘋了。」

「覬覦屬於別人的東西，這本來就是瘋狂的事。」

老師苦口婆心的教誨，卻只是讓帕札爾更慚愧痛苦，「你曾經教我要以穩重精確的公正態度累積智慧、不要為自己的幸福煩惱、要努力讓世人平和地往未來前進、努力建蓋神廟，使果園為眾神而果實纍纍（※註1），我把這番教誨全忘了。如今我卻為情所苦，越陷越深無法自拔。」

「這樣也好；繼續往前走到你的極限，直到無法回頭為止，遵循天意便不會誤入歧途。」

「我沒有忘記我的職責。」

「司芬克斯那件事？」

「進了死胡同了。」

「一點希望也沒有？」

「除非找到第五名退役軍人，或者蘇提在亞舍將軍那裡探聽到什麼消息。」

「看來希望很渺茫。」

「就算要等上幾年才能得到新線索，我也不會放棄的。你別忘了我手中握有軍方說謊的證據：那五名老兵已經正式宣告死亡，可是其中卻有一人回到底比斯當了麵包師傅。」

「第五個人沒有死。」布拉尼認真地說，好像老兵就在眼前似的：「別放棄，厄運總有離開的一天。」

布拉尼說完，師徒兩人靜默了許久。他說話時鄭重的語調使得帕札爾心煩意亂，因為他知道老師有預見未來的能力，有時候他就是能看得見尚未可知的真相。

「我馬上就要離開這個家。」布拉尼先開了口：「該是我到廟裡度過餘生的時候了。我的耳中將充斥著卡納克神廟眾神的沉默，我也將與永恆之石交談。今後的每一天將越來越寧靜，在這個人生的重要階段作好準備之後，我便要面對奧塞利斯神的審判了。」

帕札爾不願意接受這個事實，急忙說道：「我需要你的教導。」

老師卻似心意已決，「我還能給你什麼建議呢？明天我將拄著拐杖前往西方極樂，和所有人一樣留在那裡不再回來。」

帕札爾仍不放棄希望，繼續找理由想說服布拉尼，「倘若我發現埃及罹患了可怕的疾病，而我又有機會起身對抗，你的道德威望將是我不可少的助力，你也將扮演決定性的關鍵角色。所以請你再等一等。」

「無論如何，我到廟裡去之後，這間房子就是你的了。」

* * *

謝奇用棗核和木炭點了火，把角狀坩堝放到火上，再以風箱助長火勢。他把熔化的金屬倒入各種特殊的模型中，希望能研究出熔煉金屬的新方法。他記憶力超強，因此過程與結果均不加以記錄，以免洩露了機密。兩名助手長得十分健壯，體力也驚人，他們能夠用長吹管連續吹好幾個小時，以維持旺盛的火勢。

難以摧毀的武器馬上就要完成了；法老的軍士佩帶著無堅不摧的劍與長矛，將一一砍裂亞洲敵軍的頭盔，刺穿他們的甲冑。

他正沉思之際，門外突然傳來了打鬥的尖叫聲。謝奇打開實驗室的門想一探究竟，卻剛好跟兩名警衛撞個正著，他們抓著一個滿頭白髮、雙手通紅的人；那個人氣喘噓噓，眼中充滿了淚水，纏腰布也扯破了。

「他私自闖進金屬儲藏庫，」一名警衛解釋道：「我們想要詢問他時，他卻拔腿就跑。」

謝奇立刻認出了牙醫喀達希，但卻全然不顯得驚訝。

「放開我，你們這些野蠻人！」喀達希怒斥道。

「還敢大聲，你這個小偷！」警衛長反罵他。

到底是什麼瘋狂的念頭閃過喀達希的腦海？長久以來，他一直夢想能得到神鐵來製造他的手術工具，使自己成為無人可以匹敵的牙醫。為了他個人的利益，他喪失了理智，將陰謀計劃都拋到九宵雲外去了。

「我已經派人到門殿長老那兒去了，我們現在馬上就需要一名法官。」警衛長說道。為了避免招致懷疑，謝奇只好順著警衛長的意思。

＊　＊　＊

門殿長老的書記官半夜三更被吵醒後，認為事情並未嚴重到非叫醒長老不可，尤其長老又特別注重睡眠。於是他看了看法官名單，挑出了最近才任職的帕札爾法官。由於他等級最低，應該讓他磨鍊磨鍊。

帕札爾沒有睡。他夢想著奈菲莉，想像她就在他身邊，溫柔地安慰並鼓勵他。他訴說著調查的過程，而她則描述著病患的種種，他們一起分攤對方工作上的負擔，享受一種簡單的快樂，每天旭日東昇便又是充滿希望的嶄新的一天。

忽然間，北風大叫了起來，勇士也開始狂吠。帕札爾趕忙起身打開窗戶。看了武裝士兵出示由門殿長老書記官發出的調派令後，帕札爾便罩上短披風，隨著士兵到了營區。

通往地下室的樓梯口，站了兩名衛兵，他們手中的長矛相互交叉著。見到法官時，他們移開長矛讓出通道，謝奇就站在實驗室門口等著迎接法官。看到帕札爾，他有點訝異，「我以為來的會是門殿長老。」

「抱歉，讓你失望了，上級下令派我來。發生什麼事了？」

「偷竊未遂。」

「有嫌疑犯嗎？」

「罪犯已經被捕。」

「那麼只需說明事實、將罪犯起訴並立刻判刑就可以了。」

謝奇似乎有點不安。

「我要親自問話，他人呢？」見謝奇沒有反應，帕札爾便主動問道。

「在你左手邊的走道上。」

罪犯原本坐在一塊鐵板上，有一名武裝士兵看守著，他一見到帕札爾馬上跳了起來。

「喀達希！你在這裡做什麼？」帕札爾著實大吃了一驚。

「我本來在營區附近散步，他們卻無緣無故襲擊我，還強行把我帶到這個地方來。」

「他說謊。」警衛抗議道：「這個人擅自進入儲藏庫，才會被我們攔截住。」

「胡說！我要告你們傷害。」喀達希大聲否認。

「指控你的證人有好幾位呢。」謝奇提醒他說。

「儲藏庫裡放了些什麼？」帕札爾問道。

「一些金屬，大部份是銅。」

帕札爾心裡有點明白怎麼回事，便問牙醫：「你是不是缺乏製造器材的原料？」

喀達希仍矢口否認，「這全是一場誤會，我是無辜的。」

這時候，謝奇走到帕札爾身邊，在他耳邊小聲說了幾句話。帕札爾應道：「隨你的意思。」

他二人進入實驗室，四下無人，謝奇才問道：「我在這裡進行的研究必須絕對保密，因此你開庭時，是否能禁止旁聽？」

「當然不行。」帕札爾一口便回絕了。

「在這種特殊的情況下……」

「不要再堅持了。」

「喀達希是個有名又有錢的牙醫，他的行為實在另人費解。」

「你在做哪方面的研究？」

「武器裝備，你懂嗎？」謝奇驕傲地說道。

「你的研究工作並無特定的法令規範，如果喀達希被控偷竊，他必須依照正常程序為自己辯護，而你也得出庭應訊。」帕札爾態度一如往常，公事公辦。

「這麼說我必須回答問話囉？」

「當然。」

謝奇捻捻鬍鬚說：「這樣的話，我還是不告他的好。」

「這是你的權利。」

「我是為了埃及著想；不管是在法庭或其他地方，消息一旦走漏，後果將不堪設想。喀達希就交給你了。對我來說，就當著什麼也沒發生過，至於你呢，帕札爾法官，別忘了你有責任保密。」謝奇結束的語氣略帶有威脅的意味。

帕札爾和牙醫一起走出營區，他對喀達希說：「你不會被起訴了。」

「可是我要告他們。」喀達希一副憤憤不平的模樣。

帕札爾知道他在氣頭上，便心平氣和地分析給他聽，「證人的證詞對你不利、你在不尋常的時間出現在這個地方、你又有竊盜嫌疑……從這幾點看來，你的勝算實在不大。」

喀達希咳了幾下，嘔地一聲把痰吐掉說：「你說得對，那就算了吧。」

「我可不能算了。」

「你說什麼？」喀達希反而覺得莫名其妙。

「我可以半夜三更起床，也可以辦理任何的案子，但是你不能把我當傻子一樣耍。你得向我解釋清楚，否則我就以侮辱法官的罪名將你起訴。」

牙醫的話開始變得含含糊糊，「上等的純銅！我已經夢想好多年了。」

「你怎麼知道這個儲藏地點？」

「監管營區的士官是我的病患……很愛說大話，於是我就想碰碰運氣。以前，軍營的守備沒有這麼嚴密。」

「所以你就打算用偷的？」

「不，是用買的！」喀達希反駁道：「我打算用幾頭肥牛來換取金屬，因為這些軍人都很貪吃，買賣成交後，我的器材就能夠又好又輕又精確。可是這個小鬍子，一點人情味也沒有……怎麼講也講不通。」

「不是所有的埃及官員都很腐敗的。」

「腐敗？你太誇張了吧！難道凡是進行交易，就一定是非法的嗎？你對人的看法未免太悲觀了！」

喀達希一面嘀咕著，身影越走越遠。

帕札爾在黑夜裡信步走著。他並不完全相信喀達希的說詞。金屬儲藏庫、軍營……又是軍隊！不過這次的事件似乎與那幾個退役軍人的失蹤並無關連，只不過是一個逐漸走下坡的牙醫不願意承認自己的手藝退步所做的掙扎罷了。

今晚是滿月。傳說月亮裡面住了一隻持有刀械的兔子，牠是個好戰的精靈，總要把惡鬼的頭都剁下才甘心。帕札爾倒是十分樂意請牠當自己的書記官。夜晚的太陽慢慢變大又慢慢縮小，漸漸變亮後又漸漸變暗；這艘飄盪在空中的小白船將會把他的思念傳送給遠方的奈菲莉。

* * *

尼羅河水向來以有助於消化而聞名，清淡的河水能使體內毒素迅速排出。部份醫生認為河水之所以具療效，乃是受到生長於河岸的藥草影響所致。每當漲水時，河中便滿是植物微粒與礦物鹽；埃及人民總會將這珍貴的河水盛在千萬個水罐中，以防河水變質。

不過，奈菲莉還是檢查了去年所儲存的水以防萬一；若發現容器內的水有混濁的現象，她便丟一個甜巴旦杏到水裡，一天過後，水就會變得清澄甜美。有幾罐水已經放了三年，水質卻絲毫未變。

檢查之後，她開始留意起洗衣工的一舉一動。在宮中，這個職務總要分派給值得信賴的人，因為衣服的整潔一向極受重視；在各個大小社區裡，也都是同樣的情形。洗衣工洗完衣物擰乾之後，還要用木棍擣衣，然後再高高舉起用力抖動，最後才將衣物披到兩根木樁間的晾衣繩上晾曬。

看了一會兒，奈菲莉忍不住問道：「你是不是生病了？」

「為什麼這麼問？」

「因為你缺乏精力，這幾天來衣服都灰灰的。」

「有什麼辦法?這份工作可不簡單，女人的骯髒衣物真是叫人困擾。」洗衣工粗聲粗氣地抱怨。

「光用水是不夠的，試試這個消毒劑和香料。」

暴躁的洗衣工從女醫生手裡接過那兩個瓶子。奈菲莉臉上的微笑消除了他的戒心。

為了避免蟲害，奈菲莉讓村民在穀倉中灑了一些木灰，這種滅蟲劑既有效又便宜。漲水前的幾個禮拜，就可以開始屯積穀糧了。

當她巡視最後一個穀倉間時，又收到了卡尼送來的香芹、迷迭香、鼠尾草、枯茗和薄荷。這些藥草曬乾或磨成粉後，便可做為奈菲莉所開處方的藥引。這些藥劑的確減輕了老人的病痛，加上親人陪伴，他的病情更是好了許多。

雖然奈菲莉一直保持低調，但是她高明的醫術卻還是受到了注意；一傳十，十傳百，很快地許許多多河西的農民都來找她看病了。她絕對是來者不拒，而且看病也絕不馬虎；經過一整天的辛勞之後，她還要和兩名經過她挑選、做事謹慎細心的寡婦，利用晚上的時間準備藥丸、軟膏與膏藥。睡不到幾個小時，天一亮便又有病人大排長龍等著看病了。

她從未想過自己的醫生生涯竟是如此景況，但是她喜歡替人診治；每次看到那一張張憂慮的臉龐重新綻放寬心喜悅的笑容，她便感到無比欣慰。奈巴蒙逼得她不得不與這些地位卑微的人接觸，實際上倒也幫了她一個大忙。在這裡，上流社會的醫生時興的那套巧妙詞令全不管用，這些工人、漁民、家庭主婦只想以最低的花費獲得最迅速的療效。

她已經請人把「小淘氣」從孟斐斯帶來，每當疲倦時，小綠猴就會耍把戲逗她開心。看到小淘氣，她就會想起和帕札爾第一次見面的情形，那麼耿直、固執，卻也那麼令人掛心而難忘的一個人。有哪個女人能夠和一個以事業為重的法官一塊兒生活呢？

十來個搬運工把挑來的簍子放在奈菲莉的新實驗室門口，小淘氣則在簍子上跳來跳去的。簍內裝的是柳樹皮、天然含水蘇打、白油、乳香、蜂蜜、松脂，以及許許多多各式各樣的動物油。

「給我的？」奈菲莉驚奇地問。

「妳是奈菲莉醫生吧？」其中一名挑工問道。

「是的。」

「那麼就是給妳的。」

「這些東西多少錢……」奈菲莉遲疑了一下。

「已經付過了。」

「誰付的？」

「我們只負責送貨，其他一概不知。請妳簽個收據。」

奈菲莉又驚又喜，不再多問便在木板上寫下自己的名字。如此一來，她就可以配出複雜的藥方，獨自醫治重症病患了。

傍晚時，莎芭布在她住處的門口出現，但她並不詫異，只說：「我一直在等妳來。」

「妳料到我會來？」

「鎮風溼痛藥膏很快就會配好，現在什麼成份都不缺了。」

莎芭布頭上戴著芳香的燈心草髮飾，頸間有一條光玉髓蓮花串成的項鍊，已經一掃前幾日的窮苦模樣。她身上穿的亞麻長袍，自腰部以下全部透明，展露出了修長的雙腿。

「我要讓妳醫治，而且只讓妳醫，其他的醫生全是招搖撞騙的庸醫。」

她的一番誇讚，讓奈菲莉有些彆扭，「這麼說不會太誇張了點嗎？」

「我說的都是實話。妳出個價，我絕不殺價。」莎芭布豪爽地說。

「妳送的禮物實在太貴重。現在我手上的昂貴藥材，多得足夠讓我醫治數百個病患了。」

「不過得先從我開始。」

奈菲莉對她出手如此闊綽，十分好奇，「妳發財了嗎？」

「哎！我又重操舊業了。」莎芭布坦承道：「底比斯不像孟斐斯那麼大，民風也比較單純保守，不過這裡的有錢人也同樣喜歡上啤酒店找漂亮的女孩。我請了幾個年輕女孩，在市中心租了一間漂亮的房子，付錢給了地方警局局長，然後就開了店，聲名很快就打響了。妳眼前所見到的正是最好的證據。」

「妳真是慷慨。」

「妳錯了。我只不過是想接受最好的治療。」

「妳會聽從我的建議嗎?」

「我一點都不敢違背。我只是經營酒店,並不親自下海。」

「想找妳的客人應該不少吧?」

「偶爾我會滿足男人的欲望,但純粹是享樂而不求報償。現在想碰我可沒那麼容易呢。」

聽了她這番直來直往的話,奈菲莉臉上泛起了紅暈。莎芭布頓覺失言:

「醫生!我沒有冒犯妳吧?」

「沒有,當然沒有。」奈菲莉急忙回答道。

莎芭布停了一下,感嘆道:「妳付出那麼多愛心,但妳自己可曾獲得呢?」

「這個問題一點意義也沒有。」

「我知道,妳還是處女。能讓妳動心的男人可有福了。」

莎芭布直腸子的性情就是改不了,急得奈菲莉連辯解也不知從何說起了:「莎芭布女士,我……」

「妳叫我女士?妳在開玩笑吧!」

奈菲莉不再理會她的言語,「好了,把門關上,衣服脫掉。在痊癒之前,妳每天都要來敷藥。」

莎芭布躺上了按摩石板,幽幽地說:「醫生,妳應該是會很有福氣的。」

※註1:神廟內先賢石柱上的刻文。

第二十七章

湍急的水流驚險異常。蘇提抱起豹子荷在肩上，並警告她說：「不要再掙扎了。掉下去會淹死妳的。」

「你只不過想讓我出醜而已。」

「要不要試試看？」

她不免害怕，便安靜了下來。在深度齊腰的河水中，蘇提踩著腳下的大石頭，歪歪斜斜涉水而過。

「爬到我背上，雙手環抱住我的脖子。」

「我應該是會游泳了。」

「要練習以後再說。」

說時遲，那時快，蘇提腳底下就踩了個空，嚇得豹子失聲驚呼。當他恢復平衡，繼續靈巧迅速地前進時，卻感覺豹子抱得他更緊了。

「輕鬆一點，腳踢踢水。」

她心裡還是七上八下，焦慮不安。忽然間一波巨浪打在蘇提頭上，不過他並未滅頂，反而趁著浪頭漂浮到了岸邊。

上岸後，他插了一根木樁，綁上繩子，然後將繩索的另一端拋到對岸，由另一名士兵繫牢。這時，豹子原可趁機逃走，但她沒有。

這次襲擊行動的倖存者與亞舍將軍的弓箭隊也都來到了河邊。最後過河的步兵太過於高估自己的力氣，根本不把繩索當一回事，還笑鬧著將手鬆開。結果由於身上的武器太重，他身子一沉便撞到一塊突出水面的石頭，整個人昏死過去，並開始往水裡沉。蘇提見狀立刻撲身跳入水中。

連續吞噬了兩個人的河水，彷彿見獵心喜般地越發波濤洶湧起來。蘇提在水底游了幾下，找到那名落水的士兵。他用兩手抓住士兵的腋下，讓他不再下沉，並用力將他往上拉。此時士兵突然恢復知覺，手肘便往後撞，蘇提胸口吃痛不由得鬆了手，士兵也立刻消失在湍流之中。而蘇提再也憋不住氣，只好放棄了。

＊　＊　＊

「這不是你的錯。」豹子安慰他說。

「我不喜歡死亡。」

「他只是個愚蠢的埃及人！」

她話還沒說完，蘇提反手就是一巴掌。她錯愕之餘，恨恨地瞪了他一眼，「從來沒有人敢這麼對我！」

「是嗎？」

「你們埃及男人常常打女人嗎？」

「埃及的女人和男人有同樣的權利和義務。仔細想想，妳只配讓人打一頓屁股。」

他一面說，一面臉帶威脅地站起身來。

「走開！」豹子有點心虛。

「妳後悔說了那些話嗎？」

豹子緊閉著雙唇不出聲。

外頭傳來一陣騷動，蘇提心生警惕，其他士兵也都跑出帳外。他一把抓過弓和箭袋，同時對豹子說：「妳若想逃就逃吧！」

「可是再被你抓到，你就會殺了我。」

他只聳了聳肩。豹子又罵道：「你們這些該死的埃及人！」

原來外頭的吵鬧聲並非敵人來襲，而是亞舍將軍與他率領的菁英部隊到了。這個好消息很快便傳了開來。曾當過海盜的士兵興奮地抱住蘇提說：「我能有機會認識你這個英雄人物，真覺得驕傲！亞舍至少會賞你五隻驢子、兩張弓、三支銅製長槍和一面圓盾。你不會被埋沒太久的。孩子，你很勇敢，像你這樣的人並不多見，就算在軍中也是一樣。」

蘇提真是欣喜若狂。他終於達到目的了。現在該是他向亞舍將軍的親信打探消息，找出疑點的時候了。他不會失敗，他會讓帕札爾以他為傲的。

一名頭戴盔甲、體形龐大的士官忽然問道：「你就是蘇提嗎？」

「就是他。」當過海盜的士兵搶著說：「多虧了他，我們才能攻占敵人的堡壘，而且他還冒著生命的危險拯救溺水的士兵。」

「亞舍將軍任命你為戰車官。從明天起，你要協助我們追捕那個卑鄙的埃達飛。」

「他逃走了？」

只見士官氣憤地說：「他滑溜得像隻泥鰍。不過叛亂已經弭平，我們遲早都會抓到這個王八蛋的。他設下的陷阱害死了我們數十名勇士。他就像是兇殘的死神一樣每晚殺人，還到處收買各部落的族長，一心只想製造紛爭。蘇提，你跟我來，將軍要親自為你頒贈勛章。」

對於這類為了滿足某些人的虛榮心而誇大吹噓的儀式，蘇提向來敬而遠之，但是這次他接受了。他歷經千辛萬難，為的就是見將軍一面。

蘇提緩緩前行，旁邊兩列士兵熱烈地歡迎他，不但用頭盔敲擊著盾牌，還高喊著勝戰英雄的名字。遠遠望去，亞舍將軍完全沒有一點戰士的氣派；矮矮小小，整個人縮成一團，倒更像是熟悉官僚作業的書記官。

蘇提走到將軍面前十公尺處，突然停了下來。

其他人從背後推他，又是催促又是打氣，「去啊！將軍在等你呢！」

「孩子，不用怕！」

蘇提於是又往前走，卻是面無血色。亞舍也踏前了一步；「我很高興能認識你這個人人稱耀不已的弓箭手。戰車官蘇提，現在我正式授與你勇士金蠅勛章（※註1）。你要好好保存這個珍貴的勛章，因為它證明了你的英勇。」

蘇提張開了手。同袍紛紛向他道賀，大家都十分好奇，想看看、摸摸這個至高無上的勛章。然而受勛的英雄本人卻顯得心不在焉。大家都以為他是情緒太激動了，一時失了神。

當晚將軍特別為他開了慶祝酒會。當他縱酒歡慶過後回到帳蓬，大夥兒無不極盡輕薄之能事來開他玩笑。美麗的豹子該不會還有其他的「突襲行動」吧？

走進帳中，蘇提躺了下來，雙眼睜得大大的。他不看豹子，豹子也不敢跟他說話，只獨自蜷縮在角落裡。亞舍將軍簡直就像是貪婪地尋找著獵物的吸血鬼，不是嗎？

這個高階軍官的面孔在蘇提的腦海中再也無法磨滅，就是他，曾經在隔著他幾公尺外的地方，折磨並謀殺了一個埃及人。這個卑鄙無恥的小人，這個口是心非的叛賊。

* * *

清晨的陽光從高高的窗櫺射了進來，照在一根石柱上，在這個五十三公尺深、一百零二公尺寬的巨大廳室裡，還有一百三十三根相同的柱子。建築師為卡納克神廟建造了全國最大規模的石柱林，柱上繪飾了一幅幅法老王向眾神獻祭的畫面。圖案鮮麗耀眼的色彩只有在特定的時辰才會顯現出來；因此也只有一年到頭都住在裡面，才能隨著光影的轉移，一根柱子換過一根柱子，一幅景象接著一幅景象地，看遍這些世人所無法得見的宗教儀式。

有兩個男人一邊閒聊，一邊緩步走過中央通道。前面一人是布拉尼，跟隨在後的是阿蒙神的大祭司，他今年已經七十歲了，專門負責治理這座神聖的神殿、監管神的財富並維護品級秩序。

大祭司帶著點惋惜的語氣說：「布拉尼，我聽說你所提出的請求了。你曾經指引那麼多年輕人走上智慧之路，如今卻想退出俗世，隱居神廟之內。可惜呀！」

「這的確是我的希望。我的視力已減弱，雙腳也不聽指揮了。」

「但是你似乎還沒有衰老到如此地步。」

「外表是會騙人的。」

「你現在退休，未免嫌早了一點吧？」

「我已經把所學的一切都傳授給奈菲莉，現在也不收病人了。至於孟斐斯的住所，從今天起就送給帕札爾法官了。」

布拉尼退意已決，無論大祭司怎麼說，他總有說詞婉拒。大祭司聽他提起奈菲莉便說：「奈巴蒙並不支持你的愛徒。」

「他讓她接受嚴苛的考驗，卻忽略了她實質的內在。雖然她看似柔弱，卻有一顆無比強韌的心。」

「帕札爾是底比斯地區的人吧？」

「是的。」

「你好像非常信任他。」

「他是個熱情如火的人。」

「火是有毀滅性的。」大祭司提醒著。

「控制得當，卻能照亮一切。」布拉尼則有信心地這麼回答。

「你希望他扮演什麼樣的角色？」

「命運自有安排。」

布拉尼的言語中每每透著機鋒，大祭司不禁嘆道：「你有很深的內涵呀，布拉尼！你提前退休將使埃及失去一個人才。」

「自有後浪推前浪。」

「我啊，也想退休了。」

見大祭司面露倦容，布拉尼應道：「你的擔子太沉重了。」

「的確，而且一天比一天重。太多的行政工作，使我幾乎沒有時間沉潛。法老和他的幕僚已經答應我的申請；再過幾個星期，我就要搬到聖湖東岸的小屋去，專心修習古代文獻。」

「到時我們就是鄰居了。」

「我不這麼想，你的住處將會豪華得多。」

「你的意思是？」布拉尼不解地問。

「你已經被指定接任我的職務了。」

* * *

戴尼斯和妻子妮諾法接受了美鋒的邀請，儘管他只是個野心勃勃的暴發戶；妮諾法還強調說，「暴發戶」這個形容詞再適合他不過了。然而，這名造紙商卻擁有不可忽視的實力；他懂得應酬，加上他的工作與競爭能力，在在使他前途無可限量。瞧，他不就已經借助了某些影響力，而得到宮廷的認同了嗎？戴尼斯是絕對不容許自己忽略這麼有潛力的商人的；因此他想盡辦法說服了萬分不情願的妻子，一同前往美鋒在孟斐斯新倉庫的開幕餐會。

今年尼羅河漲水漲得恰到好處，農田灌溉的水量適中，人人得享溫飽，埃及甚至還有餘糧可以外銷到亞洲的各個附屬國。偉大的孟斐斯城財富滿溢。

戴尼斯和妮諾法坐在高椅背的豪華大轎上，前方還附有一個矮腳凳；兩旁的雕花扶手不僅讓乘轎人坐得舒服，更突顯了他們姿態的高雅。頭頂上除了掩避風沙的華蓋之外，還有兩把遮陽傘可以隔開偶爾十分刺眼的夕陽餘暉。

在路人的注視下，四十名轎夫踏著輕快的腳步前進；由於車轅長，轎夫的腳又多，市民們便戲稱這頂轎子為「蜈蚣」，至於轎夫們一想到提供這次特別的服務後，將又有一筆豐厚的酬勞，不禁脫口就唱起了「寧可轎子重，不願轎子空」。

眼見路人個個目瞪口呆，花費再多也都值得。戴尼斯和妮諾法的出現，真使得參加美鋒與西莉克斯舉行的宴會的群眾羨妒不已。

在孟斐斯人的記憶當中，還從來沒有見過這麼美麗的轎子呢。對於眾人的稱羨，戴尼斯只反手一揮，不置一詞，而妮諾法則因為少了那麼點金飾而頻稱可惜。

兩名僕人為賓客斟上了啤酒與葡萄酒；所有孟斐斯商界人士都齊聚於此，慶賀美鋒得以擠進權力的小核心。如今他必須自己推開這扇已然半開的門，要以絕對強勢的作為證明自己的實力。戴尼斯夫婦對他的評價將具有關鍵性的影響，因為到目前為止，所有商業界頂尖的人物無一不是經過他夫婦倆的認可與提攜。

因此一見到他們抵達，美鋒便緊張地迎向前去招呼，順便介紹妻子西莉克斯；由於丈夫一再告誡，西莉克斯一聲也不敢吭。妮諾法上下打量著她，臉上滿是鄙夷的神情。戴尼斯則環顧了四周，問道：「是倉庫還是賣場？」

「兩者都是。」美鋒恭敬地回答：「如果一切順利，我會擴大規模，然後把兩個功能的用地分開。」

「野心很大。」戴尼斯不屑地說。

「你覺得不好嗎？」

「從商不能太貪心，你不怕消化不良嗎？」

「我的胃口一向很大，而且我消化得很快。」

妮諾法對他們的談話內容毫無興趣，她寧願去找老朋友聊天。戴尼斯明白妻子心裡已經有了譜；她覺得美鋒討人厭、咄咄逼人，也不可靠。他所說的那些理想抱負跟劣質石灰岩一樣不牢固。

戴尼斯睨視著主人說：「孟斐斯並不像外表顯現得那麼容易融入，你要考慮清楚。在三角洲的產業上，你可以全權做主，在這裡，你卻得忍受大城市的種種不便，可能常常得為一點芝麻小事而疲於奔命。」

「你太悲觀了。」

「我勸你還是聽我的話，親愛的朋友。每個人都有極限，你可不要好高騖遠。」

「老實說，我還不知道我的極限在哪兒，所以我想做各種嘗試。」

戴尼斯眼見暗示似乎無效，也就開門見山地說：「孟斐斯當地一些歷史悠久的莎草紙製造商與販賣商所提供的紙，已經十分足夠了。」

「我會以品質更好的紙和這些老字號的廠商競爭。」美鋒依舊自信滿滿。

「你不是吹牛吧？」

「我對自己很有信心。」美鋒接著反問道：「不過我不明白你為什麼這麼……防著我？」

「我只是為你著想。面對現實，你將會省去很多麻煩。」

「我想你還是多為你自己想想吧。」

戴尼斯薄薄的嘴唇都變白了，他冷冷地問道：「你這話是什麼意思？」

美鋒長長的纏腰布不斷往下滑，他拉了拉腰帶說：「我聽說你犯法吃了官司。你的事業也已經不像以前那麼輝煌了。」

他們的聲量提高，其他賓客自然也豎起了耳朵傾聽。

「你竟然敢拿這種無憑無據的話來中傷我。戴尼斯的名聲是受到全埃及人民敬重的，而你美鋒卻只是個無名小卒。」

「時代變了。」

「你根本是在散播謠言，惡意中傷，我懶得跟你一般見識。」

美鋒對於客人的污衊，義正詞嚴地駁斥，「我想說什麼話，我會在大庭廣眾下直說，別人要怎麼造謠、要做什麼不正當的勾當，那是別人的事。」

「你想告我？」戴尼斯氣得直發抖。

「你覺得你有罪嗎？」美鋒溫溫地反問。

妮諾法夫人挽起丈夫的胳臂說：「時間不早了，我們該走了。」

「你小心點。」戴尼斯怒氣難消地警告著：「只要一次失利，你就完了。」

「我已經採取防範措施了。」

「你實在太異想天開了。」

「也許你會是我的第一個客戶呢。我會針對你的需求，研究出一系列價格合理的產品的。」

「我考慮考慮。」戴尼斯最後咬牙切齒地丟下這麼一句話。

在場的眾人意見不一。雖然戴尼斯以前的確成功地趕走了不少光說不練的人，不過美鋒對自己的力量卻似乎很有把握。眼看一場精采的對決就要展開了。

※註1：評價極高的榮譽勛章，有一部份已經出土。蒼蠅象徵了模範軍人的攻擊性與毅力。

第二十八章

蘇提的戰車沿著崎嶇不平的路前進，一旁是陡峭的岩壁。亞舍將軍的菁英部隊搜尋反叛餘孽，已經有一個星期了，卻毫無所獲。將軍認為這一帶已經恢復平靜，便下令收兵。

多了一名掩護的弓箭手，蘇提依然默默不語。他只是神色黯然地專心駕車。豹子很幸運能夠享受到特別待遇；她安坐在一隻驢子的背上，而不像其他俘虜只能步行。亞舍特別給予上一場戰役中的英雄這項特權，其他士兵自也無話可說。

夜裡，豹子和蘇提同睡一帳，對於這個平常總是熱情、外向的青年，突然變得如此沉默寡言，眉宇間也不時流露著一股傷感，她真是訝異極了。她忍不住想探知原因，「你是個英雄，你將會接受表揚，會成為富翁，可是你現在卻像一隻戰敗的公雞。到底為什麼？」

「俘虜沒有問話的權利。」

「只要你隨時保持作戰狀態，我就會和你纏鬥一輩子。可是……你不會是不想活了吧？」

「閉嘴，不要再問了。」

豹子果真不再問，卻脫下了衣服。她全身赤裸，將金髮往背後一甩，跳起舞來。她緩緩地轉圈，胴體的每一面都呈現出最美的姿態，並用手輕輕滑過胸脯、臀部和大腿，勾勒出優美的線條。她軟若無骨的身子，搖擺出了女人柔似水的天性。

當豹子嬌媚地往他身邊靠時，他還是不動。她解下他的纏腰布，親吻他的胸，然後整個人趴到他身上去。她很高興，因為她發現蘇提的精力並沒有消失。雖然他極力抗拒，但是豹子看得出來他還是想要她的。她抱著愛人，用滾燙的雙唇由上往下吻遍了他的全身。

「我以後會怎樣？」

＊　＊　＊

「到了埃及妳就自由了。」

「你不把我留在身邊？」豹子有點驚訝。

「光是一個男人是滿足不了妳的。」

「只要你變得富有，我就滿足了。」

「當個體面的貴婦人，妳一定會覺得無聊。而且別忘了，妳發過誓隨時可能背叛我。」

「你戰勝了我，我也會打敗你的。」

豹子繼續用低低的、軟軟的音調引誘著。她趴在地上，頭髮散亂，兩腳張開，喚著他。蘇提再也忍不住，爆發所有的熱情占有她，他知道這個女魔鬼必定施了什麼魔法，才重燃起他內心熊熊的欲火。

「你不再悲傷了。」豹子看著他，微帶疑問地說。

「不要去猜測我的心事。」

「那你就告訴我。」

蘇提還是沒說，只吩咐道：「明天我停下戰車時，妳立刻到我身邊來，聽我的指示行動。」

＊　＊　＊

「右輪有吱吱嘎嘎的聲音。」蘇提向弓箭手說。

「我沒有聽到啊。」

「我的聽力一向很敏銳。有這種雜音表示車子可能有毛病，最好檢查一下。」

蘇提原本走在縱隊的最前端，他脫隊後，將戰車面向著一條通往樹林深處的小徑停妥。

「我們來看看。」

弓箭手服從了長官的命令。蘇提一個膝蓋跪在地上，檢查了他說有問題的車輪後說：「壞了。有兩根輻條快斷了。」

「修理得來嗎？」

「等工兵隊的木工來了再說吧。」

這些木工剛好走在隊伍的最後面，緊跟著被捕的俘虜。當豹子跳下驢子跑向蘇提時，士兵們還不忘穢言穢語地取笑一番。

「上車。」蘇提大喝一聲，推開弓箭手，搶過韁繩便驅車奔往樹林。大夥兒都反應不過來，楞在當場，沒有人明白為什麼戰爭英雄會逃隊。

豹子也無法掩飾內心的驚詫，「你瘋了啊？」

「我要履行承諾。」

一個小時過後，他們在遭貝都因人殺害的戰車尉埋屍之處停了下來。豹子幫著挖屍體，心裡卻嚇得要命。蘇提將長官的遺體用大片的布包起來，並分別將兩端繫緊。

「他是誰？」豹子顫抖著聲音問。

「一個真正的英雄，他將回到自己的家園，與親人重聚。」

蘇提沒有說出，亞舍將軍很可能不會允許他如此的行徑。當他把屍體處理得差不多了，豹子卻大聲尖叫起來。

蘇提才一轉身，背後便揮來了一隻大熊爪，他躲避不及，左肩被劃了一大口子。他連忙撲倒在地，打了幾個滾，想躲到巨石後面去。這頭兇猛野獸直立起來有三公尺高，體重雖然重卻不笨拙，口邊唾沫四濺。牠飢腸轆轆，惡狠狠地張開血盆大口，怒吼了一聲，把四周的鳥雀都嚇飛

了。

「把弓給我，快點！」

豹子將弓與箭袋擲給蘇提。她躲在戰車旁不敢離開，畢竟在這裡比較有安全感。就在蘇提抓起弓箭時，熊掌又揮撲了過來，抓傷了他的背。這回，蘇提臉貼在地上，血流如注，再也動彈不得了。

豹子見蘇提倒下，再度發出尖叫聲，轉移了那隻龐然巨獸的注意力。牠邁開沉滯的腳步，向早已嚇得四肢發軟的豹子走去。

此時，蘇提跪了起來，眼前掠過一陣眩暈。他使出最後的一點力氣拉開弓，朝那一片的棕色絨毛射了一箭。大熊腹側中箭，立刻回轉身來，大口一張，四腳一撒，便往發箭的方向狂奔而來。蘇提強忍著痛，眼看就要暈死過去之際，又即時射出了第二箭。

* * *

孟斐斯軍醫院院長已經不抱任何希望了。蘇提的傷口太多、太深，應該毫無存活的機會。他很快就會解脫，不再痛苦了。

據利比亞女子豹子說，這位神箭手不顧熊爪的威脅，射出了最後一箭，大熊也因為眼睛中箭而身亡。她於是將鮮血淋漓的他拖到戰車旁，並使出超人的力氣把他拽上車。她也沒忘記處理那具屍體。儘管碰觸屍體的感覺令人作嘔，然而蘇提寧願冒著生命的危險，不就是想把遺體運回埃及嗎？

幸好，馬匹都十分溫馴聽話。牠們本能地循著原路往回走，認路的本領可比豹子強多了。一具戰車尉的屍體、一個奄奄一息的逃兵和一名在逃的外邦女子，這支奇怪的隊伍就這麼被亞舍將軍的後衛部隊給攔了下來。

幸虧有豹子的解釋，戰車尉的身份也經過證實，真相終告大白。戰死沙場的戰車尉獲得了追封，並在孟斐斯製成了木乃伊；豹子被分發到一個大地主手下當莊稼女工；至於蘇提則因勇氣可嘉受到表揚、不守紀律受到了處分。

* * *

凱姆向帕札爾暗示了事情的經過。帕札爾驚愕地喊道：「蘇提人在孟斐斯？」

「亞舍將軍已經凱旋歸國，叛逆也已經肅清了。只剩下首腦埃達飛還在逃。」

帕札爾管不了這些，他只關心好友，「蘇提什麼時候到的？」

「昨天。」

「為什麼他沒來找我？」

凱姆不知怎麼接口，轉過身去低聲說：「他不能動。」

帕札爾按捺不住，發了火吼道：「說清楚一點！」

「他受傷了。」

「很嚴重嗎？」

「他的情況……」凱姆猶豫著，沒有把話說完。

「老實說！」

「他恐怕不行了。」

「他人在哪裡？」

「在軍醫院。」才說完，他馬上又加了一句，「我不能保證他還活著。」

* * *

「他失血過多。」軍醫院院長說明他的病情，「開刀只會徒增痛苦，還是讓他平靜地死吧。」

「你能做的只有這樣嗎？」帕札爾衝著院長質問。

「我已經無能為力。他被熊爪撕扯得傷痕累累，能支撐到現在我也很驚訝，可是要想活命是不可能的。」

「可以搬動他嗎？」

「當然不行。」

帕札爾下定了決心：他絕不讓蘇提死在醫院的病房中。「幫我找一副擔架。」

「你不能搬動這個垂死的人。」

「我是他的朋友，我知道他的心願：他要在自己的家鄉度過生命中最後的時辰。如果你堅持不放人，你就要對他負責，也要對眾神負責。」

醫生可沒有把帕札爾的話當耳邊風。死不瞑目的人都會變成幽靈，回到人世間復仇，即使身為醫院院長也逃不過這個劫數。

「你簽個名，讓我把他帶走吧。」

* * *

帕札爾花了一個晚上，把二十多份比較不重要的檔案整理出來，這些可以讓書記官忙上三個禮拜了。必要的話，亞洛可以傳信到底比斯最高法庭通知他。他原本希望能找布拉尼幫忙，但是他卻已經住進卡納克神廟準備退休了。

天才濛濛亮，凱姆便和兩名護士把蘇提搬出醫院，安置在一艘小船舒適的船艙內。

帕札爾一直陪在好友身邊，用手緊握著他的右手。有幾次，他彷彿感覺蘇提醒了，他的手指在動。然而，不過是一瞬間的幻覺罷了。

＊　　　＊　　　＊

「妳是我最後的希望了，奈菲莉。軍醫不願為蘇提動手術，妳能替他檢查一下嗎？」

她向棕櫚樹下等著看病的十幾個人解釋，說臨時有急診病患要看診，她得先告退一下。然後她讓凱姆幫忙搬了幾個藥罐子來。

「軍醫怎麼說？」她問帕札爾。

「遭熊重創的傷口太深了。」

「這趟旅程，他的情形如何？」

「他一直昏迷不醒。只有一次，我好像感覺到他動了一下。」

「他身子強壯嗎？」

「壯得跟石柱子一樣。」帕札爾從未懷疑過蘇提的勇壯。

「得過什麼重病嗎？」

「完全沒有。」

奈菲莉替蘇提檢查了一個多小時。她走出診療室時，下了這樣的斷語：「我會盡力醫治他的。」接著又說：「但要冒很大的風險。但是若不開刀，他非死不可。開了刀至少有一線生機。」

傍晚時分，她開始動手術。帕札爾在一旁擔任助手，為她傳遞需要的手術工具。奈菲莉先為他施行全身麻醉；她將矽石混合鴉片與曼德拉草根後，磨成粉，由於藥性很強，每次只能取用極少的劑量。動到傷口時，她便將藥粉和入醋中，然後再把得出的酸液盛到角狀的石杯內，以備局部麻醉消除痛楚之用。麻醉的時效則利用她的手鐘來計算。

她手持比金屬更為鋒利的黑曜岩所製成的小刀與解剖刀，劃了下去，手勢既沉穩又精確。她改造了肌膚，用牛腸製成的細線將每個傷口縫合，並在縫合處一一貼上紗布膠帶，以便使傷口癒合得更快一些。

手術進行了五個小時，奈菲莉已然精疲力竭，但蘇提也得救了。

奈菲莉在比較深的傷口上，敷上了鮮肉、油脂與蜂蜜，待隔天一早，再將敷料換新。敷料中含有一種溫和、具保護作用的植物組織，能夠預防傷口發炎，加快結痂的速度。

三天過去了。蘇提終於從昏迷中甦醒，奈菲莉讓他喝了點水和蜂蜜。這幾天來，帕札爾一直守在他的床邊。見到好友醒來，不禁雀躍不已。「你得救了，蘇提，得救了！」

蘇提則迷迷糊糊地問道：「我在哪裡？」

「在一艘船上，就在我們村子附近。」

蘇提對他的細心覺得感動，「你沒有忘記……我確實想死在這裡。」

「奈菲莉幫你動了手術，你會好起來的。」

「你女朋友？」

「她是個醫術高超的外科醫生，一個頂尖的醫生。」

蘇提試著想坐起來，卻痛得忍不住哀號了一聲，又跌回臥鋪。

「現在千萬不能動。」

「叫我不能動……」

「有耐心一點。」

「這隻熊真是把我四分五裂了。」

「奈菲莉已經替你縫合了傷口，你很快就可以恢復力氣了。」

突然間，蘇提露出了驚恐的眼神。帕札爾以為他又要昏倒，緊張極了。可是蘇提忽然緊緊地抓住他的手，急迫地說：「亞舍！我一定要活下去，告訴你關於這個魔鬼的事情。」

「你冷靜一點。」

「我必須讓你知道實情，法官大人，因為你有責任為埃及維護正義。」

「我在聽，蘇提，可是我求求你，別激動。」

蘇提的怒氣稍稍平息後，緩緩道出：「我看到亞舍將軍拷打並謀殺一名埃及士兵。當時他和一些亞洲人在一起，也就是他聲稱要討伐的叛逆。」

帕札爾懷疑好友是因為高燒而產生了幻覺；但是蘇提雖然字字句句都想了又想才說出口，態度卻從容而肯定。

「你當初懷疑他是正確的，現在我為你帶來了證據。」

帕札爾卻認為太過薄弱。「我需要確實的證據。」

「這樣還不夠嗎？」

「他會否認的。」

「我的證詞也一樣有力啊！」

帕札爾要他先稍安勿躁，並提醒他說：「你復原之後，我們再商討對策。但先不要跟任何人談起。」

「我會活下去的。我要等著看這個混帳東西被正法。」

蘇提忍著痛，咧開嘴強笑問道：「我沒讓你失望吧，帕札爾？」

「有你這樣的朋友是沒話說的。」

* * *

奈菲莉在河西的名聲越來越響亮了。這次手術的成功震驚了整個醫界，有些醫生遇到疑難雜症還會求助於她。她不會拒絕類似的要求，但有兩個前提，一是以村民為優先，二是讓蘇提住進德爾巴哈利（※註1）神廟療養。衛生當局答應了她的要求；這名奇蹟似被治癒的戰場英雄，就此成了醫學界的榮耀。

德爾巴哈利的神廟中有一間岩石鑿空而成的禮拜堂，專門侍奉因赫台，那位古王國時期偉大的治療學家。醫生都會到這裡來靜思，祈求先人的智慧以便使自己的醫術更為精進。有時候，康復期的病患也能夠住進這個神奇的場所養病；他們閒步於廊柱之間，欣賞著敘述哈特謝普蘇女王功蹟的浮雕，並且還可以在種滿了乳香樹的庭園裡散步，呼吸樹脂散發出的芳香氣息；這種樹是特別自索馬利亞海岸附近的神秘國度朋特引進的。廟裡有一些銅管連接了地下水管，將具有療效的水輸送到銅製容器中；蘇提每天都要喝掉二十幾個容器的水，以避免感染或手術後的併發症。幸賴於他擁有驚人的生命力，病情恢復得極為迅速。

帕札爾和奈菲莉沿著花徑斜坡，往下走過德爾巴哈利一階階的平台。帕札爾打破沉默說：

「妳救了他一命。」

「我運氣不錯，他也一樣。」奈菲莉回答說。

「有什麼後遺症嗎？」

「會留下幾道疤痕。」

「這會更增添他的魅力。」帕札爾說完這句話，與奈菲莉相視而笑。

灼熱的太陽高高掛在頭頂上。他們在斜坡底找了一處刺槐樹蔭，坐了下來。

「妳考慮過了嗎，奈菲莉？」

她沒有答腔。她的回答將注定他一生的幸與不幸。正午的炙熱，把一切烘烤得懶洋洋，毫無生氣。田裡的農夫在蘆葦草搭蓋的小棚子底下吃午飯，飯後還得睡個長長的午覺。此時，奈菲莉閉上了眼睛。

「我真的全心全意地愛妳啊，奈菲莉。我希望能娶妳。」

「一塊兒生活……我們辦得到嗎？」

「我絕不會再愛上其他女人了。」

「你怎麼能這麼確定？愛情的創傷是很容易遺忘的。」

「妳實在太不了解我了……」

「我知道你很認真，所以我才害怕。」

帕札爾遭到拒絕，突然有了一個想法，「妳另有意中人嗎？」

「沒有。」

「要真是這樣，我會受不了的。」

「你會忌妒？」

「不只是忌妒，是無法形容的感覺。」

「你把我想像成一個十全十美、毫無缺點、所有美德兼備的女子了。」奈菲莉嘆了口氣說。

「妳並不是一個幻夢。」

「你把我想得太好了，有一天夢醒的時候，你會失望的。」

「我看到了妳活生生的模樣、聞到了妳的香味、妳就在我身旁……這難道都是假象嗎？」

「我覺得害怕。假使你錯了，假使我們都錯了，到時候的痛苦是難以忍受的。」

「我永遠不會對妳失望。」面對奈菲莉的疑慮，帕札爾依舊斬釘截鐵。

「我不是女神，等你了解了真相，你就不會再愛我了。」

「不要再說服我放棄了。當我第一次見到妳，我就知道妳是我生命中的太陽。奈菲莉，妳的光芒四射，你知道嗎？沒有人能否認這一點。無論妳願不願意，我的生命已經屬於妳了。」帕札爾激動地道出了內心的話。

「你錯了。我們未來的事業分屬於不同的地方，你在孟斐斯，我在底比斯。我們會隔得很遠，你必須接受這個事實。」奈菲莉卻仍冷靜理性如常。

「我的事業根本不重要！」

「不要違背了你的使命。再說你會允許我放棄我的職志嗎？」

「只要妳要求，我就做得到。」

「這不是你的本性。」

帕札爾收起適才高亢的聲調，轉而變得溫柔，「我唯一的希望是能夠一天比一天更愛妳。」

「你太極端了吧？」

「如果妳拒絕我的求婚，我就再也活不下去了。」

「要脅似乎不是你的作風。」

「我絕對沒有這個意思。」帕札爾不願她誤解，急忙辯解並問道：「妳願意愛我嗎，奈菲莉？」

她張開眼睛，憂傷地望著他，「我不能騙你。」

說完，她便踩著輕盈優雅的腳步離去。儘管日照炎炎，帕札爾卻感到全身冰冷。

※註1：此址位於底比斯河西地區，著名的哈特謝普蘇女王曾在此建了一座大神廟，至今參訪的人仍絡繹不絕。

第二十九章

廟宇庭園中的平和與寧靜，可不是蘇提這種人能夠長久忍受的。雖然女祭司都很美麗，但是她們並不負責照顧病患，又老是躲得遠遠的，因此他每天接觸的就只有一個幫他換藥、性情粗暴的男護士而已。

手術過後還不到一個月，他便已經耐不住寂寞了。當奈菲莉來替他作檢查時，他早已坐立不安。「我已經復原了。」

「還不完全，不過你的情況的確好極了。縫合處都沒有繃裂，傷口也癒合得很好，完全沒有感染。」

「這麼說我可以出去了！」

「你得答應我好好保重自己才行。」

蘇提忍不住興奮之情，在她的臉頰上各親了一下，「妳救了我一命，我不會忘記妳的恩德。只要妳一句話，我必定赴湯蹈火。英雄說話算話！」

「你只要帶一罐治療水回去，每天喝三小杯。」奈菲莉笑著說。

「啤酒不禁了吧？」

「啤酒、葡萄酒都能喝，但要節制。」

蘇提挺起胸、伸出雙臂高喊道：「重生的感覺真好！這些日子受的苦，只有女人能幫助我忘記。」

「你不打算結婚嗎？」

「哈朵爾女神保佑，可別讓我受此災難！要我守著一個忠實的妻子，和一大群嘰嘰喳喳的小蘿蔔頭？才不。我要一個情婦換過一個情婦，再換過一個情婦，這種人生才美妙。每個女人各有千秋，各有不為人知的祕密。」

「你跟你的朋友帕札爾好像截然不同。」奈菲莉不禁莞爾。

「妳別看他好像很保守，他可是熱情如火的，比起我還可能有過之而無不及。他要是敢向妳表白就好了……」

「他表白了。」

「他可不是隨便說說的。」

「他的話讓我害怕。」奈菲莉老實說出自己的感覺。

「帕札爾這一輩子只會愛一次。像他這種人一旦墜入情網，便是一生的狂熱愛戀。這一點女人總是無法了解，因為妳們需要時間去適應、去投入。帕札爾就像滔滔不絕的洶湧激流，而不是一時的乾柴烈火，他的熱情是不會消滅的。他太真了，以致於無論他是太膽怯或太熱切，都顯得笨拙。對於速食愛情和一夜情，他是不屑的。他只能談轟轟烈烈的戀愛。」

「要是他錯了呢？」

「他會一直努力達到理想為止。要他妥協根本不可能。」

「你覺得我的憂慮有道理嗎？」奈菲莉若有所思地問。

「談到愛情，理智便完全派不上用場。不管妳作何決定，我都祝福妳。」

蘇提十分能體會帕札爾的感覺，奈菲莉確實豔光照人。

* * *

他一直坐在棕櫚樹下，什麼東西也沒有吃。他的頭垂放在膝上，像是哀悼著什麼，白晝黑夜對他已無分別。他靜定如石，連孩子們也不敢過去逗弄他。

「帕札爾！是我，蘇提。」

他沒有反應。

「你以為她不愛你。」

蘇提在好友身邊坐了下來，背靠在樹幹上，繼續又說：「不會再有第二個女人了，我也知道。我也不想試著去安慰你了，你的痛苦是別人無法分攤的。但是別忘了你還有任務未完呢。」

帕札爾還是一語不發。

「你跟我都不能讓亞舍逍遙法外，否則在另一世的法庭上，我們將會再度被判處死刑，而且對於自己軟弱的行為毫無辯駁的餘地。」

帕札爾依舊不動。

「隨便你吧，你就在這裡想她想到餓死為止好了。我一個人去對付亞舍。」

帕札爾這才恢復清醒，看著蘇提，「他會毀了你的。」

「各人有各人的忍耐極限。你受不了奈菲莉對你的冷漠，我卻無法忍受殺人魔的臉孔夜夜出現在夢中。」

「我會幫你。」帕札爾想站起來，不料一時間天旋地轉，腳下一個踉蹌差點跌倒，蘇提連忙扶住他。「對不起，可是……」

「你常常跟我說做人不能食言。所以現在當務之急就是快點讓你自己恢復元氣。」

* * *

他們二人搭上了渡船，船上還是一樣的擁擠。帕札爾勉強吃了點麵包和洋蔥。風呼呼地打在他臉上。

「看著尼羅河。」蘇提對他說：「尼羅河是聖潔的化身，面對河水，每個人都顯得那麼微不足道。」

帕札爾聽從好友的話，注視著清澄的水。

「你在想什麼，帕札爾？」

「還用問嗎……」

「你怎麼能確定奈菲莉不愛你？我跟她談過，她……」

「沒有用的，蘇提。」帕札爾就是想不開。

「溺死的人或許真的能享受福報，但是他們畢竟還是死了。何況你還答應要把亞舍繩之以法。」

「要不是你，我會放棄的。」

「因為你已經不是你了。」蘇提帶著責備的口吻說。

「不，現在的我才是真正的我，獨自淪入最悲慘的寂寞世界。」帕札爾還是被憂傷的情緒所占據，悲觀地回答道。

「你會忘記的。」

「你不明白。」

「時間是最好的止痛劑。」

「時間磨滅不了記憶。」

船一靠岸，乘客便紛紛擾擾地推著驢子、羊和牛下船了。他倆等人群散了，才爬上梯子，走到底比斯大法官的辦公室。詢問之下，並沒有給帕札爾的書信。

「我們回孟斐斯。」蘇提說。

「你就這麼急嗎？」帕札爾幽怨地瞪了他一眼。

「我等不及要見到亞舍。你簡單跟我說一下你調查的結果好嗎？」

帕札爾有氣無力地重述著調查的經過。蘇提則專心一意諦聽著。

「跟蹤你的人是誰？」

「不知道。」

「是警察總長的作風嗎？」

「有可能。」

蘇提想了想，說道：「我們先去找卡尼，再離開底比斯。」

帕札爾溫順地答應了。他依然游移在現實邊緣，對一切都漠不關心。奈菲莉的拒絕使他心灰意冷。

卡尼已經不再是一個人照顧園子，園中也多了一些平衡灌溉系統。絕大部分的人力集中在菜園部分，他則獨自負責照顧藥草。卡尼的肩背越來越厚實，皮膚的皺紋也越來越多，只見他挑著兩個重重的水桶，行動十分緩滯。不過他寧願自己辛苦，也不許任何人碰他最心愛的這些植物。

帕札爾為他介紹了蘇提。他卻眼睛上下打量著，問道：「你的朋友？」

「在他面前，你有話儘管說，不必避諱。」

「我還是繼續在打聽那名退役軍人的消息。細木工、木工、挑水工、洗衣工、農夫……各行各業都沒有漏掉。只得到一個很薄弱的線索：我們找的人在失蹤以前曾經當過幾天的修車工人。」

蘇提聽了卻說：「也不算太薄弱。至少知道他還活著！」

「但願如此。」卡尼說。

「他會不會也被殺了？」蘇提問道。
「總之，就是找不到人。」
「繼續找。」帕札爾說：「那第五名退役軍人還活在人世。」

＊　＊　＊

底比斯的夜裡，當北風送涼，三兩好友一同坐在藤架與花棚下喝啤酒，欣賞著夕陽西下的美景，世上還有什麼比這更愜意的呢？肉體的疲倦消除了，心靈的折磨也停息了，西方的天空展現出了沉默女神酡紅的美麗容顏。暮色中飛過了幾隻白鷺鳥。
「奈菲莉，明天我就回孟斐斯去了。」
「工作需要？」
「蘇提目睹了一件叛逆的罪行。」帕札爾遲疑了一下：「為了妳的安全著想，我還是不要多說。」
「情況這麼危急嗎？」
「和軍方有關。」
「你也要想想你自己，帕札爾。」奈菲莉不由關心地說。
「妳會關心我的遭遇嗎？」
帕札爾苦澀的語氣讓奈菲莉的臉脹得緋紅。「不要挖苦我。我多麼希望你幸福。」
「妳是唯一能讓我幸福的人。」
「你老是這麼絕對，這麼……」面對這個固執的人，她真不知該怎麼說。
「跟我走。」
「不可能。我的感覺不像你那麼強烈；承認吧，我跟你是不一樣，我向來溫吞吞的。」

「事情很簡單：我愛妳，妳不愛我，如此而已。」

帕札爾對感情做單純的二分法，奈菲莉非常不以為然，「不，沒有這麼簡單。白天和黑夜不能清楚地一刀兩斷，季節的分野也沒有那麼清楚。」

「我還有一點希望嗎？」

「我如果說有，那是騙你的。」

「妳看吧。」帕札爾原本燃起的希望又滅了。

「你的感情太強烈、太急躁了……你不能要求我回報以同等的熱情啊！」

「不用解釋了。」

「我心裡的想法，我也不清楚，又怎麼能給你肯定的答案？」奈菲莉也心慌意亂了。

「我這一走，我們再也不會見面了。」

帕札爾於是拖著沉重的腳步離開。他暗暗希望奈菲莉出聲挽留，但最後也只是再度失望。

* * *

書記官亞洛承擔的責任不大，因此也沒有什麼嚴重的過失。整個區都很平靜，未曾發生重大刑案。帕札爾將細節處理好，便應警察總長的傳喚前往他的住處。

孟莫西的聲音還是一樣鼻音濃厚而急切，但卻比平常更加笑容可掬。

「親愛的法官！真高興再見到你。你出遠門去了？」

「職務上的需要。」帕札爾面無表情地回答。

「你的轄區是最安全的轄區之一，看來你的名聲的確發揮了一定的影響力，大家都知道你絕對依法辦事。」總長頓了一下，看著他說：「容我冒昧，你好像很疲倦。」

「沒什麼大不了。」

「是，是……」

「你找我來有什麼事嗎？」

「這件事很敏感，也很……令人遺憾。關於那個可疑的儲糧塔，我完全遵照你的計劃行事。你記得嗎？我曾經質疑該塔的功能。告訴你一個祕密，我想的並沒有錯。」

「總管逃走了？」年輕的法官嚇了一跳。

「不，沒有……完全不關他的事。意外發生時他並不在現場。」

「什麼意外？」

「儲藏塔在一夜之間被盜走了半數穀糧。」

「你開什麼玩笑？」帕札爾簡直不敢相信自己的耳朵。

「唉，這不是玩笑！而是悲哀的事實。」

「可是你派人看守了呀。」

「的確是。可是因為有人在穀倉附近打架鬧事，守衛不得不去干預。這又怎麼能怪他們呢？結果當他們回到崗位時，就發現穀糧被偷了。實在是不可思議！現在，儲藏塔的情形確實和總管的報告吻合了。」

「有嫌犯嗎？」

「一點重要的線索都沒有留下。」

「沒有目擊者？」

「穀倉附近人的向來不多，偷竊行動又無懈可擊。要找出竊賊恐怕不容易。」

「我想你已經出動最優秀的警力了吧？」

「這點你可以放心。」

帕札爾突然變了個口吻問道：「孟莫西，你老實告訴我，你覺得我是怎麼樣的人？」

「這個嘛……」孟莫西對這突如其來的一問，有些不知所措，「我認為你是一個十分盡責的法官。」

「你覺得我還有一點智慧嗎？」

孟莫西嘿嘿兩聲說：「親愛的帕札爾呀，你太低估自己了吧！」

「如此說來，你就應該知道我壓根不相信你剛才說的話。」

＊　＊　＊

西莉克斯夫人又開始煩躁不安了，她此時正接受一名解夢師細心診療。診所內全部漆成黑色，一片幽暗。每個禮拜，西莉克斯都會到這裡來，躺在草蓆上向分析師敘述自己的夢魘，徵求他的意見。

解夢師是敘利亞人，定居孟斐斯已多年。他利用許多魔法書與解夢書，吸引了不少以貴婦與富裕的中產階級婦女為主的顧客群。儘管他收取的費用極高，但他不也撫慰了這些可憐女性脆弱的心靈嗎？

分析師堅持治療是沒有期限的；是啊，怎麼可能不再作夢呢？但只有他才能解讀睡夢中侵擾著大腦的那些幻像。若有病患主動接近，對他表示愛意，他都會謹慎地推辭，只接受一些風韻猶存的寡婦。

西莉克斯咬著指頭。

「妳和丈夫吵嘴了？」分析師問道。

「為了孩子的事。」

「孩子犯了什麼錯？」

「說謊。可是也沒那麼嚴重嘛！我丈夫卻大發雷霆，我護著孩子，他就吼我。」西莉克斯彷彿有一肚子的委屈。

「他會打妳嗎？」

「偶爾會，但是我會還手。」

「他對妳身材的轉變滿意嗎？」

「很滿意啊！他總是不停地撫摸我……有時候，我叫他做什麼他就做什麼，只要我不去管他的事。」

「妳對他的事有興趣嗎？」

「一點也沒有。我們有錢就夠了。」

「這次爭吵過後，妳有什麼反應？」

「跟以前一樣，關在房裡大叫。然後就睡著了。」

「做了很長的夢？」解夢師開始切入主題。

「夢的情景都一樣。起先，我看到河面飄起一團霧。然後，有個東西，應該是一艘船，想穿過這片霧。結果太陽出來，霧也散了。我又看到一個巨大的男性生殖器，正筆直地往前進。我回頭想躲進尼羅河畔的一間屋子，可是屋子卻又變成了女性的生殖器，我覺得好奇，又感到害怕。」

西莉克斯喘著氣。解夢師對她說：「妳要小心。根據解夢書上所說，夢見男性生殖器是失竊的前兆。」

「那女性的生殖器呢？」

「是貧苦。」

＊　＊　＊

西莉克斯夫人顧不得頭髮散亂，立刻趕到倉庫去。她的丈夫正在責備兩個人，那兩人則晃著雙臂，一臉的難過無奈。

「對不起，親愛的，打擾你一下。你要小心，我們可能會失竊，而變得一無所有。」

「妳警告得太遲了。」美鋒忿忿地說：「這兩名船長也和其他船長一樣，都說沒有船可以從三角洲幫我運莎草紙到孟斐斯。我們的倉庫還得空下去。」

第三十章

帕札爾法官安撫了憤怒的美鋒之後，問道：「你要我怎麼做？」

「我要你讓商品可以自由流通。訂單一張張地來，我的貨卻送不出去。」

「一有空船就……」

「不會有空船的。」美鋒立刻截斷法官的話。

「惡意的阻撓？」

「你去查就知道了。每耽擱一小時，都是我莫大的損失啊。」

「明天再來一趟。希望我能得到一些具體的實證。」

美鋒這才感激地說：「我不會忘記你為我所做的。」

「我是為了司法正義，美鋒，不是為了你。」

* * *

凱姆對這次的任務很感興趣，狒狒更深有同感。他和狒狒按著美鋒提供的運輸商名單，一一造訪，詢問他們拒絕的理由。運輸商們或是拉拉雜雜地解釋一大堆，或是露出無奈惋惜的表情，甚至有人很明顯就在說謊，使得凱姆更加確信美鋒懷疑得並沒有錯。午休時間，在一處碼頭的盡頭，凱姆挑中了一個工頭，他們的消息向來很靈通。

「你認識美鋒嗎？」

「聽說過。」

「沒有船可以載運他的莎草紙嗎？」

「好像是。」

「可是你的船空空地停在港邊啊。」凱姆指著停在港邊的船說，狒狒則朝工頭齜著牙。

「把這頭野獸拉開！」工頭又驚又怕。

「你照實說，我們就不再煩你。」

「戴尼斯已經把所有的船都租下來，租期是一個禮拜。」

當天傍晚，帕札爾法官便採例行程序親自訊問船東，並要求出示租約。上面都簽了戴尼斯的名字。

＊　＊　＊

船員們從有帆的平底駁船上，將食物、瓦罐與家具卸到另一艘貨船上，準備出發到南方去。貨船上槳手不多；大大的船身幾乎都被儲放貨物的隔間占滿了。船尾掌舵槳的舵手已經就位，還差船頭的划槳手；這名槳手必須不時地用長竿子測測水深。碼頭上，戴尼斯正在和船長說話，一旁人聲嘈雜鬧哄哄的：有船員在唱歌或互相斥罵、有木工在修一艘帆船、有石匠在維修碼頭。

帕札爾在凱姆和狒狒的陪同下，上前問道：「我能請教你一件事嗎？」

「當然可以，不過要等一下。」戴尼斯並未多加理會。

「很抱歉，這件事很緊急。」

「不至於急到要耽誤船隻啟航吧？」

「的確有這個必要。」帕札爾嚴正地說道。

「為什麼？」

帕札爾隨即打開了足足一公尺長的紙捲。「我已經把你的罪狀全部列出了：強行租賃、恐嚇船家、企圖壟斷市場、妨礙貨物流通。」

戴尼斯仔細看了，所有的控訴都有憑證而且於法有據，但他還是強詞奪理，「我要提出抗議，你的指控太誇大不實了。我租了這麼多船是因為有特別的貨要送。」

「什麼貨？」

「各種材料。」

「太籠統了。」

「做我這一行，總是有備無患嘛。」

「你這麼做，美鋒就成了受害者了。」

戴尼斯一聽到美鋒的名字，便立刻露出一副「果然不出我所料」的神氣。「你看看！我就說嘛，他野心太大終究要失敗的。」

「不論如何，壟斷的事實很明顯了，因此我要動用徵調權。」

「請便吧，西碼頭的船全部任由你調用。」

「你這艘船最合適。」

戴尼斯大步一踏擋在舷梯前，喝道：「我不准你碰這艘船！」

「你這句話我會當作沒聽到，否則阻撓執法罪可不輕。」

戴尼斯態度不再那麼強硬，「你要講理……底比斯方面還在等這批貨呢。」

「美鋒所蒙受的損失是由你引起的，依法你必須予以賠償。為了以後還有合作的可能，他答應不告你。但是他受延誤的貨量實在太多了，需要這艘大貨船才能勉強運完。」

帕札爾、凱姆和狒狒一起上了船。帕札爾不僅想還美鋒一個公道，同時也是依著直覺行事。船上有幾個拼板隔間，木板上都打了洞以利通風，裡面關了馬、牛、山羊和羔羊。這些動物有的可以自由活動，有的則用繩子栓在甲板的環扣上，不怕暈船的還可以在船頭閒晃。其他的隔間則只是幾個構造簡單、有頂的木棚架，裡面放了矮凳、椅子和獨腳的小圓桌。

船尾，有三十多個小型筒倉藏在一面大篷布下。

帕札爾將戴尼斯叫來，問道：「這些麥子哪來的？」

「倉庫來的。」

「誰運來的？」

「這要問工頭。」

工頭受到質問，便拿出一份公文，上面的章印卻模糊難辨。這麼平常的貨物，有什麼值得大驚小怪的？戴尼斯一年到頭都會替缺糧的省份運送穀糧。多虧了國家的儲藏塔，才能使全國各地免於飢荒。

「誰下令發運的？」

工頭說他不知道。帕札爾轉身看了主人一眼，後者立即帶他到港口邊的辦公室去。

「我沒什麼好隱瞞的。」戴尼斯煩躁地說：「沒錯，我是想給美鋒一點教訓，可是那只是開個玩笑。為什麼你會覺得我的貨有問題？」

「職務機密。」

檔案的建立都很完整。戴尼斯只好連忙將法官要看的黏土記錄板抽出來。

下令運糧的是哈圖莎，那個赫梯公主、掌理底比斯後宮的第一嬪妃、拉美西斯大帝的政治妻子。

* * *

托亞舍將軍之福，亞洲各附屬國又恢復昔日的寧靜。他也再度證明了自己對此地區的深知熟識。他回國兩個月後，時值仲夏，剛漲完水，為兩岸的農田留下了肥沃的河泥，民眾便歡天喜地

地為他舉辦了一次盛大的慶典。亞舍所帶回的貢品何其多呀！除了一千匹馬、五百名俘虜、四百頭牛、四十輛敵軍戰車外，還有數以百計的長矛、劍、甲冑、盾牌和二十萬袋的穀糧。

皇宮前聚集了負責守護法老、維持沙漠秩序的菁英部隊，以及阿蒙神、拉神、普塔赫神與塞托神等四支重要軍團的代表，其中包括戰車部隊、步兵隊與弓箭隊。所有高級將領都到齊了。埃及軍人以最盛大的排場展現其強大軍力，藉以向最高長官致最敬禮。拉美西斯賜給了他五條金項圈，並下詔全國人民歡慶三天。亞舍於是成為國家的棟樑，鞏固王權、抵禦外敵都靠他了。

蘇提也參加了慶典。將軍賞了他一輛全新的戰車加入閱兵隊伍，讓他不必像大部分軍官一樣還要添購車轅和車身；拉車的兩匹馬由三名士兵照理。

遊行之前，將軍前來向最近一次戰役中的英雄道賀。「繼續為國家效命，蘇提；我保證你前途似錦。」

「我心裡覺得很不安，將軍。」蘇提故意說道。

「你怎麼會這麼說呢？」

「只要一天不抓到埃達飛，我就一天無法安眠。」

「你真是個偉大而勇敢的戰士。」

蘇提又故作狐疑狀，「真奇怪……我們已經團團圍住了，他怎能逃脫？」

「這個無賴很狡猾的。」亞舍將軍順口便說，並無怪異之處，但蘇提不死心，仍繼續探他的口風。「他簡直完全掌握了我們的動向。」

亞舍將軍皺起了眉頭，「聽你這麼說，我倒有個想法……我們之中出現了間諜。」

「不太可能。」

「事實已經證明了。你放心，我會和參謀長好好研究這個問題。我們不會讓那卑鄙的叛賊逍遙太久的。」

亞舍拍拍蘇提的臉頰，便又和另一名戰士攀談起來。這番刺探雖然明白，卻未使他露出馬腳。

蘇提一度懷疑也許自己弄錯了，然而當時恐怖的一幕，至今仍深深印在腦海中。他竟然期望冷血的叛賊會因為自己幾句話就驚慌失措，他也未免太天真了。

* * *

法老發表了一篇長談，由傳令官將重點傳達到每一個村鎮。他以軍隊統帥的身份向國民保證將繼續嚴守邊防，維續和平。四大軍團的兩萬名戰士將會保護埃及不受任何侵擾。國家招募了許多努比亞人、敘利亞人與利比亞人的戰車隊與步兵隊，這關係著上下埃及人民的幸福安樂，因此儘管面對昔日的同胞，他們仍會與入侵者奮戰到底。法老絕不容許有任何違反紀律的情況發生，首相也會遵從聖旨嚴格把關。

為了嘉勉亞舍將軍忠誠而傑出的表現，法老特派他負責訓練軍官，以便將來帶隊出任亞洲的警戒任務。他的經驗對他們而言是很珍貴的。已經身兼國王右側持扇者的亞舍將軍，將再增添另一項頭銜：資深戰略顧問。

* * *

帕札爾打開案卷又闔了起來，整理的總是那些早已整理過的文件，下的命令也老是和書記官相左，甚至還忘了蹓狗。亞洛更不敢問他問題，因為他總是答非所問。

蘇提越來越不能忍受亞舍的逍遙法外，對帕札爾也越來越沒有耐心，便天天在耳邊轟炸他。但是帕札爾卻不斷說要慢慢來，也沒有具體的計劃，甚至還逼好友發誓絕不採用激進手段。輕率地攻擊亞舍將軍，結果必然是失敗。

蘇提發現帕札爾對他的提議根本沒興趣，他逕自迷失在痛苦的思緒中，人一天比一天消沉。

帕札爾原以為工作的壓力能讓自己忘記奈菲莉，不料兩人的分離，竟更加深了他的悲痛。他知道這種苦只會隨著時間日積月累，於是他決定讓自己變成幽靈。向勇士和北風道別後，他離開了孟斐斯，往西方的利比亞沙漠走去。他已是身心俱疲，臨走也沒有告知蘇提，因為他一定又會搬出一堆大道理來。心有所屬卻又無法結合，這樣的生命已經成了一種折磨了。

帕札爾在熾烈的太陽下，走在滾燙的沙地裡。他爬上一座小山丘，坐在一塊石頭上，雙眼凝視著四野的蒼茫。天地會將他覆滅，熱度會使他乾枯，土狼和禿鷹會令他屍骨無存。他無視於自己即將葬身的墳場，心裡仍咒罵著諸神，並自判第二次死刑，永世不得超生。其實，沒有奈菲莉一起度過的永恆，不正是最殘酷的懲罰嗎？

帕札爾失魂落魄地坐著，風夾雜著細沙刺痛地打在臉上，他也無動於衷，四周的一切漸漸變得虛無縹緲，空白的太陽、靜止的光線……然而想就此消失卻也不容易。帕札爾一動也不動，他覺得自己逐漸睡去，最後一次。

當布拉尼把手搭在他肩上時，他沒有反應。

「我這把年紀了，走這段路可真累。從底比斯回來以後，原本打算好好休息，而你卻逼得我跑到這片沙漠中找你。即使利用對物體放射性的感應力，找起來也很費力啊。喝一點吧。」

布拉尼將裝了清水的羊皮袋遞給學生。帕札爾猶豫了一下，才伸出手把水袋的細口放到蒼白的唇邊，喝了滿滿一袋。然後他用一種平淡卻堅定的語調說：「我如果拒絕，對你是一種侮辱，不過我不會再做任何讓步了。」

布拉尼則不以為意，「你的耐力真好，皮膚沒有灼熱感，聲音抖得也不厲害。」

「沙漠會結束我的生命。」

「它不會讓你死。」

帕札爾渾身打顫，「我會耐心等。」

「有耐心也沒有用，因為你是個背信之徒。」

帕札爾嚇了一跳，結巴起來。「你，老師，你……」

「事實總是傷人的。」

「我從未曾食言！」

布拉尼直視著學生的雙眼道：「你真沒記性。你在孟斐斯第一次接受任命時，曾以石為證發過誓。你看看我們周圍的沙漠，那方石頭已經化為千塊萬塊，就是為了提醒你不要忘了你曾當著上帝、眾人與你自己許下的神聖諾言。你知道的，帕札爾，法官並不是普通人。你的生命已經不屬於你了。你要蹉跎、要蹂躪，都無關緊要；但是違誓的人卻注定要四處遊蕩，與那些充滿仇恨的幽靈互相殘害。」

帕札爾並未因而提振精神，依舊落寞，「我不能沒有她。」

「你要盡法官的責任。」

「即使不帶著快樂與希望？」

「司法需要的不是情緒，而是公正。」

「我忘不了奈菲莉。」

「跟我說說你調查的事。」布拉尼換了個話題。

司芬克斯之謎、第五名退役軍人、亞舍將軍、被偷的穀糧……帕札爾將事實歷歷陳述，連內心的懷疑與不確定也都一併說了。

聽完這席話，布拉尼語重心長地說：「你只是階級最低的小法官，命運卻將如此艱難特殊的

任務交給你。這些比你的性命更重要，可能還關係到埃及的未來。你難道視若無睹嗎？」

「既然你希望我有所行動，我會的。」這句承諾不免帶點妥協與無奈。

「這是你的職責所在。你以為我的擔子比你的輕嗎？」

「你很快就能在隱密的神廟中，享受寧靜了。」

「我要享受的不是寧靜，而是廟裡所有的活動。雖然我不願意，卻還是被任命為卡納克神廟的大祭司。」

帕札爾的眼神為之一亮，「你什麼時候接受金戒指？」

「幾個月後。」

*　　*　　*

兩天來，蘇提找遍了孟斐斯的大街小巷，他知道帕札爾很可能會想不開，不由得心急如焚。

帕札爾再度出現在辦公室時，臉頰全是被太陽曬傷的痕跡。蘇提拉著他去參加一個熱鬧的酒會，會上多的是熟人，勾起了不少童年回憶。到了早上，兩人泡在尼羅河水中。

「你躲到哪去了？」

「在沙漠裡沉思。布拉尼帶我回來的。」

「你有什麼確切的決定？」

「儘管前路黯淡無光，我還是會謹守就職時宣告的誓言。」

蘇提知道他還沒有恢復，輕聲勸慰著：「幸福會來臨的。」

帕札爾卻已經不相信幸福了，「你明知道不可能。」

「我們一起奮鬥。你要從哪裡開始？」

「底比斯。」

「因為她？」

「我不會再見她了。我必須澄清一件小麥非法交易案，還要找到第五名退役軍人。他的證詞非常重要。」

「要是他死了呢？」

「根據布拉尼的說法，我相信他只是躲起來而已。老師的感應杖從未出過差錯。」

「可能要找很久……」蘇提提醒他。

「看住亞舍，仔細留意他的一舉一動，設法找出漏洞。」

* * *

蘇提的車駛過揚起了一大片灰塵。這名新上任的戰車尉嘴裡唱著一首淫穢的歌曲，吹噓著女人的不貞。蘇提很是樂觀；儘管帕札爾精神依然萎靡，但是他不會食言的。一有機會，他就介紹個輕佻的歡場女子給好友見識見識，包管他憂愁盡消。

亞舍絕逃不過法律的制裁，蘇提一定要討回這個公道。

車子通過了門口的兩個界碑，進入農莊。此時熱氣逼人，大部分農夫都在樹蔭下乘涼。農場前發生了一起意外；有一隻驢子把背上駝的東西給翻倒了。

蘇提立即停車，跳下車來，把揮舞棍棒要處罰驢子的驢主人拉開。他上前輕拉驢子的耳朵，並一邊撫摸一邊柔聲安慰，這隻受驚的畜生才安靜了下來。

「驢子不能打的。」他怪主人。

「我丟了一袋穀子耶！你沒看到牠把穀子弄翻了嗎？」

「不是驢子弄的。」一名青少年反駁說。

「那麼是誰？」

「是那個利比亞女人。她老喜歡拿刺戳驢屁股。」

「原來是她！她更該打。」主人恍然大悟之後，更加氣憤。

「她在哪兒？」蘇提問道。

「池塘邊。我們如果要抓她，她就會爬到柳樹上。」主人似乎拿她莫可奈何。

「我來處理。」蘇提拍拍胸脯保證。

他一靠近，豹子一溜煙便爬上樹去，躺在一段比較粗的樹枝上。

「下來。」

「走開！都是因為你，我才會變成奴隸。」

「我本來應該已經沒命了，記不記得？現在我來救妳了。跳到我懷裡來吧。」

她想也不想就往下跳。蘇提受了重力跌倒在地，背上重重撞了一下，不禁面露苦笑。豹子用手指輕撫著他的傷疤，問道：「別的女人不要你？」

「這段時間，我需要一個盡心盡力的護士。妳來幫我按摩。」

「你全身都是塵土。」

「因為我迫不及待想見妳，於是就快馬加鞭來了。不過妳說得對，我應該先洗個澡。」他站起來，雙手仍摟著豹子便往池塘衝，跳下水時，兩人的唇已經緊緊地黏在一塊兒了。

* * *

奈巴蒙一頂一頂試戴著美髮師為他準備的華麗假髮，但他都不滿意：不是太重，就是太花俏。追求時髦實在越來越困難了。他天天忙得不可開交，又要應付那些想塑身保持魅力的富家太太，又要擔任許許多多行政委員會的主席，還要打發無數想接替他位子的人，他多麼希望身邊能有一個像奈菲莉一樣的女人。然而，屢次遭到拒絕，怎不叫他心生怨恨？

他的私人祕書行了個禮，說道：「我已經打聽到你想知道的訊息了。」

奈巴蒙沒有注意到祕書的表情，淡淡地問：「她放棄行醫了吧？」

「沒有。」

「你開我玩笑？」御醫長這才留起了神。

「奈菲莉在鄉下開了一間門診所和實驗室，還為病人動手術，現在十分受到底比斯衛生當局的重視。她的名氣越來越響亮了。」

「太荒謬了！她根本沒有錢，怎麼買得起那些稀有珍貴的藥材？」

祕書得意地笑了笑，「你實在該對我的辦事能力感到滿意。」

「快說！」

「我追查到了一條奇特的線索。你聽說過莎芭布這個名字嗎？」

「她不是在孟斐斯開了一家啤酒店嗎？」

「而且是最有名的一家。可是雖然生意興旺，她卻突然拋下酒店不知所蹤。」

說了半天，奈巴蒙還是一頭霧水，「這跟奈菲莉有什麼關係？」

「因為莎芭布不僅是她的病患，也是她的資金供應者。莎芭布為底比斯的客戶提供年輕漂亮的女孩子，賺取佣金，也讓在她羽翼下的奈菲莉受益。這不是對道德的一大諷刺嗎？」

「醫生受妓女資助……這下總算被我逮到了吧！」奈巴蒙心裡又有了打算。

第三十一章

「你真是美名遠播。」奈巴蒙對帕札爾說：「你不稀罕財富，也不向強權低頭，總之，法律是你每天的食糧，廉直是你的第二天性。」

御醫長這番諂媚的話，帕札爾僅冷冷以對。「這不是當法官最基本的條件嗎？」

「當然了，當然……所以我才會選中你。」奈巴蒙有點尷尬。

「這麼說我應該受寵若驚囉？」

「我相信你一定會秉公辦理。」

帕札爾從小就不喜歡笑容虛偽、態度造作、滿口甜言蜜語的人，他對這個御醫長真是反感到了極點。

「有一件天大的醜聞就要爆發了。」奈巴蒙壓低了聲音，彷彿不願讓書記官聽到：「這件醜聞將扭曲整個醫界的形象，使所有的醫生蒙羞。」

「請你說清楚一點。」

奈巴蒙卻轉身看了亞洛一眼。於是，帕札爾便作勢要他退下。奈巴蒙才問道：「起訴，開庭，繁重的行政程序……這些形式化的作業難道不能避免嗎？」

帕札爾沒有答腔。

「你當然想多知道一點內情，我明白。但是你能答應保密嗎？」

帕札爾盡量克制著不發火。

「我有一個學生奈菲莉因為犯了錯，遭到我的懲罰。她到了底比斯本應更加謹慎，多向能力更強的同僚討教，不料她令我太失望了。」

「她又犯了錯嗎？」

「她一步比一步錯得更離譜。不但亂收病人，開出不適當的處方，還設立私人實驗室。」

「這犯法嗎？」

「沒有，但是以她的財力，根本不可能做到這樣。」

「這是眾神對她的眷顧。」

「帕札爾法官，不是眾神，而是一個卑賤的女人莎芭布，她是孟斐斯人，經營了一家啤酒店。」

奈巴蒙嚴肅緊張地說完後，原以為法官會義憤填膺。然而，帕札爾卻似乎毫不在意。

「現在的情況很教人擔心，」奈巴蒙又說：「總有一天真相會洩漏，將會連累一些有名望的醫生。」

「比如說你自己嗎？」帕札爾語氣中不無諷刺。

「當然了，因為我是奈菲莉的老師！我不能再保持沉默，太冒險了。」

「我很同情你，但是我不知道自己該扮演什麼角色。」

奈巴蒙這才說出了他找帕札爾的目的，「你只要暗中強力干涉，就能解決這個麻煩了。既然莎芭布的酒店在你的轄區內，她又以假身份在底比斯工作，你何愁找不到起訴理由。如果奈菲莉依然故我不收斂一點，你就以重罰威脅她。她有了戒心以後，便會安分守己地當個村落小醫生了。不過呢，我當然不會要求你免費幫忙。我會給你一個竄升的大好機會，你的前途也會更加看好。」

「感激不盡。」

「我就知道跟你說得通。你年輕、聰明、有野心，不像其他許多法官什麼都講法，甚至已經到了不合理的地步。」

「我要是失敗了呢？」帕札爾故意問道。

「我會出面告奈菲莉，由你開庭審理，陪審團的人選我們一起決定。但是我不希望走到這步田地，因此你得展現你的說服力。」

「我一定盡力而為。」

奈巴蒙鬆了一口氣，對自己的做法感到慶幸。他沒有錯估了這個法官，「我很高興自己找對人了。在我們這種高級份子之間，沒有什麼排除不了的困難。」

＊　＊　＊

神奇的底比斯！在此他嚐到了幸福與悲痛。迷人的底比斯！仙境般的夜過後，便是璀璨亮麗的黎明。無可逃避的底比斯！命運之神數度使他重返舊地調查事實真相，偏偏真相又有如受到驚嚇的蜥蜴，早已逃得無影無蹤。

他在渡船上遇見了奈菲莉。帕札爾又緊張又擔心，但她並沒有趕他走。

「我當初不是隨便說說而已。我們本來不應該再見。」

「你比較不想我了嗎？」

「一點也沒有變。」

「你這是在折磨你自己。」她不由得嘆了口氣。

「只要是為了妳，又有什麼關係？」

「你痛苦，我也難過。再次見面徒增感傷，你覺得必要嗎？」

帕札爾不願她誤會自己又要來糾纏她，趕緊澄清，「我這次完全是以法官的身份來見你的。」

「我犯了什麼罪？」

「接受一名妓女的慨贈。奈巴蒙堅持不讓妳擴大行醫範圍，而且要妳將重症病患交給其他醫生診治。」

「否則如何？」

「否則他會以違反醫德為理由，禁止妳繼續行醫。」

「這有幾分的威脅性？」

「奈巴蒙很有影響力。」

對於奈巴蒙的不善罷甘休，奈菲莉也只是無奈，「之前他沒有整垮我，現在他又不許我與他抗衡。」

帕札爾小心翼翼地問：「妳要放棄嗎？」

「你覺得我會怎麼做？」

「奈巴蒙相信我能說服妳。」

「他不了解你。」

「所以我們運氣不錯。妳信任我嗎？」

「絕對信任。」

帕札爾聽著她溫柔的聲音，感到無比陶醉。她這不是拋開了冷漠的外表，給了他另一種不那麼拒人於千里之外的眼神了嗎？「奈菲莉，不用擔心，我會幫妳。」

他陪著她走回村子，心裡只希望這條路永無盡頭。

＊　＊　＊

暗影吞噬者放心了，帕札爾這趟出門似乎完全是為了私人因素。他不是要找第五名退役軍人，而是想追求美麗的奈菲莉。

由於凱姆與狒狒之故，暗影吞噬者行動時不得不萬分謹慎。最後察訪的結果，他相信第五名退役軍人若非已經死亡，便是逃到了遠遠的南方，再也不會有人提起他。反正只要他不說話就行了。

然而，他仍繼續跟蹤帕札爾，以防出了任何差錯。

* * *

狒狒顯得焦躁不安。凱姆環顧四周，只有農夫和驢子、修築堤防的工人，此外並未發現異樣。但是狒狒警察卻嗅到了危險的氣息。

凱姆於是更加小心防範，並往帕札爾與奈菲莉走去。這是他第一次仔細地打量了上司。這名年輕法官是理想的化身、烏托邦的使者，他既堅強又脆弱、既踏實又愛作夢，但無論如何，他從不偏離正道。他一個人並無法滅除人性的邪惡，但是他能遏止這股惡勢力的蔓延，也因此使得那些蒙受冤屈的人有了希望。

凱姆真希望他不要插手管這麼危險的事，再這樣下去，他遲早會被毀滅。可是眼看那些可憐的傢伙死得不明不白，又怎麼能怪他呢？只要平民百姓死後不遭人唾笑，只要法官不讓財大氣粗的大人物享有特權，那麼埃及的光芒便能繼續輝耀大地。

* * *

奈菲莉和帕札爾都沒有說話。帕札爾一直以來便夢想著能和她手牽著手散步，就像今天這樣，只要兩人在一起，什麼話也不必多說。他們的腳步一致，彷彿默契十足的伴侶。他何其有幸能偷得片刻如天神般的幸福、竊取一個比真實更為可貴的奇蹟？

奈菲莉輕快地走著，像空氣一樣；她的腳好像在地面上飄動似的，一路走來毫不疲累。能夠陪她一段，帕札爾感到無上的榮幸；若非自己必須堅守法官崗位，對抗即將來臨的風暴，他真想就此隱姓埋名、全心全意地服侍她。不知是否他的錯覺？奈菲莉比較不排斥他了。或許她需要兩個人在一起時的這種沉默，也或許她會漸漸習慣他的熱情，只要他不開口。

他們倆走進了實驗室，正在挑揀藥草的卡尼，興沖沖說道：「收成太豐富了。」

「恐怕沒有用。」奈菲莉遺憾地說：「奈巴蒙想阻止我繼續行醫。」

「要不是法律不許向人下毒，我就……」

「御醫長不會如願以償的。我會插手管這件事。」帕札爾十分堅定地說。

「他這個人比毒蛇還恐怖，你惹他，他照樣咬你。」卡尼雖然氣憤，卻也著實為法官擔心。

「有新藥材？」

「神廟給了我一大塊地種植藥草，現在我就是他們正式的供應者了。」

「這是你應得的，卡尼。」

「我可沒有忘記調查的事。有一次，我剛好有機會和負責人口普查的書記官聊天；不過據他說，這六個月來工作坊和農場都沒有僱用過孟斐斯的退役軍人。老兵退伍後一定要報到，不然就會喪失他的權益，這麼一來就等於把自己陷於絕境了。」

「這個老兵太害怕了，他寧願窮苦也不敢公然出現。」

「他要是到外地去了呢？」

「我相信他一定還躲在河西地區。」帕札爾依舊十分肯定。

＊　＊　＊

帕札爾心中的矛盾令他苦不堪言。一方面，他覺得輕鬆，甚至幾乎是快樂；另一方面，卻又

消沉難過。再見到奈菲莉，她也變得更和善、更容易親近，使得帕札爾有了重生的喜悅；但是他也知道她永遠不會嫁給他，便不免失落絕望了。

為了她、為了蘇提、為了美鋒的事情，他暫時沒有時間多想。布拉尼的話提醒了他，埃及的法官理應為他人獻身。

這天，底比斯西區的後宮舉行了宴會，慶祝亞洲遠征隊伍凱旋而歸，人民得以重享太平，並齊聲歌頌偉大的拉美西斯大帝與大功臣亞舍將軍。所有的織布女工、樂師、舞者、珐瑯專家、教師、美髮師、插花藝術家都在花園裡逛著，一邊閒聊一邊享用點心。她們欣賞著別人的衣飾，相互忌妒、相互批評。

帕札爾來的真不是時候；不過他還是見到了艷光四射、使眾人黯然失色的後宮女主人。化妝技術無懈可擊的哈圖莎，對於這些仕女們不盡完善的彩妝顯得很不屑。身邊眾人的阿諛奉承，也都被她一句句帶刺的話給駁了回去。

「你不是孟斐斯那個小法官嗎？」見到帕札爾，她難掩驚訝。

「很冒昧在這樣一個時刻來打擾妳，但能否請王妃殿下移駕，我們私下談談？」

「太好了！這些個社交活動真是無聊死了。我們到池塘邊去吧。」

這個正經莊重的法官是何等人物？竟能三言兩語便征服了高高在上的王妃。哈圖莎很可能只是跟他玩玩，過後便會把他像斷了手足的玩偶一樣丟棄。總之，這名異邦女子的荒誕行徑是令人難以逆料的。

水池裡一朵朵白蓮與藍蓮在微風中搖曳。哈圖莎和帕札爾走到遮陽傘下的帆布摺椅，坐了下來。

「我們這般不遵守禮儀，一定會遭來閒言閒語的，帕札爾法官。」王妃打趣著說。

「我很感激妳。」

「這麼說你會開始喜歡我這後宮的富麗堂皇囉？」

哈圖莎這些刻薄戲謔的言語，帕札爾只得聽若罔聞，「美鋒這個名字妳聽過嗎？」

「沒有。」王妃無趣地回答。

「戴尼斯呢？」

「也沒有。你是來偵訊的？」

「我很需要妳的證詞。」

「據我所知，這兩個人並不是我手底下的人。」

「戴尼斯是孟斐斯的主要運輸商，他接到了妳下的一道命令。」

「那又怎麼樣？你以為我會在乎這些小事？」哈圖莎開始有些不耐。

「可是就在前來底比斯的貨船上，發現了失竊的官糧。」

「這我就不懂了。」

「貨船、穀糧和蓋了妳章的運輸令都被查封了。」

哈圖莎覺得帕札爾意有所指，不自禁地提高聲量喝問：「你是在指控我偷竊？」

帕札爾則溫言答道：「我希望妳能解釋。」

「誰派你來的？」

「是我自己來的。」

哈圖莎不敢相信一個小小的法官有這般膽量，「你自己來的……我不信！」

「妳錯了。」

「他們又想害我，而這次利用的卻是一個什麼都不知道，又容易操控的小法官！」

「侮辱並惡意中傷法官，必須接受杖刑。」

哈圖莎簡直氣瘋了，他竟如此不把自己放在眼裡，「你瘋了！你知道你在跟誰說話嗎？」

帕札爾一切依法行事，並不在乎王妃的氣惱與要脅，「跟一個犯了法與庶民同罪的王妃。何況妳還涉嫌侵占國家的官糧。」

王妃呸地一聲，「我才不管。」

帕札爾仍耐著性子解釋，「涉嫌不代表定罪。所以我等著聽妳為自己辯護。」

「我不會低頭的。」

「妳如果是無辜的，有什麼好怕？」

「你竟敢懷疑我的清白！」

「事實擺在眼前。」

「你太過份了，帕札爾法官，實在太過份了。」她怒氣沖沖站起身，頭也不回便往前走。一旁的朝臣紛紛閃避，唯恐這把怒火延燒到自己身上。

*　*　*

三天後，底比斯大法官接見了帕札爾。大法官是個正值壯年、頭腦冷靜的人，很快就要接任卡納克神廟的大祭司。他詳細地將文件資料看了一遍，向帕札爾讚道：「你做得非常好，不論內容或形式都很用心。」

「這裡不是我的轄區，因此接下來的工作就交給你了。你若認為我有必要參與，我會立刻召開法庭。」

「你本身有什麼看法？」

「穀糧的非法交易確實存在。不過，與戴尼斯似乎無關。」

「警察總長呢？」

「他可能知情，至於知道多少則很難說。」

「哈圖莎王妃呢？」

「她堅決不作任何解釋。」

「這可就麻煩了。」大法官沉吟道。

「公文上的確有她的印章，無法作假。」

「當然，但是是誰蓋的呢？」

「她自己。那是她戴在手指上的私人戒印。和宮裡其他重要人物一樣，她的戒印是從不離身的。」

「接下來我們將會步步艱難了。」大法官說出了自己的疑慮：「哈圖莎在底比斯並不受人民愛戴；她太高傲、太愛批評、太專橫了。不過即使眾人的看法如此，法老還是會袒護她的。」

「盜取為人民準備的穀糧，是很重的罪啊。」

「我知道，但我希望不要公開起訴，以免有損法老聲譽。而且根據你的記錄，預審還沒有結束。」

帕札爾顯得臉色凝重。

「你不用擔心，帕札爾法官。我身為底比斯大法官，絕不會將你的卷宗閒置於成堆的檔案中。我只是想有更充分的起訴原因，畢竟原告是國家本身啊。」

「謝謝你想得這麼周到。至於公開開庭……」帕札爾遲疑了一下。

「會比較好，我知道。但你是想先得知事實呢？或者想先要了哈圖莎王妃的人頭？」

「我對她毫無敵意。」帕札爾連忙辯解道。

「我會試著讓她說出真相，必要的話，我也會正式傳召她。我們就把她交給命運之神，好嗎？她若有罪，必然會付出代價。」

帕札爾見大法官說得十分誠懇，便勉為其難問道：「你需要我的幫忙嗎？」

「目前還不需要，而且孟斐斯方面有急事要你回去處理。」

「是我的書記官？」

「是門殿長老。」

第三十二章

妮諾法夫人實在難消心中的怒氣。她不明白自己的丈夫怎麼會蠢到這個地步。他老是看錯人，又老是學不乖，這次他竟然以為美鋒會毫不反擊便乖乖束手就擒。結果呢，簍子可捅大了：有一場官司要打、一艘貨船被徵調、涉嫌偷竊，而且還讓那隻小鱷魚逮個正著。

「你的戰果可真輝煌喔！」

戴尼斯卻面不改色地說：「再吃點烤鵝，味道很棒。」

妮諾法再也忍不住破口大罵：「我們丟盡了臉又破產，都是你害的。」

戴尼斯卻悠哉悠哉地安慰妻子：「放心，總會轉運的。」

「運會轉，你這笨腦袋卻變不了！」

「只不過把一艘船扣留幾天，有什麼要緊？反正貨已經換裝到另一艘船上，馬上就會到底比斯了。」

「那美鋒呢？」

「他不告我們了。我和他已經達成協議，從此停戰，並且以雙方最大的利益為考量，分工合作。他還取代不了我們的地位，這次經驗算是給了他教訓。以後我們還要以公道的價格，替他運送一部分的貨。」

「盜糧的案子呢？」

「不會成立的。人證物證都證明我是清白的。況且，我多少也得負點責任。我是被哈圖莎利用了。」

「帕札爾的控訴呢？」

提到帕札爾，戴尼斯可就不那麼輕鬆了，「是有點麻煩，這點我承認。」

妮諾法不禁又發作道：「好啦，官司打不贏，聲譽毀了，還要罰款！」

「沒有到這個地步。」

「你以為會有奇蹟？」

「只要稍作安排，又有何難？」

* * *

西莉克斯高興地手舞足蹈。她剛剛收到一枝莖長十公尺、頂端開了黃、橙、紅色花朵的蘆薈。蘆薈汁液中含有一種油，用來塗抹生殖器可以避免感染。她丈夫自從得皮膚病後，常常會在腿上留下紅色的痂；蘆薈本身對於治療這種皮膚病也很有效。此外，她還會幫他塗上由蛋白和金合歡花調成的藥膏。

美鋒得知被傳喚入宮的消息，又開始發癢了。他只得忍著癢，帶著焦慮不安的心情前往行政部門。

西莉克斯一邊等著丈夫回來，一邊準備止癢的香膏。

中午過後不久，美鋒回來了。他向妻子說：「我們不馬上回三角洲了。我會在當地找個負責人。」

「公家許可證被取消了嗎？」西莉克斯擔心地問。

「剛好相反。我在孟斐斯經營與擴展的成功，受到大家熱切的祝賀。事實上，王宮方面已經密切注意我紙廠的狀況兩年了。」

「是誰想毀了你？」西莉克斯一聽，更是驚慌了。

「毀了我……沒有啊！是穀倉總監注意到我進展得很快，便想知道發達以後的我變成什麼樣子。因為他看我工作更加勤奮，所以才叫我跟著他。」

西莉克斯聽完又是驚訝又是歡喜。穀倉總監不但負責訂定稅率、按類徵收並重新分配給各省，此外，他還指揮一群特別的書記官、監督各省的稅務中心、收集各項土地與農產稅收清單後，送交白色的「雙院」，也就是管理全國財政的地方。

「叫你跟著他……你是說……」

「他任命我為穀倉的總財務官。」

「太好了！」她興奮地抱住丈夫的脖子，嚮往地問：「我們以後還會更有錢了？」

「很可能，不過工作也會更忙了。我會常常到外省出差，孩子要麻煩你照顧了。」

「我實在太驕傲了……一切就交給我吧。」她拍拍胸脯保證。

＊　＊　＊

書記官亞洛和驢子一塊兒坐在帕札爾法官辦公室的門外，大門上貼了一些封條。

「誰敢這麼做？」帕札爾驚怒地問。

亞洛則苦著一張臉，有氣無力地說：「門殿長老下令，警察總長親自來封的。」

「為什麼？」

「他不願意跟我說。」

「這樣是違法的。」

「我能怎麼辦？總不能打他吧！」

帕札爾於是立刻前往門殿長老那兒，卻等了好長一段時間才獲得接見。長老一見到帕札爾就說：「總算找到你了，帕札爾法官！你出門的次數真頻繁。」

「都是為了公事。」

「現在你可以休息了！我想你也已經發現自己被停職了。」

「為了什麼？」

「年輕人懵懂無知！當法官不代表你就凌駕了法律。」長老嚴厲地訓斥他。

「我犯了什麼法？」

門殿長老的聲音突然變得凶惡：「稅法。你忘了繳稅。」

「我沒有收到通知啊！」

「我三天前親自幫你送去了，可是你不在。」

「可是繳稅期限有三個月。」

「那是在外省，在孟斐斯你只有三天的時間。期限已經過了。」

帕札爾大吃一驚，問道：「你為什麼這麼做？」

「我只是依法行事。法官必須以身作則，你沒有做到。」

帕札爾強忍住上升的怒氣。因為攻擊門殿長老會使得情況更複雜，「你這是在迫害我。」

「不要亂安罪名！無論如何，我都必須強迫未按時繳稅的人將稅款付清。」

「我已經準備要清償債務了。」

「我看看……總共是兩袋稻穀。」

帕札爾一聽，鬆了口氣，但是門殿長老接著又說：「罰款就不止了。我看就……一頭肥牛吧。」

帕札爾憤慨地抗議，「相差太多了！」

「由於你的身份特殊，我不得不嚴格一點。」

「是誰在背後指使你？」

門殿長老只是伸出手指著門，冷冷地說：「出去！」

＊　＊　＊

蘇提發誓要飛奔到底比斯，深入後宮，讓那個赫梯女人好看。這麼不可思議的懲罰的主使者，除了她還會有誰？通常，稅制是一定的，毫無轉圜的餘地。這次對他的控訴實在太罕見了，簡直像是蓄意詐欺一樣。她利用迂迴的辦法來打擊帕札爾，又想利用大都市的特殊條例，來迫使這個小法官閉嘴。

「我建議你要三思而後行。如果這麼做，你將會喪失軍官的身份，而一旦開庭，你說的話也不再可信了。」帕札爾反過頭來勸他。

「開什麼庭？你已經沒有能力開庭了。」

「蘇提……我認輸了嗎？」

「幾乎。」

「幾乎，你說得對。不過這樣的攻擊太不公平了。」

「你怎麼還能這麼冷靜？」

「厄運與逆境讓我懂得思考，還有你熱情接待，功勞也不小。」帕札爾倒還有心情開玩笑。

蘇提當了戰車尉，分配到了一間四房的大屋子，屋前有花園可以讓帕札爾的驢子和狗安睡個飽。豹子每天心不甘情不願地做菜、做家事，幸虧蘇提常常會要她停下手邊的工作，拉著她去玩一些比較有趣的遊戲。

帕札爾則不出房門一步。他努力回想著重要文件中的各項要點，對於好友與美麗情婦的調情嬉戲，完全視若無睹。

「想，想，想……你想出個什麼結果沒有？」蘇提問道。

「我們或許能藉助你的力量而有所進展。有一次，牙醫喀達希曾經潛入一個軍營想偷取銅料，而那個軍營剛好是化學家謝奇進行祕密實驗的地方。」

「製造武器裝備？」

「絕對錯不了。」

「是亞舍將軍底下的人？」

「我不知道。我不太相信喀達希的說詞。他為什麼會在那個地方遊蕩呢？據他說，是因為軍營的負責人洩密給他的。這一點由你來查證應該不難。」

「交給我。」蘇提毫不猶豫便接下了任務。

帕札爾餵了驢子，蹓了狗，便和豹子一起吃飯。

「我有點怕你。」豹子老實說。

「我很可怕嗎？」

「太嚴肅了。你從來沒有戀愛過嗎？」

「愛的程度不是妳想像得到的。」帕札爾有點傷心地回答。

「那就好。你跟蘇提不一樣，可是他卻非常崇拜你。他把你的煩惱跟我說了；你打算怎麼付罰款？」

「老實說，我也不知道。必要的時候，我會到田裡工作幾個月。」

「你一個法官去種田！」豹子覺得難以置信。

「我是在農村長大的。播種、翻耕、收割，這些都難不倒我。」

「要是我就用偷的。稅徵機關不就是一個大賊窟嗎？」

「外界的誘惑太多了，所以才需要法官。」

「你呢，你一直都很誠實嗎？」豹子不以為然，便反問道。

「這是我最大的理想。」

「那他們為什麼要排擠你？」

「權力鬥爭。」

「埃及王宮中也會有腐敗墮落的事情嗎？」

「我們不比其他的人好，但是我們都知道這一點。一旦產生腐敗的情形，我們便會加以消毒淨化。」

「你一個人？」

「我和蘇提。即使我們失敗了，還會有其他人來接替我們。」

豹子用拳頭拄著下巴，賭氣地說：「我要是你，我就讓自己也一起腐敗。」

「法官如果墮落，就等於向戰爭邁了一大步。」

「我們國家的人都很喜歡打鬥，但是你們不會。」

「這是缺點？」帕札爾似乎無法了解她口氣中的遺憾。

她黝黑的雙眼突然亮了起來。「對我而言，人生就是一場非贏不可的仗，不管用什麼方法或付出什麼代價。」

＊　＊　＊

蘇提興奮地喝下了半罐的啤酒，跨騎在花園的矮牆上，欣賞著落日餘暉的美景。帕札爾則盤坐著，手輕輕撫摸著勇士。

「任務達成！軍營的負責人為了能招待最後一次戰役中的英雄，感到十分榮幸。而且，他也很多話。」

「他的牙齒如何？」

「非常健康。他從來沒去找過喀達希看牙齒。」

蘇提和帕札爾互擊了一下手掌，因為這句話明顯揭穿了一個大謊言。

「不只如此。」

「快說，別吊胃口了。」帕札爾急得催促著。

蘇提可神氣了，故意慢條斯理地，帕札爾便說：「要我求你嗎？」

「英雄本來就應該接受適度的歡呼。軍營的儲藏庫裡有上等的銅。」

「我知道。」

「可是你不知道就在你訊問完畢後，謝奇偷偷命人搬走了一個箱子。箱子裡裝了很重的東西，要四個人才能勉強抬得起來。」

「四個士兵？」

「是編派在謝奇手下的衛兵。」

帕札爾感到奇怪，「箱子搬到哪去了？」

「不知道。我會找出答案。」

「謝奇製造堅固的武器需要什麼材料？」

「最稀有也最昂貴的材料——鐵。」

「我也這麼想。」帕札爾點點頭說：「如果我們沒有猜錯，這就是喀達希覬覦的寶物！鐵製的牙科器材……他以為這樣就能恢復他靈巧的技術。現在要知道的是誰把地點告訴他的。」

「你詢問時，謝奇的態度如何？」蘇提問道。

「一再強調要保密。他沒有告喀達希。」

「有點奇怪。抓到竊賊他應該很高興才對。」

「也就是說……」

「……他們是同謀！」

他二人有同樣的看法，但帕札爾卻顧慮得多一點，「我們毫無證據。」

「事情經過大概是這樣：謝奇將藏鐵的地點透露給喀達希，喀達希便想偷一部分出來作為己用，但是他失敗了。謝奇本來應該出庭作證，但他卻不願意將同黨送上法庭。」

蘇提分析得頭頭是道，可是帕札爾還是覺得有疑點，「實驗室、鐵、武器……所有箭頭都指向軍方。我不明白的是謝奇一向不多話，他為什麼會洩密給喀達希呢？一個牙醫又怎會扯上軍事陰謀呢？真是荒謬！」

「我們的重組也許還不夠完整，不過多少暴露了真相。」

「我們的方向錯了。」帕札爾斷言道。

「別老是這麼悲觀！現在的關鍵人物是謝奇。我會日夜監視他，我會向他周圍的人打聽，儘管他再聰明、再謹慎、再低調，我還是會鑿穿他築起的高牆。」

「真希望我也能行動……」

「再忍耐一下。」

帕札爾隨即抬起充滿希望的雙眼看著好友，問道：「有什麼辦法？」

「賣掉我的車。」

帕札爾搖搖頭說：「這樣你會被逐出軍隊的。」

蘇提握起拳頭，重重打在矮牆上，咬著牙說：「無論如何要讓你脫離困境，而且要快！莎芭

布如何？」

「別打她的主意。法官的債務怎麼能由妓女償還？門殿長老會立刻將我除名的。」

勇士聽完兩人的對話，趴了下來，雙眼骨碌碌地轉動，似乎充滿了信心。

第三十三章

勇士還是怕水。因此牠總是和河岸保持一定的距離；牠一下子跑得上氣不接下氣，一下子又折了回來，嗅嗅聞聞，然後到主人腳邊撒個嬌，便又跑開了。灌溉運河的四周沒有什麼人，靜悄悄的。帕札爾想著奈菲莉，想著她的一舉一動，希望從中發掘出一點點希望；她好像對自己有了新的感覺，否則至少她已經願意聽自己說話了，不是嗎？

一株檉柳後面似乎有人影晃動。勇士並沒有注意到，帕札爾也放心地繼續散步。多虧蘇提幫忙，調查終於有了進展；但是他還能走得更遠嗎？一個毫無經驗的小法官只能任由上級擺佈；當初門殿長老傳喚他時，不就毫不尊重他嗎？

布拉尼也不斷安慰鼓舞帕札爾。若有必要，他會將房子賣掉來幫學生還債。不過，還是要謹防門殿長老的干預；執拗又頑固的他為了訓練造就年輕法官，必定會出面抨擊的。

勇士突然停了下來，頭向上抬著。

人影從暗處出現，向帕札爾走去。狗兒低聲咆哮，帕札爾則拉著牠的項圈安撫著說：「別怕，有我們在一起呢。」勇士便用鼻子碰了碰主人的手。

是一個女人！

一個瘦瘦高高的女人，用黑紗蒙住了臉。她步伐堅定，在距離帕札爾一公尺處停了下來。

勇士感到驚恐。

「你用不著害怕。」那個女人拿下了面紗。

「夜晚很舒服，哈圖莎王妃，很適合沉思冥想。」

「我要單獨見你，一個證人都不能有。」

「妳現在應該是在底比斯的。」

「果然反應敏銳。」

「妳的報復計劃生效了。」帕札爾苦笑道。

「我的報復？」哈圖莎則好像不明白他的話。

「我已經如妳所願被停職了。」帕札爾便向她明說。

「我不明白。」

「別再開玩笑了。」

「我以法老的名義發誓，我沒有插手找你麻煩。」

哈圖莎說得很認真，不過帕札爾並不十分相信，「妳不是說過我太過份了嗎？」

「你的確讓我惱怒，可是我很欣賞你的勇氣。」

「那麼妳承認我所採取的法律依據囉？」

「我已經和底比斯大法官談過了，這樣應該夠了吧？」

「結果如何？」

「他問明了真相，事件也告一段落了。」

「我這邊還沒有結束。」

哈圖莎對於帕札爾的糾纏不清，實在不知如何是好，「你上司的意見還不夠？」

「在這個案子裡，確實不夠。」

「所以我才來找你。大法官認為我有必要和你見一面，他的顧慮果然沒錯。我可以將真相告訴你，但是你必須保密。」

「我拒絕接受任何要脅。」

「你真難對付。」哈圖莎又嘆了一口氣。

「妳希望我妥協？」

她沒有回答，僅幽幽地說：「你不喜歡我，跟你們大多數的同胞一樣。」

帕札爾糾正她的說法，「妳應該說：我們的同胞。不要忘了，妳現在已經是埃及人了。」

「誰會忘記自己的根源呢？」王妃便緩緩道出了事情的經過：「有一些赫梯人以戰俘的身份被帶到埃及，他們的生活都由我照料。有些人很快便融入這個社會，有些人卻適應不良。我有義務幫助他們，因此我從後宮的糧倉撥了一些穀糧出來。後來總管告訴我，儲存的穀糧在下次收割前便會用盡，他建議我跟孟斐斯的某位糧倉總管商量安排一下，我答應了。因此這次運糧的事件我要全權負責。」

「警察總長知道嗎？」

「當然知道，他覺得供應糧食給窮人並不犯法。」

有哪個法庭會判她的刑呢？他只能以行政疏失的罪名將她起訴，何況罪責可能會落到兩名總管身上。孟莫西不會承認，運輸商也將無罪開釋，至於哈圖莎更甚至不會出庭了。

「底比斯與孟斐斯的大法官都已經將文件合法化了。」她補充說：「如果你認為程序不合法，你大可以出面干預。沒有錯，我的確沒有遵守法律的條文，但是法律的精神不是更重要嗎？」

她竟然在他的地盤上擊垮了他。

「我那些境遇悲慘的同胞並不知道糧食的來源，我也不希望他們知道。你能給我這個特權嗎？」

「案卷已經在底比斯處理過了，不是嗎？」帕札爾正直不肯退讓。

她微微一笑，「你的心不會是石頭做的吧？」

「但願不是。」

勇士這時放下了心，開始蹦蹦跳跳，還不時嗅一嗅地面。

「最後一個問題，王妃；妳見過亞舍將軍嗎？」

霎時間，她整個人變得僵硬，聲音也沙啞了，「他死的那天，我一定會大大慶祝一番。但願地獄的魔鬼將這個屠殺我族人的劊子手碎屍萬段。」

* * *

蘇提的日子過得逍遙自在。由於他戰功彪炳，又身負重傷，上級特許他休息幾個月後再歸隊。

豹子扮演著溫順伴侶的角色，但是從她做愛時的激情奔放，便可證明她的性情可是一點也沒有變。他們兩人之間的競賽每天晚上都要重演；有時候她勝利了，便滿臉得意地抱怨愛侶的雄風盡失，不過很可能隔天就換她大聲求饒了。性愛的遊戲讓他們如痴如狂，因為他們不但能一同享受樂趣，還懂得如何利用自己的肉體不斷地挑逗對方。然而，豹子總是說她絕不會愛上埃及男人，蘇提也堅稱自己討厭蠻族女子。

當蘇提說要離開一段很長的時間，不知道何時回來，豹子立刻跳到他身上猛力捶打。蘇提把她壓在牆壁上，拉開她的雙臂，用力地吻她，這是他們同居以來最長的一個吻。隨後，她開始像貓一樣扭動，並挨在他身上磨磨蹭蹭，惹得蘇提一把欲火再也壓抑不住，站在牆邊摁著她便翻雲覆雨了起來。

「你不能走。」豹子像是命令，又像是哀求。

「是祕密任務。」

「你要是走，我就殺了你。」

「我會回來的。」

「什麼時候？」

「不知道。」

「你騙人！你有什麼任務？」

「祕密。」蘇提還是不鬆口。

「你對我從來沒有祕密。」

蘇提噗哧一笑：「別這麼自大。」

「不然你帶我去，我可以幫你。」

蘇提倒是沒有想到這點。監視謝奇想必要很長的時間，也可能很無聊，況且在某些情況下，多個人也是多個幫手。於是他便事先講明，「妳要是敢背叛我，我就砍下妳一隻腳。」

「你不敢。」

「妳又錯了。」

* * *

他們只花了幾天的時間就摸清謝奇的作息路線了。上午，他都在皇宮的實驗室，和幾名全國頂尖的化學家一起工作。下午就到偏僻的軍營，每次總要等到天亮才離開。別人對他的評語，大多都是讚賞之詞：勤奮、能力強、謹慎、謙卑。要說缺點，大概只有過於沉默而經常讓人忽略他的存在。

豹子很快就厭煩了。既沒有行動也不刺激，每天只是守候、觀察。這樣的任務一點意思也沒

有。連蘇提也覺得氣餒。謝奇誰也不見，只是自己埋頭苦幹。

圓圓的滿月照亮了孟斐斯的夜空。豹子縮在蘇提身邊睡著了。這將是他們最後一個監視的夜晚。

「他出現了，豹子。」

「我想睡覺。」

「他好像很緊張。」

豹子嘟著嘴，朝謝奇看去。

謝奇走到軍營門口，坐上了驢屁股，兩腳有氣無力地懸著。那隻四腳畜生開始往前走。

「天快亮了，他又要回實驗室去。」

豹子卻似乎十分訝異。蘇提繼續又說：「我們的任務結束了。謝奇這條路行不通。」

「他在哪裡出生的？」豹子突然問道。

「在孟斐斯吧，我想。」

「謝奇不是埃及人。」

「你怎麼知道？」

「只有貝都因人才會那樣上驢子。」

＊　＊　＊

蘇提的車就停在皮托姆城沼澤區附近的邊防哨站外。他把馬交給馬夫之後，便飛快去找移民書記官。

凡是想在埃及定居的貝都因人，都必須在這裡接受詳細的盤問。在某一段期間，則完全不准貝都因人進入。有許多由孟斐斯當局的書記官所提出的申請案例，都被駁回了。

「我是戰車尉蘇提。」

「我聽說過你的輝煌戰績。」

「有一個貝都因人應該已經入籍埃及很久了，我想查一下他的資料，不知道你能不能幫忙？」

「這有點不合規定。你的動機何在？」

蘇提低下了頭，故作尷尬狀，「是為了愛情。我若能向我的未婚妻證明他原籍不是埃及，她應該就會回到我身邊了。」

「好吧……他叫什麼名字？」

「謝奇。」

書記官翻了翻檔案。

「這裡有一個謝奇。他的確是貝都因人，原籍敘利亞。他申請進入埃及已經是十五年前的事了。因為當時情勢還算緩和，就讓他通過了。」

「沒有什麼可疑之處？」

「他沒有煽動鬧事的紀錄，也沒有參加過任何對抗埃及的戰鬥行動。委員會經過三個月的調查，給予他極高的評價。他後來改名為謝奇，在孟斐斯當起了冶金工人。根據他定居前五年的監控記錄顯示，他從未違法犯紀。你那個謝奇恐怕已經忘了他的根了。」

* * *

勇士乖乖地睡在帕札爾的腳下。

帕札爾以最後的一點精力勉強支撐著，拒絕了布拉尼的好意。雖然他一再堅持，但是帕札爾總覺得拍賣老師的房子太可惜了。

「你確定第五名退役軍人還活著嗎？」

「他如果死了，我就會從感應杖感應得知。」

「他既然放棄退休金而隱姓埋名，就必然得工作賺取生計。可是卡尼已經很有條理地做了深入的調查，卻還是沒有結果。」

帕札爾從高高的陽台上凝視著孟斐斯。突然間，他有一種不祥的感覺，好像這個大城的寧靜即將受威脅，好像有種潛藏的危機正逐漸蔓延開來。如果孟斐斯被攻占，底比斯也會跟著投降，然後整個國家就完了。他由於內心不安，便坐了下來。

「你也感覺到了，是吧？」布拉尼看透了他的心思。

「好可怕的感覺！」帕札爾有些恍惚。

「而且還在擴大。」

「不會是我們幻想出來的吧？」

「你所體驗的是一種骨子裡的不安。剛開始大約在幾個月前，我以為只是個噩夢。但是它一再出現，而且越來越頻繁，越來越沉重。」

「這到底是什麼？」

「一股無法辨識的暗流。」

帕札爾打了個寒顫。剛才不安的感覺暫時平息了，但是他的身子卻不會忘記。

一輛戰車在屋前驟然停下。蘇提跳下車便往屋子的二樓跑。

「謝奇是貝都因移民！可以賞我一瓶啤酒吧?對不起，布拉尼，我忘了向你問好。」

帕札爾搬出了啤酒，讓好友喝個痛快。蘇提則邊喝邊說：「我從哨站回來的途中想過了。喀達希是利比亞人，謝奇是原籍敘利亞的貝都因人，哈圖莎是赫梯人！他們三個都是異族人。喀達希雖然成了有名的牙醫，但還是會和同胞跳那種猥褻的舞蹈；哈圖莎一直不喜歡她的新生活，一心一意只為自己的族人著想；而謝奇則老是一個人做一些奇怪的研究。這就是你在找的陰謀！背後主謀，亞舍。正是他在全盤控制。」

布拉尼沒有說話。帕札爾懷疑蘇提的這番話，是否為他們所憂心的謎題提供了答案呢。

「你結論下得太快了。哈圖莎和謝奇，以及哈圖莎和喀達希之間，能有什麼關聯呢？」

「對埃及的恨。」蘇提斬釘截鐵地說。

「哈圖莎很厭惡亞舍。」

「你怎麼知道？」

「她親口說的，我相信她。」

「放聰明點，帕札爾，你的論點太幼稚了。客觀地想想，馬上就能得到結論。哈圖莎和亞舍出主意，喀達希和謝奇負責執行。謝奇現在在準備的武器可不是供一般軍隊用的。」

「你是說有叛亂？」

「哈圖莎希望有入侵行動，亞舍就負責籌畫。」

蘇提和帕札爾同時轉向布拉尼，迫不及待想聽聽他的意見。

「拉美西斯的勢力尚未減弱。他們即使有這樣的企圖也難以得逞。」

「可是計劃正在進行中啊！」蘇提以為：「我們必須展開行動，趁著計劃還在萌芽階段，就把它扼殺掉。假如採取司法途徑，他們會知道事跡敗露而開始害怕。」

帕札爾卻不贊成如此躁進的做法，「如果我們的指控被認為是無中生有、意圖污衊，我們將會被處以重刑，而他們也就更自由了。我們一定要一擊命中。現在只要能找到第五名退役軍人，亞舍將軍的信譽便會嚴重受創。」

「你要等著災難降臨嗎？」

「讓我考慮一個晚上好嗎，蘇提？」

「隨便你，你要想一年也沒關係。你現在根本沒有權力召開法庭。」

「帕札爾，」布拉尼開口說道：「這一次你不能再拒絕我的房子了，你得盡快償清債務重新執法。」

* * *

帕札爾一個人在黑暗中走著。生活的壓力壓得他喘不過氣來，也逼得他不得不專心細想一項曲折離奇、嚴重性日益明顯的陰謀，然而此時此刻，他卻只希望想著心愛又不可得的女子。

他放棄的是幸福，而不是正義。

他所受的痛苦使得他愈發成熟；有一股力量隱藏在他內心深處，不願熄滅。他將利用這股力量來為自己所愛的人做點事。

月亮，所謂的「戰士」，有如一把刀割開大片的烏雲，又像一面鏡子映照著眾神的美。他祈求月亮賜給他力量，讓他也能擁有和「夜晚的太陽」一樣敏銳的目光。

他的思緒又回到第五名退役軍人身上。一個不想引人注意的人會從事什麼職業呢？帕札爾將底比斯西區居民的職業全部列出後，又一一刪去。從屠夫到播種者，各行各業都必須接觸到人群；卡尼也就不可能探聽不到消息了。

只有一個情形例外。

對了，有一種行業既不須與人接觸又可以在眾目睽睽下現身，可以說是最佳掩護。

帕札爾抬起頭，看著天青石般的穹蒼開了一扇扇星星狀的小門，亮光從門內灑了出來。他若能接住這些光線，他就會知道第五名退役軍人在哪裡了。

第三十四章

分配給新任穀倉總財務官的辦公室又寬敞光線又好；底下還有四名常任專業書記官聽候他的差遣。美鋒穿了一款新的纏腰布和一件不合身的短袖亞麻襯衫，臉上容光煥發。批發生意的成功，他當然很滿意，但是能夠進入政府機關行使公權力，卻是他讀書識字以來就有的願望。由於他出身卑微，教育程度又不高，這對他來說簡直像是遙不可及的夢想。然而，他的積極勤奮使行政機關注意到了他的能力，如今他更下定決心要大展身手。

他向同事打了招呼，並強調自己對秩序與工作態度的認真與否十分重視之後，便開始看起了上級交給他的第一份文件：遲繳稅款的納稅人名單。一向按時繳稅的他看著這份文件，心裡倒覺得有趣。哪些人呢？一個財主、一個軍隊書記官、一個細木工坊的負責人和……帕札爾法官！查核員註明了遲繳的時間、罰款額度，以及警察總長已親自查封了法官的大門。

午餐時間，美鋒去找書記官亞洛，向他詢問帕札爾目前的住處。到了蘇提家時，美鋒卻只見到了戰車尉和他的情婦；至於帕札爾則剛剛出門，前往聯絡孟斐斯與底比斯兩地交通的快船碼頭。

美鋒及時追上了帕札爾。

「我得知了你的麻煩。」

「是我的疏忽。」帕札爾坦承。

「太不公平了。小小的過失竟然處罰得這麼重。你可以去申訴。」

「這本來就是我的錯。何況訴訟程序一向冗長，對我又有什麼好處？也許懲罰會減輕，但卻可能招致一大群敵人。」

「門殿長老好像並不欣賞你。」

「他一直都很喜歡考驗年輕的法官。」

美鋒誠懇地看著他，「在我困難的時候你幫過我，現在我也希望有所回饋。讓我替你還清罰款吧。」

「我不能答應。」

「不然算我借你的，怎麼樣？當然了，是不用利息的。總不至於要我貪朋友這點小便宜吧？」

「我怎麼還你呢？」

「藉由你的專業。我剛剛當上穀倉總財務官，以後會經常借重你的專業知識。你自己算算兩袋稻穀和一頭肥牛相當於幾次的諮詢費用。」美鋒回答得很爽快。

「那麼以後我們會常見面囉。」

「這是你的財物所有權證明。」

美鋒與帕札爾於是達成了協議。

＊　＊　＊

門殿長老正在準備明天審查的案子：偷鞋賊、遺產糾紛、意外事故的賠償……都是一些簡單而容易解決的案子。這時候來了一個令他好奇的訪客。「帕札爾！你是換了職業，或者是來付罰款的？」

帕札爾開玩笑地說：「第二個是正確答案。」說完自己也笑了。

長老愉快地看著相當冷靜的帕札爾，「很好，你還有點幽默感。這份工作不適合你，以後你就會感激我的嚴厲。回到你的村子去吧，在鄉下找個好女孩結婚，跟她生兩個孩子，把法官、司法這些事全忘了。這個世界太複雜了。我是很懂人心的，帕札爾。」

「那麼我應該恭喜你。」

「你終於理性一點了！」

「這是我要給你的。」

長老看了財物證明，不禁啞然。

「我已經將兩袋稻穀放在你的門口，肥牛也安置在稅務局的牛欄中。你還滿意嗎？」

＊　＊　＊

一看孟莫西就知道他情緒不好：腦袋瓜子發紅，五官糾在一起，加上濃濃的鼻音，煩躁不耐的神色表露無遺。「帕札爾，我今天見你完全是出於禮貌。你要知道，你現在只不過是個市井小民。」

「如果真是這樣，我也不敢來打擾你。」

孟莫西不由得抬起頭來，疑惑地問道：「什麼意思？」

「這是門殿長老簽字的文件。我欠稅務局的稅款已經清償了。他甚至認為我的那頭肥牛比一般的牛大得多，因此把一部分算入我明年的預付稅當中。」

「你怎麼……」

「希望你能盡快將我大門上的封條拆除，我將感激不盡。」

孟莫西態度馬上有了一百八十度的轉變。他陪著笑臉說：「當然了，法官大人，當然沒問題！其實發生這次不幸的事件，我也為你說了不少好話。」

「我絕對相信。」

「我們將來的合作……」

「我們一定能合作無間的。還有一件小事：關於那些被挪用的穀糧，事情都已經解決了。我也知道了整個來龍去脈，只不過你知道得比我早。」

* * *

帕札爾復職後，一切又恢復了平靜，他也立刻搭上了快船前往底比斯。凱姆陪著他一起。狒狒在有如搖籃般的小船上，枕著一個小包袱，睡得正香甜呢。

「你太讓我驚訝了。」凱姆向上司說：「你竟逃過了石杵和石磨的考驗；通常，就算再堅強的人也難免粉身碎骨的。」

「運氣吧。」

「應該說是一種冀望。這種強烈的冀望使得所有的人事物都不得不向你低頭。」凱姆佩服地說。

「你太高估我的能力了。」

順著河流而下，他們離奈菲莉越來越近。御醫長奈巴蒙很快就要跟她算帳了，而她卻不會縮減行醫的範圍；看來衝突是免不了的了。

船在傍晚時分抵達了底比斯。帕札爾避開人群，獨自坐在河堤邊上。太陽緩緩西落，染紅了西山；原野上，牧童吹起了淒清的笛音，趕著牲畜回家。

搭乘最後一班渡船的乘客不多。凱姆和狒狒坐在船尾。帕札爾則靠到梢公身邊去。他戴了一頂古式的假髮，遮去了半邊臉。

「搖船搖慢一點。」帕札爾對梢公說。

梢公的頭還是斜靠在船舵上。

「我有話跟你說；在這裡你很安全。回答的時候不要看我。」

誰會注意到一個梢公呢？每個人都急著趕到對岸，有些人交談，有些人作作夢，沒有人會向掌舵的船夫看上一眼。他一個人需要的並不多，很容易便可滿足，又能離群索居。

「你就是第五名退役軍人，司芬克斯榮譽守衛隊唯一的生還者。」

梢公沒有否認。

「我是帕札爾法官，我想知道事情的真相。你的四個夥伴死了，很可能是遭到謀殺，所以你才躲起來。如此可怕的屠殺背後，必然大有隱情。」

「我怎麼知道你會不會害我？」梢公終於開口了。

「我要是想殺人滅口，你早就死了。相信我吧。」

「對你來說，當然簡單……」

「實際上並非如此。你究竟看到了什麼殘酷的事實？」

「我們當時有五個人……五個退役軍人，負責司芬克斯夜晚的守護工作。這完全只是我們退休前的一項榮譽職務，毫無危險。我和另一名同伴坐在圍繞著石獅的圍牆外側。那天，我們又和平常一樣睡著了。他聽到聲響而驚醒，但是我想睡覺，便安撫他說沒事。他還是擔心，堅持要去看看，於是我們走到圍牆內，不料竟在石像右側發現了一具同伴的屍首，然後又在另一側發現了第二具。」他喉頭一緊，說不下去，中斷了一會兒才繼續說道：「接著是一陣呻吟的聲音……到現在那聲音還常常出現在我的耳邊！是衛兵長，他倒在司芬克斯兩爪之間已經奄奄一息。血從他的嘴巴流出來，他還是用力地想說話。」

「他說了什麼？」

「說有人攻擊他，他也盡力抵抗了。」

「是誰？」

「一個裸體的女人和幾個男人。『夜裡怪異的話語』，他最後只說了這幾個字。我和我的同伴嚇壞了。為什麼這麼殘暴……要不要通知負責監督的士兵？我的同伴不贊成去通知，否則以後會有麻煩，說不定我們自己還會惹禍上身。另外三個退役軍人死了……我們最好什麼也別說，就假裝什麼也沒看見，什麼也沒聽見。當天一亮，早班的衛兵來接班時，發現了被殘殺的屍體，我們倆便也假裝驚慌失措。」

「你們被處罰了嗎？」

「完全沒有。我們正式退休，返回家鄉的村子。我的同伴當起了麵包師傅，而我也打算修車維生。他被暗殺了以後，我也只好躲起來了。」

「暗殺？」帕札爾注意到了他特殊的措詞。

「他一向非常小心，尤其是對火爐。我確信他是被推進去的。我們仍舊逃不過司芬克斯的慘劇。他們不相信我們。他們覺得我們知道得太多了。」梢公越說越是害怕。

「在吉薩，是誰訊問你們的？」

「一個高階軍官。」

「亞舍將軍和你們接觸過嗎？」

「沒有。」

「開庭時，你的證詞將具有決定性的關鍵。」

「開什麼庭？」梢公懷疑地問。

「將軍簽了一份文件，證明你和你的四名同伴都在一次意外當中身亡了。」

這個消息倒是讓梢公鬆了一口氣，「那樣最好，我這個人就再也不存在了。」

「我能找到你，他們也一樣可以。你只有出庭作證，才能重獲自由。」

渡船靠岸了。

帕札爾還是盡力想說服他：「這是唯一的辦法了，為了你死去同伴的名聲，也為了你自己。」

「我……我不知道。別再煩我了。」

梢公想了想才說：「明天早上第一班渡船出發時，我再答覆你。」

梢公跳上岸，把繩索繞在木樁上，帕札爾、凱姆和狒狒則漸漸走遠。

「今天晚上要好好監視這個人。」帕札爾吩咐凱姆。

「那你呢？」

「我會在最近的村子裡過夜，天亮時再過來。」

凱姆猶豫了。他不喜歡這個命令，要是梢公向法官透露了些什麼，那麼法官本身也有危險。而他卻無法兼顧兩人的安全。

最後凱姆選擇了帕札爾。

* * *

暗影吞噬者也在夕陽西下時搭上了同一班渡船。凱姆坐在船尾，帕札爾則挑了梢公旁邊的位置。

奇怪，他們兩人肩並著肩看著河的對岸。可是船上乘客不多，每個人都有寬敞舒適的空間，他為什麼要靠梢公這麼近？除非是想和他說話。

梢公……這是最明顯卻也最不引人注目的職業。

暗影吞噬者縱身跳入河中，隨波逐流地渡過尼羅河。到了另一岸時，他在蘆葦叢中躲了許久，並暗中觀察周圍的動靜。梢公就睡在一間木板拼成的小屋裡。

附近既沒有凱姆也沒有彿彿的蹤跡，他又耐心等了一下，確定了小木屋確實沒有人監視。於是他迅速地溜進屋內，拿著一條皮帶往梢公的脖子一套，梢公立刻驚醒了。

「你要是再動一下，就會馬上沒命。」

梢公無力抵抗，便舉起右手示意投降。暗影吞噬者也稍微鬆了手，問道：「你是什麼人？」

「我是……梢公。」

「再不老實我就勒死你。退役軍人嗎？」

「是的。」

「哪支部隊？」

「亞洲軍團。」

「最後一項任務是什麼？」

「司芬克斯的榮譽守衛。」

「你為什麼要躲起來？」

「我害怕。」

「怕什麼？」

梢公頓了一下說：「我……不知道。」

「有什麼祕密？」

「沒有！」

脖子上的皮帶又再度勒緊。梢公不得不老實說：「在吉薩，有人襲擊……屠殺事件……有人侵入司芬克斯，殺了我的同伴。」

「是什麼人？」

「我什麼都沒看到。」

「法官詢問你了嗎？」

「是的。」

「問了些什麼？」

「和你一樣的問題。」

「你怎麼回答的？」

「他用法庭威脅我，可是我什麼也沒說。我不想有法律上的麻煩。」

「你都跟他說了什麼？」

梢公這回扯謊道：「說我是船夫，不是退役軍人。」

「好極了。」

皮帶終於鬆開了。退役軍人正自撫摩著隱隱作痛的脖子喘息時，卻又被暗影吞噬者在太陽穴打了一拳而昏死過去。殺手將船夫拉出小屋，拖到河邊，然後把船夫的頭按在水中許久，最後才讓屍體漂浮在渡船旁。

單純的溺水事件，誰說不是呢？

* * *

奈菲莉又為莎芭布配了一劑處方。由於莎芭布非常小心地照顧自己，因此病情復原得很快。她又再度覺得活力十足，也不再因關節炎感到灼痛難忍，便要求醫生讓她和啤酒店的門房做愛，那個年輕人是努比亞人，身體相當健壯。

「我可以打擾妳一下嗎？」帕札爾問道。

「我的工作也差不多結束了。」奈菲莉顯得疲憊不堪。
「妳工作量太大了。」帕札爾憐惜地說。
「只是一時的疲勞罷了。有奈巴蒙的消息嗎？」
「他還沒有表態。」
「不過是暫時的平靜。」
「恐怕是的。」
「你的調查如何？」
「跨進了一大步，雖然我被門殿長老給停職了。」
「怎麼回事？」
她一邊洗手，一邊聽著帕札爾述說事情的經過。然後以羨慕的口吻對他說：「你有許多好朋友，像是我們的老師布拉尼、蘇提、美鋒……運氣真是好。」
「妳難道覺得孤單嗎？」
「村民雖然會幫我，可是當我有困難，卻找不到人詢問意見。有時候壓力好大。」
他們一塊兒坐在蓆子上，面對著大片的棕櫚樹林。
「你好像很興奮。」
「我剛剛找到一個重要的人證。我第一個就想告訴妳。」
奈菲莉沒有避開他的目光。在她的眼裡，他看見了一種關注，也或許是愛。
「你可能會受到阻撓，不是嗎？」
「我不在乎。我相信司法，就如同妳相信醫藥一樣。」
他們的肩膀無意間碰在一起。帕札爾抽動了一下，緊張地連氣也不敢喘。奈菲莉則似乎沒有感覺，身子也沒有移開。

「為了追求真理，你會犧牲生命嗎？」她眼睛看著遠方問道。

「如果必要的話，我絕不猶豫。」

「妳還會想我嗎？」

「每分每秒。」

他的手拂過奈菲莉的手，然後輕輕地摟著她，輕得幾乎感覺不到。只聽到奈菲莉輕輕地說：「每當我覺得疲倦的時候，就會想到你。無論發生什麼事，似乎總是打不倒你，你總是會繼續走你該走的路。」

「這只是表象而已，我心中常常有疑問。蘇提就常說我太天真了。對他來說，冒險犯難才是最重要的。一旦可能落入習慣的窠臼時，他什麼瘋狂的事都做得出來。」

「你也害怕習慣嗎？」

「習慣和我不犯衝。」

「感情可能持續多年嗎？」

帕札爾以一種誠懇無比的聲調說：「如果不只是感情，而是整個人的投入、是人間的天堂、是晨曦與夕陽見證的結合，那麼甚至可以持續一輩子。會褪色的愛情只能說是一種戰利品。」

奈菲莉把頭靠在他的肩膀上，秀髮輕掠過他的臉頰。她像夢囈般地說：「你擁有一股好奇怪的力量啊，帕札爾。」

這只是一場夢，就像底比斯夜裡的黃螢轉瞬即逝，然而那微弱的光卻照亮了他的生命。

* * *

帕札爾平躺著，雙眼盯著繁星，他就這樣在棕櫚樹林內度過了一個不眠的夜。他希望能趁奈

菲莉心情還十分輕鬆，還沒有攆他走並重新關上心門之前，好好把握這短暫的時刻。她是否已經對他產生了愛意，或者只純粹是疲倦？他一想到她願意接受他的存在與感情，整個人便輕飄飄地有如春天的雲，又激動地好似初漲的潮水。

幾步外，狒狒警察剛吃了幾顆棗子，正在吐棗核。

「是你？怎麼……」

狒狒背後響起了凱姆的聲音，「我決定保護你的安全。」

「到河邊去，快點！」

天亮了，河岸邊聚集了一大群人。

「讓開！」帕札爾大聲喊道。

梢公的屍體隨河水飄走後，已經被一名漁夫帶回來了。

「他可能不會游泳。」

「也許不小心滑落的。」

身旁的人七嘴八舌，帕札爾卻只是自顧自地檢查屍體。

「這是謀殺。」他宣佈道：「他脖子上有細繩的勒痕，右邊太陽穴上有被猛烈撞擊的痕跡。他是先被人勒過並打昏之後，才推入水中的。」

第三十五章

驢子馱著紙筆和文具盒帶領帕札爾走進孟斐斯近郊。即使北風走錯了路，蘇提也會糾正牠；不過這隻四腳畜生果真是名不虛傳。凱姆和狒狒也跟隨在後，一隊人馬浩浩蕩蕩朝謝奇進行實驗的軍營而去。清晨，謝奇通常會在王宮內做事，不會有人礙事。

帕札爾真是憤怒到了極點。梢公的屍體被運到最近的警局之後，該局專橫的負責人竟草草寫了報告了事。他為了怕被降級，怎麼也不肯承認他的轄區內發生了謀殺案；因此他推翻了法官的結論，堅稱梢公是落水溺斃。他認為頸部和太陽穴的傷痕都是意外留下的。帕札爾則詳細地加以反駁。

出發回北方之前，他只很快地見了奈菲莉一面。一大早，便有許多病患求診。他二人只能交換一些簡單的對話與眼神，但他卻能感覺得到她的鼓勵與默契。

蘇提真是欣喜若狂，這回好友總算決定行動了。

這座軍營與孟斐斯其他重要軍事單位比較起來，顯得特別偏僻，營區內更是死氣沉沉。沒有操練的士兵，也沒有馬匹在接受訓練。

蘇提雄糾糾、氣昂昂地來到門口，眼光四下搜尋著站崗的衛兵。但是沒有人出面阻止他們進入那棟有點破爛的建築。他見到兩個老人坐在石井欄上閒聊，便上前問道：「哪支軍隊駐紮在這裡？」

年紀較大的那人突然放聲大笑，「退伍與傷殘軍團啊，小夥子！上面先把我們安置在這裡，以後再遣返回鄉。亞洲的路線、強行軍、不足的配給……一切都結束了。很快我們就會有一個小

花園、一個女傭，還有新鮮的牛奶和蔬菜了。」

「軍營的負責人呢？」

「在水井後面的木板屋裡。」

帕札爾找到了一名疲憊的軍士。

「到這裡來的訪客倒是不多。」

「我是帕札爾法官，我想搜查你們的儲藏庫。」

「儲藏庫？不懂。」

帕札爾便道出了原委，「有一個叫謝奇的人在這個軍營裡，建立了一個實驗室。」

「謝奇？不認識。」

帕札爾大略描述了化學家的模樣。

「喔，他啊！沒錯，他每天下午來，晚上就在這裡過夜。上頭的命令，我聽命行事。」

「替我把營房打開。」

「我沒有鑰匙。」

「那就帶路吧。」

謝奇的地下實驗室有一扇堅固的木門，他們無法進入。帕札爾在一塊黏土板上記錄了前來調查的年月日時，並對地點作了描述。然後命令道：「開門。」

「我不能開。」

「有事由我承擔。」

蘇提也動手幫忙，他們用一柄長矛強行撬開了木門。帕札爾和蘇提進到實驗室內，凱姆和狒狒則負責把風。

爐、窯、木炭與棕櫚樹皮等燃料儲備、鑄熔器、銅製工具……謝奇實驗室的裝備倒是十分齊全。室內井井有條、一塵不染。他們很快地搜了一下，蘇提找到了那個輾轉運送於各個軍營間的神祕箱子。

「我興奮得就像第一次約會的小男孩。」

「等一等。」帕札爾即時制止了就要動手開箱的蘇提。

「目標就近在眼前了，總不能就此罷手吧。」

「我要寫報告：現場狀況還有可疑物品的位置。」

帕札爾才剛寫完，蘇提便迫不及待掀開了箱蓋。「是鐵……鐵條！而且還不是普通的鐵。」

蘇提拿起一根鐵條掂一掂、敲一敲，用口水沾溼後再用指甲去摳，斷定道：「這不是來自東沙漠的火山岩，而是村子裡傳說的神鐵。」

「是隕星。」帕札爾指出。

「運氣真是太好了。」

「長生殿的祭司們就是用這種鐵製造金屬繩讓法老升天的。一個小小的化學家怎麼會有這麼貴重的物品？」蘇提驚訝地目瞪口呆，喃喃說道：「我聽說過這種鐵的特性，但沒想到竟能親手摸到。」

「這不是我們的。」帕札爾提醒他：「這是物證，謝奇必須說明鐵的來源。」

在箱底有一把鐵製的橫口斧鑿。這是在復活儀式中細木工匠用來為木乃伊開眼與開口的工具，以便使死屍轉變為光明體。

帕札爾和蘇提都不敢去碰，因為如果斧鑿已經經過儀式的洗禮，便會帶有超自然的力量。

「我們真荒謬。這只不過是金屬罷了。」蘇提自我解嘲。

「也許你說得對，但是我不想冒險。」

「那你說怎麼辦？」

「等嫌犯回來。」

＊　　＊　　＊

謝奇一個人來。

當他見到實驗室大門開著，馬上轉身想逃，不料卻一頭栽進凱姆懷裡，於是又被他押回了現場。狒狒泰然自若地在一旁吃著葡萄乾，這表示附近並沒有謝奇同黨的蹤跡。

「我很高興再見到你。」帕札爾對化學家說：「你好像很喜歡搬家。」

謝奇的視線落在箱子上，質問道：「誰允許你這麼做？」

「我有權搜查。」

這個留著小鬍子的化學家並無激烈的反應，他仍然沉靜、冷漠地說：「搜查可是非常特殊的程序。」

「跟你進行的活動一樣。」

「這裡是我的附屬實驗室。」

「你很喜歡軍營哦。」

「我正在製造未來的新武器，所以才向軍方申請的。你可以去查證，這些實驗地點都有記錄，而且我的實驗也很受到肯定。」

「這點我相信，但是你使用神鐵是不行的。這種金屬專供神廟使用，就連藏在箱底的橫口斧鑿也一樣。」

「那不是我的。」謝奇一口便否認了。

「你不知道箱底有這把斧鑿嗎？」

「有人偷偷放進去的。」

「不對。」蘇提插嘴道：「是你自己下令運來的。你以為藏在這個偏遠的角落就安全了。」

「你監視我？」

「這鐵是哪來的？」帕札爾問道。

「我拒絕回答你的問題。」

「那麼你將會因竊盜、藏匿贓物與妨礙司法調查的罪名被逮捕。」

「我會否認，你的起訴也不能成立。」

「你還是乖乖地跟我們走，否則我就要警察把你的雙手綁起來。」

「我不會逃走的。」

* * *

書記官亞洛的女兒由於舞蹈班結業時成績優異，在區裡的主要廣場舉辦了表演會，然而亞洛卻因為要擔任審訊記錄而無法去現場為女兒打氣。他不甘心地留在辦公室，偏偏又派不上用場，謝奇根本不回答任何問題，只是靜靜地和他們對坐著。

帕札爾也不氣餒，依舊耐著性子問：「你有哪些同謀？侵占這種材質的鐵不是你單獨一人做得來的。」

謝奇半眯著眼睛看著帕札爾。他簡直就像王牆的城堡那麼牢不可破。

「有人把這珍貴的材料交給你，為了什麼？當你的研究有了結果，你就以喀達希企圖偷竊的事件為由，譴責同事辦事不力而將他們辭退。這樣就再也沒有人可以監督你了。這柄斧鑿是你製造的還是偷來的？」

蘇提真想把這個裝聾作啞的小鬍子痛打一頓，可是帕札爾一定會出面制止的。

「喀達希和你是老朋友了，對嗎？他早就知道你有這個寶物，所以才想來偷。要不然就是你們串通好演這齣戲，好讓你有藉口把實驗室裡所有礙事的人支開。」

謝奇坐在蓆子上，雙腳盤起，態度絲毫未改。他知道法官無權使用暴力。

「謝奇，就算你不說，我也會找出真相的。」

謝奇仍然毫不動搖。

帕札爾叫蘇提綁起他的雙手，然後把繩子繫在牆壁的環扣上。

「對不起，亞洛，但是我不得不請你監視這名嫌疑犯。」

「要很久嗎？」

「我們會在天黑前回來。」

*　　*　　*

孟斐斯王宮是一個由十來個部門組成的行政體系，各部門都有多位書記官。化學家們隸屬於一名王宮實驗室總監管轄；總監是一個五十來歲、高大瘦削的人，他見到法官來訪十分詫異。

「戰車尉蘇提是我的助手，也是我一切控訴的證人。」

「控訴？」

「你的屬下謝奇將遭到逮捕。」

「謝奇？不可能！其中一定有什麼誤會。」總監簡直不敢相信自己的耳朵。

「你手下的化學家們會使用神鐵嗎？」

「當然不會。神鐵太過於稀奇，因此專供神廟的宗教儀式使用。」

「但是謝奇手中握有大量的神鐵，這點你作何解釋？」

「一定是誤會。」總監還是只能這麼說。

「你是否分派了一項特別任務給他？」帕札爾又問。

「他必須與軍方高層聯繫，負責監控銅的品質。我確實可以為謝奇的信譽、技術與人格作擔保。」

「你知道他在一處軍營設立了地下實驗室嗎？」

「這是軍方的命令。」

「誰簽署的？」

「一群高階軍官，他們要求專家為軍隊製造新式武器。謝奇便是其中一人。」

「然而神鐵的使用並不在計劃之中。」

「原因應該很簡單。」

「但是嫌犯堅持不說話。」

總監仍舊十分維護自己的屬下，「謝奇一直都不多話，他就是這沉默寡言的個性。」

「你知道他的原籍嗎？」

「我記得他好像是在孟斐斯地區出生的。」

「你能查證嗎？」

「這點很重要嗎？」

「可能很重要。」

「我得去查查檔案。」

總監翻查了一個多小時。

「找到了：謝奇是孟斐斯北邊一個小村莊的人。」

「鑒於他的職務特殊，你應該查證過了。」

「軍方調查過，並未發現異常之處。查核員也都依規定蓋了章，因此便放心把工作交給謝奇了。我希望你能儘早將他釋放。」

「他的罪名不少，不但偷竊而且說謊。」

聽了法官對謝奇的指控，總監口氣轉而嚴厲，「帕札爾法官，你未免執法過當了吧？你要是多了解謝奇一點，你就會知道他根本不可能做出任何不老實的行為。」

「他若是清白的，法律自會還他公道。」

＊　＊　＊

亞洛坐在門檻上啜泣。驢子北風看穿了似的盯著他。

蘇提去推他的時候，帕札爾發現謝奇不見了。

「發生什麼事了？」

「他來了，說要看筆錄，結果發現漏了兩段，便說筆錄不合法，他警告我要小心，然後就把犯人放走了……他說的的確沒錯，我只好聽從了。」

亞洛沒頭沒腦地說著，帕札爾不免一頭霧水，「你說的是誰啊？」

「警察總長孟莫西。」

帕札爾看了筆錄。亞洛確實沒有註明謝奇的職稱與職責，也沒有指出法官曾事先在沒有第三者知情的情況下，親自進行調查。整個程序果然無效。

＊　＊　＊

陽光穿過石窗的窗格，照在孟莫西塗滿了香膏的油亮光頭上。他嘴角帶著微笑，裝作十分殷勤地招呼帕札爾。「我們所在的國家真是太美好了，不是嗎，親愛的法官大人？沒有人會因為執法過當而受迫害，因為我們都會為公民的權益嚴格把關。」

「『執法過當』似乎相當流行，實驗室總監也用了同樣的辭令。」

「他並沒有錯。他找檔案時，叫人通知我有關謝奇被捕的事。我相信其中一定有什麼誤解，因此立刻趕到你的辦公室去。果然不出我所料；所以我馬上釋放了謝奇。」

「我的書記官確實犯了明顯的過錯。」帕札爾承認道：「不過你為什麼對這名化學家這麼有興趣？」

「因為他是軍事專家。他和他的同事都直接受我的監督，一切質詢都必須先經過我的同意。我相信你並不知道這一點。」

「竊盜的罪名已經剝奪了謝奇部分的豁免權。」

「這項指控毫無根據。」

「形式上的遺漏並不代表控訴無效。」

孟莫西鄭重其事地說：「謝奇是我國最優秀的武器專家之一。你以為他會以這麼笨的方式毀掉自己的前途嗎？」

「你知道被偷的是什麼嗎？」

「什麼都無所謂！我就是不相信。你不要再想盡辦法要為自己樹立『青天』的美名了。」

「你把謝奇藏在哪裡？」

「藏在一個就算是越權的法官也無計可施的地方。」孟莫西得意地說。

* * *

蘇提也贊成帕札爾的想法：現在唯一的辦法就只有召開法庭，孤注一擲了。證據和論點將具有決定性，只要陪審團不被對方收買，而且帕札爾又不能撤換掉所有的陪審員，否則將被迫交出審理權。無論如何，他們兩人還是相信在公開法庭上所呈現的真理，必定能啟發所有愚昧的心靈。

帕札爾向布拉尼說明他的策略。

「你這樣做十分冒險。」布拉尼有點擔心。

「難道有更好的路可走嗎？」

「就隨著你的心走吧。」

「我想有必要採取斷然的措施，以免再浪費精力在不重要的細節上。我現在針對重點出擊，將能更輕易地對付謊言與卑劣的行為。」

布拉尼不禁嘆道：「你從來都不能滿足於中庸之道，一有光線，就非得它絢爛耀眼不可。」

「我這樣錯了嗎？」

「即將召開的這個法庭需要一個成熟老練的法官，但是眾神將此重任託付給你，而你也接受了。」

「裝神鐵的箱子現在由凱姆監管，他用木板蓋住箱子，還叫狒狒坐在上面。沒有人接近得了。」

「你打算什麼時候開庭？」

「最晚一個星期後；由於這次法庭的辯論性質特殊，所以我會加速程序的。你覺得四處遊走的邪惡氣息已經被我控制住了嗎？」帕札爾抱著希望問道。

「你已經接近了。」

「我能不能請你幫個忙？」

「誰說不行呢？」

「雖然你即將接受新的任命，但是你願意當陪審員嗎？」

老醫生注視著他的守護星球土星，乍見一道不尋常的光芒。他反問道：「你以為我不願意嗎？」

第三十六章

勇士並不習慣和狒狒同處一個屋簷下，不過既然主人都能允許了，他也就未曾顯露敵意。沉默的凱姆只說召開這樣的法庭太瘋狂了。他總覺得儘管帕札爾再勇敢，他畢竟太年輕了，勝算實在不大。帕札爾知道凱姆極力反對，但是他還是要亞洛提供所有經過確切查證的表格與登記簿，繼續全心全意準備作戰。格式上一有什麼缺失，門殿長老是絕對不會放過。

御醫長的到訪似乎極為冒失。他戴了一頂散發著香氣的假髮，一貫地優雅，但卻顯得不甚愉快。「我要和你單獨談談。」

「我現在很忙。」

「很緊急的事。」

帕札爾於是放下了手邊的案卷。這個案子是一個貴族假借國王的名義，開墾了一些不屬於他自己的土地；他身居朝中高位，卻也因為如此喪失所有家產，並流放外地。他申請上訴，二審還是維持了原判。

他二人走在一條陽光照不到的安靜巷弄內。有幾個小女孩在玩玩具娃娃；有一隻驢子駝著蔬菜籃從他們身邊走過；有一個老人坐在自家的門檻上打盹。

「親愛的帕札爾，我的話也許說得不夠明白。」奈巴蒙語氣中不無責備。

「我跟你一樣也很遺憾莎芭布還繼續著她不道德的職業，但是她並沒有違反任何法條。她按時繳稅，又不妨礙公共秩序，我甚至敢說有幾個著名的醫生也常常光顧她的啤酒店呢。」

「那奈菲莉呢？我要你去威脅她的。」

「我答應你會盡力而為。」

奈巴蒙哼了一聲說：「你也太盡力了吧！我在底比斯的同僚本來打算讓她進德爾巴哈利醫院工作，幸好我即時阻止。你知不知道她已經引起不少正式核准執業的醫生的恐慌了？」

「這麼說你也承認她能力很強囉。」

「就算她再有天份，她也只是二流角色。」

「我不這麼覺得。」

「我不管你怎麼想。你想施展抱負，就必須聽從具有影響力的人的指示。」

「你說得對。」

「我可以再給你一次機會，不要再讓我失望。」

「我不值得你如此信任。」

奈巴蒙以為帕札爾是因為自責而氣餒，便安慰道：「忘了這次的失敗，盡力去行動吧。」

「我心裡有疑問。」

「關於哪方面？」

「關於我的前途。」

「只要遵從我的建議，就沒有什麼好擔心的了。」

「我只想當個法官。」

「我不懂……」奈巴蒙深感訝然。

「別再騷擾奈菲莉了。」帕札爾堅決地說。

「你瘋了？」

「別以為我是開玩笑的。」

這下子，奈巴蒙反而惱羞成怒了，「你的行為實在太愚蠢了，帕札爾！你不應該支持一個注定要大大失敗的年輕女子。奈菲莉毫無未來可言，和她站在同一陣線的人也必定會被消滅。」

「怨恨已經蒙蔽了你的理智。」

「你竟敢對我說這種話！我要你立刻道歉。」

「我只是想幫助你。」

「幫助我？」

「我覺得你正漸漸走向身敗名裂的地步。」

「你會後悔說了這些話的！」奈巴蒙咬牙切齒地說。

＊　＊　＊

戴尼斯在碼頭監視著駁船卸貨的情形。船員們個個加快了身手，因為明天剛好可以順著水流回南方去。這一船的傢俱與香料就存放在戴尼斯剛剛購得的倉庫內。不久，他又要併購一名與他競爭最激烈的對手的產業，他以後要留給兩個兒子的運輸王國，規模將越來越大了。有賴於妻子的人脈，他與行政高層的聯繫也一天比一天密切，因此擴展的計劃必定暢行無礙。

門殿長老從來沒有在碼頭散步的習慣。由於痛風又發作了，他拄著枴杖一跛一跛地向戴尼斯走去。

「不要站在這裡，他們會撞到你。」

戴尼斯說著，便挽起門殿長老的手臂，帶他到倉庫另一個已經堆好了貨的角落。

「怎麼會來找我？」

「有禍事要發生了。」

「跟我有關？」

「沒有，但是你得幫我避去禍端。明天帕札爾要開庭了。他一切都照規定進行，我沒有辦法阻止他。」

「誰是被告？」

「關於被告和原告他都保密。據說和國家的安危有關。」門殿長老顯得憂心忡忡。

「那是別人造謠的。他這麼個小法官怎麼可能辦那麼大的案子？」

長老可不像戴尼斯這麼樂觀，「你別看他外表穩重，骨子裡他可是天不怕地不怕的。他一旦決定往前衝，什麼困難也阻止不了他。」

「你擔心他？」

「他是個危險的法官。他把這項職務看得極為神聖。」

戴尼斯還是不當一回事，「以前不是也有這樣的人嗎？可是他們很快就都銷聲匿跡了。」

「這次這個卻比岩石還要堅定。不久前，我剛好有個機會測試他；他的耐力真是非比尋常。要是換作其他年輕的法官，一定會放棄的。相信我，他是個大麻煩。」

「你太悲觀了。」

「這次不是悲觀。」

「那麼你要我怎麼幫你？」

「既然我答應讓帕札爾在門殿審理本案，我必須指定兩名陪審員。我已經挑中了孟莫西，我們需要這麼一個理性的人。另外一個如果是你，我會更放心。」

「明天不行：有一批貴重的瓶罐要進貨，我得親自一件一件驗收。不過我妻子也是絕佳的人選啊。」

*　　　*　　　*

帕札爾親自將通知送到孟莫西那兒去。

「本來叫我的書記官來就可以了，不過看在我們友好的交情份上，我還是自己來更顯得誠意。」

孟莫西沒有請他坐。帕札爾便又繼續說道：「謝奇必須以證人的身份出庭。既然只有你知道他在哪裡，就麻煩你帶他到法庭來。否則，我們只好動用警力找尋他。」

「謝奇是個講理的人。如果你也跟他一樣，你就會中止這次的審訊。」

「門殿長老倒是認為可以繼續下去。」

「你這是自毀前程。」

「現在很多人都關心這個；我需要煩惱嗎？」

「當你失敗了，孟斐斯的人民都會嘲笑你，你也將被迫辭職。」

「既然你被指定為陪審員，請不要拒絕聆聽事實真相。」帕札爾對警察總長的警告一笑置之。

* * *

「我，陪審員？」美鋒驚訝到了極點：「我從來沒有想到……」

「這次的案子非常重要，將有不可預期的後果。」

「我一定要接受嗎？」

「當然不一定。門殿長老指定兩人，我也指定兩人，另外四人則從曾經出席過的要人當中挑選出來。」

「我必須坦承我的憂慮。參予司法判決對我來說實在比賣紙困難多了。」

「擔任陪審員，你就必須決定一個人的命運。」

美鋒考慮了很久，才說：「你的信任讓我很感動。我接受了。」

＊　＊　＊

蘇提這次做愛時的激烈，就連對他的熱情習以為常的豹子都感到驚訝。他彷彿永遠無法滿足似的緊緊摟著愛人，狂烈地吻著她，並一再地撫遍她的全身。善於挑逗的豹子也懂得在激情過後顯露溫柔的一面。

「你這麼狂熱，就像是馬上要出遠門的人一樣。你有什麼事瞞著我？」

「明天就要開庭了。」

「你擔心結果？」

「我寧願赤手空拳打一架。」

「你的朋友讓我害怕。」

「帕札爾有什麼好怕的？」蘇提啞然失笑。

「凡是犯了法的人，他誰也饒不過。」

「妳會背著我陷害他嗎？」

她將蘇提翻轉過來，然後爬上去躺在他身上。「你要什麼時候才不再懷疑我？」

「永遠都不可能。妳是一隻母獸，最危險的那種，而且妳還發誓要讓我痛不欲生。」

「你的法官朋友比我可怕。」

「可是妳有事情瞞著我。」

她翻身滾到一邊，離蘇提遠遠的。「也許吧。」

「審問的時候，我太不會問話了。」

「不過你卻知道怎麼讓我的身體說話。」豹子笑著說。

「但是妳還是保留了祕密。」

「要不然我在你眼裡還有價值嗎？」

他撲了上去，讓她動彈不得。「妳該不會忘了妳是我的俘虜吧？」

「隨便你怎麼想。」

「妳什麼時候逃走？」

「當我恢復自由身的時候。」

「這個由我決定。我應該去移民部門宣佈讓妳恢復自由。」

「那你還等什麼？」

「我馬上去。」蘇提匆匆忙忙穿上了他最美的纏腰布，然後在頸間戴上了綴著金蠅勛章的項鍊。

* * *

他進辦公室時離下班時間還早得很，但是辦事員卻已經準備離開了。

「明天再來。」辦事員不耐煩地說。

「不行。」蘇提的語氣中帶著威脅。金蠅勛章，表示這名身材健壯的年輕人是個英雄，而英雄通常很容易使用暴力。於是書記官開始了例行問話：「申請什麼？」

「上一次亞洲戰役後，將軍賞給我一名利比亞女子豹子，我要讓她恢復自由的身份。」

「你能保證她品行良好嗎？」

「完美極了。」

「她打算從事什麼工作？」

「她在農場已經有工作了。」

蘇提填好了表格，心裡有點後悔沒能和豹子再做愛一次；以後的情婦可能沒有人比得上她了。算了，遲早都要走到這一步，還是早一點把關係了斷，以免感情變得太穩定。

回家的路上，他回憶起了幾次性愛場上的征戰，戰績之輝煌實在不下於戰場上最偉大的征服者。他從豹子身上得知女人的胴體，其實是一個充滿了變幻莫測景致的天堂，每回欣賞都能獲得新的樂趣。

房子是空的。

蘇提後悔自己的倉促。他真希望能和她一起度過開庭前的這一夜，沉醉在她的香味中，將翌日的鬥爭全拋諸腦後。現在只好藉著陳年美酒聊以自慰了。

「把另一杯也斟滿。」豹子從身後抱住他，低聲說道。

＊　＊　＊

喀達希把所有銅製的工具都往牆上砸，診所裡面也早已被他踢得不成樣子了。他收到出庭通知之後，整個人便陷入了毀滅性的瘋狂之中。

沒有神鐵，他再也無法開刀。他的手抖得實在太厲害了。有了那神奇的金屬，他才能像神一樣，也才能找回年輕的活力與精準。現在還有誰會尊敬他？誰會為他歌功頌德？他在別人口中已經成了過去式了。

他能減緩衰退的速度嗎？他必須抗爭，必須拒絕衰老。目前最重要的就是消弭帕札爾法官的疑慮。為什麼他不能擁有他的精力、他的幹勁、他的決斷呢？總之，要拉攏帕札爾是不可能的了。他注定要跟著他的公理正義一起敗亡。

＊　＊　＊

再過幾個小時就要開庭了，帕札爾帶著勇士和北風在河堤上散步。吃過豐盛的晚餐又能享受黃昏的漫步，勇士和北風高興地玩鬧不休，但總也不會跑離主人太遠。北風走在前頭帶路。

帕札爾又疲倦又緊張，不禁自問會不會是自己弄錯了？自己是不是太急躁了一點？自己是否正一步步走向無底的深淵？其實全是些無聊的顧慮。公理就像神聖的河川一樣，自有必然的途徑可循。帕札爾並非主宰者，而只是僕役。無論開庭的結果如何，終究會揭開一些神祕的面紗。

他要是被革職，奈菲莉該怎麼辦？御醫長必定會繼續打擊她，不讓她行醫。幸好還有布拉尼。等他當上了阿蒙神的大祭司，他就能安排奈菲莉進入神廟醫護團隊，再也不會受奈巴蒙騷擾了。

知道她不再受厄運威脅之後，帕札爾也突然生出了一股勇氣，足以對抗一整個埃及。

第三十七章

法庭依照既定程序召開了；「在司法大門前，法官將傾聽所有原告的控訴，從中分辨真偽，並在此偉大的地點保護弱者不受強權欺侮（※註1）。」這回，鄰接普塔赫神廟塔門的法庭擴大了，以便容納許許多多顯貴與對該事件感到好奇的群眾。

帕札爾與助理書記官站在法庭最深處，法官右手邊便是陪審團，成員包括警察總長孟莫西、妮諾法夫人、布拉尼、美鋒、普塔赫神廟的一名祭司、哈朵爾神廟的一名女祭司、一名大地主和一名細木工匠。被某些人視為哲人的布拉尼也在場，顯示了本案的嚴重性。門殿長老坐在帕札爾左側，他以最高層級的法官身份出席，以確保法庭辯論的合法。兩個法官穿著白色亞麻長袍，戴著樸素的古式假髮，眼前攤著一捲紙卷，其中內容歌頌了宇宙和諧女神瑪特所全心治理的黃金時期。

「本人，帕札爾法官宣佈開庭，本庭原告戰車尉蘇提，被告法老右側持扇者兼亞洲軍團軍官訓練官亞舍將軍。」

旁聽群眾紛紛交頭接耳。若非法庭氣氛莊嚴肅穆，大多數的人必定以為他在開玩笑。

「請戰車尉蘇提出席。」

戰爭英雄一出列，立刻引起一陣譁然。他既俊美又充滿自信，完全不像是偏執狂或是與長官決裂的頹喪士兵。

「你願意發誓在法庭所言句句屬實嗎？」

蘇提便依照書記官出示的格式宣誓。「本人以永恆的阿蒙神之名，與永恆的法老王之名發誓─

—並祝願擁有比死亡更可怕的力量的法老王萬壽無疆、國運恆昌、永世不變——絕無虛言。」

「陳述你的指控吧。」

「我控告亞舍將軍瀆職、叛國與謀殺。」

旁聽席上的群眾又驚又怒，不由得噓聲四起。

門殿長老立刻出聲制止，「為了尊重瑪特女神，各位請於辯論期間保持肅靜，否則將立刻被逐出庭外，並罰以重款。」

長老的警告生效了。

「戰車尉蘇提，」帕札爾繼續問道：「你有證據嗎？」

「有。」

「我已經依法展開調查。」法官指出：「調查結果發現一些奇怪的事實，我認為這些事實與本訴訟有所關聯。因此我懷疑這其中隱含了一項對付埃及並危及全國人民的陰謀。」

至此，法庭上的情勢更加緊張了。在場的顯要看見這麼年輕的一個法官，竟能如此威嚴、態度如此堅定、說話如此有份量，無不嘖嘖稱奇。

「請亞舍將軍出席。」

無論亞舍的身份再怎麼顯赫，依法還是必須親自出庭，不能請人代理。身材矮小、臉頰凹凸不平的將軍上前宣誓。他身上穿著戰服：短短的纏腰布、脛甲、鎖子甲。

「亞舍將軍，你對方才的指控有何話說？」

「戰車尉蘇提是由我親自任命的，他非常勇敢，我還頒贈了金蠅勛章給他。在上一次亞洲戰役期間，他數度表現傑出，的確是功不可沒的英雄。我也認為他是軍隊裡頂尖的弓箭手之一。他對我的指控並無根據，我絕不承認。我想他應該只是一時失去理智吧。」將軍毫無懼色，侃侃而談。

「你是說你是清白的？」

「是的。」

蘇提坐在一根柱子底下，面向著幾公尺外的法官；亞舍則坐在另一側靠近陪審團之處，如此陪審員便可輕易地觀察到他的舉止與臉上的表情。

「本庭的角色，」帕札爾說明道：「是為了重現事實。若罪行確證，則全案移交首相處置。現在請牙醫喀達希出席。」

喀達希神色緊張地在庭上宣誓後，法官問道：「你是否承認曾經侵入化學家謝奇的實驗室企圖行竊？」

「不承認。」

「那麼你為什麼會出現在現場？」

喀達希力圖鎮定地回答，「因為我剛剛買了一批上等銅料，可是交易上出了點問題。」

「是誰告訴你有這種金屬？」

「軍營的負責人。」

「這不是事實。」

「是真的，我……」

他才急著辯解，帕札爾便打斷他，「本庭已經掌握了負責人的書面證詞，關於這一點，你說謊。而且你還在宣誓之後再度說謊，你已經犯了偽證罪。」

喀達希不由得全身發抖。要是遇到嚴格的陪審團，他將會被判礦坑苦刑；若是陪審員寬大一點，也得判四個月的農地勞役。

「你先前的回答暫且存疑。」帕札爾繼續說：「我再問一次：是誰把這貴重金屬的資訊與所在位置告訴你的？」

喀達希卻彷如痙攣一般半開著嘴巴，沒有出聲。

「是化學家謝奇嗎？」

牙醫滿臉淚痕，癱軟了下去。帕札爾做了個手勢讓書記官將他扶回位置上。

「請化學家謝奇出席。」

等了一會兒，帕札爾還以為這個留著黑色小鬍子、滿臉病容的科學家不會出現了。不過，他還是來了，警察總長說得沒錯，他是個明理的人。

此時將軍突然要求發言，「請容我插一句話。這不是另一件案子嗎？」

「我覺得這些人跟我們現在處理的案件都脫不了關係。」

「可是喀達希和謝奇都不是我的屬下。」

「請你再忍耐一下，將軍。」

亞舍氣惱之餘，斜看了謝奇一眼。他似乎十分輕鬆。

「你確實在一所研究實驗室中，專門為軍方改良武器裝備，對吧？」

「是的。」

「事實上，你擁有兩份職務：一份是大白天在王宮實驗室裡的正式工作，另一份則比較隱密，工作的場所更以軍營為掩護。」

謝奇點點頭。

「後來由於牙醫喀達希行竊未遂，你便遷移了一切裝備，並且未提告訴。」

「因為我必須保密。」

「你身為熔合與鑄煉金屬的專家，因此你會有來自軍方的材料，還會加以儲藏並列出清單。」

「當然了。」

「那麼你為何藏有宗教儀式專用的神鐵條，以及一柄神鐵製的橫口斧鑿？」

問題一出，四座更是為之震驚。帕札爾所提到的，無論是神鐵或斧鑿，都不能離開神廟的神聖領域；竊盜者更可能被處以極刑。

「我不知道有這項寶物的存在。」謝奇依然冷靜地說。

「可是它卻在你的實驗室中出現，這點你怎麼解釋？」

「是別人的惡意栽贓。」

「你有敵人嗎？」

「若能陷我入罪，我的研究計劃也必將停擺，埃及就危險了。」

「你並不是埃及人，而是貝都因人。」

在法官厲聲逼問下，謝奇只淡淡地說：「我已經忘了。」

「你卻向實驗室總監謊稱你出生在孟斐斯。」

「他誤會了。我的意思是說我覺得自己就像是孟斐斯人。」

「軍方依照程序檢查並證實了你的資料。亞舍將軍，查驗的部門應該是歸屬於你的管轄吧？」

「應該是。」亞舍嘟噥了一聲。

「也就是說你替一個謊言作了擔保。」

「不是我，而是我手下的職員。」

「你必須為你屬下的錯誤負起法律責任。」

「這點我承認，但是誰會去注意這種瑣事呢？」將軍不由得喊冤：「書記官寫報告，天天都會出錯，何況謝奇已經是百分之百的埃及人了。他現在的成就證明了我們沒有看錯人，他的確值得信任。」

「不過還有另外一種說法：你早就認識謝奇了；你早年征戰亞洲時便與他相遇，他在化學方面的能力使你很感興趣。因此你幫助他進入埃及，為他隱瞞過去，並安排機會讓他從事武器的製造。」帕札爾的語氣有點咄咄逼人。

「完全是捏造事實。」

「神鐵可不是捏造的。你究竟有什麼打算？為什麼要把神鐵給謝奇？」

「無稽之談。」將軍對法官的追問只是嗤之以鼻。

帕札爾隨後轉身面向陪審團，說道：「請各位注意一點：喀達希是利比亞人，謝奇是原籍敘利亞的貝都因人。我相信這兩人必定是同謀，與亞舍將軍也必然有關聯。他們已經策劃了許久，並打算利用神鐵跨越一道重要的門檻。」

「這只是你的想法，你完全沒有證據。」將軍反駁道。

「我承認我只掌握了三件應該予以懲罰的事實：喀達希所作的偽證、謝奇的謊報原籍，與你所屬部門的行政疏失。」

將軍傲慢地交叉著手臂。到目前為止，這個法官都只是在自取其辱。

「我調查的第二項重點：」帕札爾慢條斯理地接著說：「吉薩的大司芬克斯事件。根據一份由亞舍將軍簽署的公文顯示，五名負責守護人面獅身像的榮譽守衛，應該已經都在一次意外事件中身亡了。是這樣嗎？」

「我的確蓋了章。」

「可是公文所陳述的內容卻與事實不符。」

亞舍滿臉疑惑地放下了手臂，回答道：「軍方已經付給罹難者喪葬費了。」

「那只是其中三人，也就是衛兵長與另外兩名住在三角洲的衛兵，而且我找不出他們確切的死亡原因；至於另外兩名則被遣回底比斯地區退休養老。因此在那次所謂的死亡意外事件後，他們還活得好好的。」

「這就奇怪了。」亞舍將軍坦承：「我們可以聽聽他們怎麼說嗎？」

「他們兩人現在也都死了。第四名老兵在一次意外中喪命；但很可能是有人把他推進麵包烘爐中的。第五名老兵由於心生恐懼，便隱姓埋名當起了梢公。後來他也淹死了，或者應該說是被謀殺了。」

「抗議。」門殿長老宣稱：「根據當地的警察送到我這裡來的報告指出，那起事件的確是意外。」

「無論如何，五名衛兵中至少有兩名並非像亞舍將軍所聲稱的，是由司芬克斯墜落身亡。而且，梢公死前曾經對我透露，說其他的衛兵是遭到武裝的幾名男子和一名女子的攻擊而死的。他們說的是外族語言。這就是將軍報告中所隱瞞的事實。」

門殿長老皺起了眉頭。雖然他厭惡帕札爾，但是對於法官在大庭廣眾下所說的話他向來深信不疑，尤其他所披露的事實的嚴重性實在不可輕忽。就連孟莫西也深受震撼；於是，真正的審判開始了。

將軍激動地為自己辯護道：「我每天要簽那麼多份公文，我無法每件都親自查證，而且我也很少管退役軍人的事。」

「陪審團想必會覺得有趣，因為謝奇收藏神鐵的箱子所在的實驗室，就在一個退役軍人的營區。」

「那有何關聯？」亞舍氣憤地說：「意外事件已經由憲兵查證過了，我只不過是簽署行政公文，以便盡快舉行葬禮。」

「別忘了你宣誓過。」帕札爾先提出警告，接著問道：「現在我問你，你否認曾被告知司芬克斯衛兵受到攻擊一事嗎？」

「我否認。而且我也拒絕承擔這五人死亡的任何直接或間接責任。這樁悲劇與其後續事件，我完全不知情。」

將軍振振有詞地為自己辯護，也贏得了大多數陪審員的認同。法官的確揭露了一宗慘案；但是亞舍的過錯充其量也只不過是次要的行政疏失，而不至於涉及一起或多起血案。

「我並非想將這些怪現象扯進本案，」門殿長老說：「但是我覺得有必要再做進一步的調查。此外，第五名退役軍人的話難道毫無疑點嗎？他難道不會是為了吸引法官的注意，而捏造事實嗎？」

「他和我談話過後，才幾個小時，他就死了。」帕札爾提醒道。

「不幸的巧合。」

「如果他是被謀殺的，那表示有人不讓他透露更多的消息，也不讓他有機會出庭。」

「就算你說得都對，和我又有什麼關係？」將軍問道：「我要是去查證，我也會和你一樣發現榮譽衛兵並未在那場意外中喪生。這段期間，我一直在準備亞洲的征戰事宜，我完全投入在這項重要的工作中。」

帕札爾明知可能性不高，卻還是希望將軍的自制力能稍微失控，然而他畢竟還是抵擋了對手的攻勢，即使最鋒利的言詞也無法傷他分毫。

「請蘇提出席。」

戰車尉神色嚴肅地站起來。法官問道：「你還是不撤銷指控嗎？」

「是的。」

「說出理由。」

蘇提娓娓道出事情的經過，「我第一次出征亞洲時，和長官一同前往與亞舍將軍率領的軍團會合，但長官卻在途中遭敵人埋伏而喪命。當時我獨自行經一個不太安全的區域，我原以為自己迷路了，不料就在這個時候，我目睹了可怕的一幕。離我幾公尺外，有一個埃及士兵遭人折磨後被殺；我當時已經筋疲力盡，攻擊的他的人數又多，我實在幫不了他。其中一人先問他話，然後便殘暴地割斷他的喉嚨。這名罪犯，這個叛國賊，正是亞舍將軍。」

被告聽了這番言詞，依舊神色木然。

旁聽群眾卻是目瞪口呆，個個屏息以待。陪審員的臉色也突然凝重了起來。

「這些可恥的言論完全是信口胡謅。」亞舍將軍帶著一種幾近莊嚴的語氣說。

「否認是沒有用的。我親眼看見了，你這個殺人兇手！」

「冷靜一點。」帕札爾命令道：「這番證詞證明了亞舍將軍與敵人串通，也因此利比亞叛賊埃達飛至今仍下落不明。他的同謀事先將我方軍隊的位置向他通報，並且和他一起計劃侵略埃及。亞舍將軍的這項罪行不得不讓人懷疑他與司芬克斯一案有所牽連；他是不是藉著殺這五名士兵，來測試謝奇製造的武器呢？也許再作進一步調查之後，便能將我剛才所說的事件一一串連起來，事情真相也就大白了。」

「你不能判定我有罪。」亞舍冷靜地說。

「你質疑蘇提說的話？」

「我相信他說的是真的，但是他弄錯了。根據他自己的證詞，當時他已筋疲力盡，有可能眼花了。」

「殺人兇手的模樣深深烙在我腦海中，」蘇提肯定地說：「我還發過誓要找到他。那個時候，我並不知道他就是亞舍將軍。當我們第一次見面，他讚揚我的戰功時，我馬上就認出他來了。」

「你有沒有派偵察兵潛入敵區？」帕札爾問將軍。

「當然有了。」亞舍應道。

「派出多少人？」

「三個人。」

「他們的名字都會登錄嗎？」

「這是規定。」

「最後一次戰役後，他們都活著回來了嗎？」

亞舍將軍首度露出了不安的神色，「不……有一人死了。」

「就是被你親手殺死的那個，因為他發現你的真實身份。」

「不是這樣，我是清白的。」

陪審員們都注意到了將軍的聲音在發抖。

「你，集無數榮耀於一身，甚至身負教育軍官之責，竟然以最卑劣的手段背叛了自己的國家。你該認罪了，將軍。」

亞舍的眼神頓時顯得茫然。這一回，他幾乎就要認輸了。

「蘇提弄錯了。」

「請庭上准許我帶領幾名軍官與書記官前往現場。」蘇提提議道：「我一定找得到當時將他草草埋葬的地點。我們可以帶回他的遺體，請人認屍，然後再為他舉行一次隆重的葬禮。」

「我命令你們立刻出發。」帕札爾宣佈道：「亞舍將軍暫時先收押在孟斐斯的主要軍營，由警察人員看守。蘇提回來之前，不得與外界有任何接觸。屆時再度開庭，陪審團也將作出判決。」

※註1：雕刻在大門上的銘文。

第三十八章

孟斐斯仍有此次庭訊的餘音繚繞。有些人已經把亞舍將軍視為罪大惡極的叛國賊，並盛讚蘇提的勇氣和帕札爾法官的能力。

其實，帕札爾很希望能問問布拉尼的意見，但是依法規定，法官是不能在案件結束前與陪審員交談的。他謝絕了一些名人的邀請，獨自關在家中。不到一星期，他派遣的小組就會帶回被亞舍將軍殺害的偵察兵的屍體，到時候將軍便會窘狀畢露，最後被判死刑。蘇提也會晉升高位。最重要的是陰謀將得以粉碎，埃及也將從裡應外合的危機中得救。即使謝奇成了漏網之魚，至少大目標已經擊中了。

帕札爾並沒有騙奈菲莉。他的確無時無刻不在想她。即便是在庭訊過程，她的容貌也一直盤據著他的腦海。因此他必須更加專注於每一句話，以免一不小心便進入了只有她一人存在的夢境中。

帕札爾將神鐵與橫口斧鑿交給門殿長老之後，長老立刻送交普塔赫神廟的大祭司。法官將藉由各神廟的協助，追蹤這批神鐵的來源。帕札爾心裡有個小小的疑惑：為什麼沒有神廟申報失竊呢？由於物品與材料極為特殊，他的偵辦方向立刻朝一所富有、有權勢，也是唯一有能力擁有這類物事的聖殿去進行。

帕札爾讓亞洛和凱姆休假三天。亞洛便急急忙忙趕回家去了，因為家中又出了大事：他女兒開始拒吃蔬菜而只吃甜點。亞洛可以接受女兒的任性，可是他妻子卻不行。

凱姆則未曾遠離辦公室；他根本不需要休息，何況他還得保護法官的安全。就算沒有人敢碰法官，小心一點總是沒錯。

有一個理了光頭的祭司想進入法官家中，凱姆便上前盤問。祭司答道：「我有口信要傳達給帕札爾法官。」

「我可以轉達。」

「我必須親自告訴他。」

「等一下。」

雖然這個人沒有帶武器又長得瘦弱，凱姆卻有一種不踏實的感覺。他通報的時候，還不忘提醒，「有一名祭司想跟你說話。小心點。」

「到處對你來說都有危險！」

「至少讓狒狒陪著你。」

「好吧。」

祭司進了門，凱姆留在門後。狒狒則事不關己似的剝食著埃及姜果棕的堅果。

「帕札爾法官，明天天一亮，有人會在普塔赫神廟大門前等你。」祭司面無表情地說。

「是誰想見我？」

「我沒有其他的話要說了。」

「為什麼要見我？」

「我再說一次：我沒有其他的話要說了。請你剃除體毛、禁絕女色、靜思緬懷先人。」

「我是法官，我並不想成為祭司。」

「請你務必做到。願眾神保佑你。」

* * *

理髮師在凱姆的監督下，幫帕札爾完成了剃毛的工作。

「你現在完全光滑，符合神廟規定了！我們會不會少了個法官，多了個祭司呢？」理髮師認真地問。

「這只是衛生的考量。那些名人顯要不也都定期會做嗎？」

「你也成了顯貴了，真的！這樣最好。」理髮師興奮地說：「孟斐斯的大街小巷，人人都在談論你。有誰敢去惹權勢傾天的亞舍將軍呢？現在，大家都坦白說了，沒有人喜歡他。聽說他還折磨過一些小兵呢！」

昨天還被諂媚阿諛之言包圍，今天便遭眾人辱罵詆毀，亞舍在短短幾個小時內，從天堂掉進了地獄。外頭的謠言更是把他說得甚為不堪。帕札爾也得到了一個教訓：沒有人躲得過卑劣人性的陷阱。

「如果你不是去當祭司，」理髮師又說：「那一定是去約會。有很多女人就喜歡全身剃得乾乾淨淨的男人，像祭司一樣……或者本身就是祭司！她們當然也可以談戀愛，不過能經常和這些離眾神這麼近的人接觸，不是更刺激嗎？我向孟斐斯最有名的製造商買了一種茉莉和蓮花製成的乳液，抹到皮膚上可以香個好幾天呢。」

帕札爾答應了。於是，理髮師便到處宣揚這個大新聞：孟斐斯最強硬派的法官也是個有情趣的情人。是誰呢？就由大夥兒自己去猜了。

饒舌的理髮師離開後，帕札爾讀了一篇關於瑪特女神的文章。這位遠古的先祖正是歡樂與和諧的泉源。她是光明之女，本身也代表了光明，凡是為她效力的人都能得到她的幫助。

帕札爾於是請求她讓自己永遠正直光明。

* * *

即將破曉前，孟斐斯正漸漸甦醒之際，帕札爾到了普塔赫神廟大銅門前。一名祭司帶他走進了仍舊一片漆黑的側殿。凱姆一直極力反對帕札爾去赴這個奇怪的約會，因為以他的層級，他還無權進入神廟中調查。可是也許有某位僧人想提供有關神鐵與横口斧鑿失竊的消息呢，不是嗎？

帕札爾萬分感動。這是他第一次進入神廟內。在這幾道阻隔了俗世的高牆裡面，便是專職祭司們維護並傳布神力，以使得人類與造物者之間的聯繫源源不斷的宗教天地。當然了，神廟也是一個經濟中心，這裡的工坊、麵包坊、肉店和倉庫都網羅了全國最優秀的人才；此外，第一個露天的大庭院，在盛大節慶時也會開放給上流人士進入。然而，過了這個庭院便是神祕的領域，在這片石園中，任何人都不得大聲說話，以便聆聽眾神的聲音。

帶路的祭司沿著外側圍牆，來到了一扇小門處，小門上有一個當水閘用的銅輪；他二人轉動銅輪後，有水流出來，他們便用水洗了臉和手腳。祭司要帕札爾在柱廊入口處的黑暗中等著。

* * *

有幾名穿著白色亞麻服的隱士，從湖邊的住處走到湖邊汲水，進行清晨的沐浴淨身。隨後，他們排隊將蔬菜與麵包置於祭壇上，而大祭司則以法老之名（※註1）的點亮燈火，開啟神像所在的內中堂，撒乳香，然後便和埃及其他神廟中完成同一儀式的大祭司，同時頌念出「平靜地醒來吧」。

廟內的一間殿堂中，聚集了九個人。首相、傳旨官、白色雙院（即財政部）總監、運河官兼水居督、文書總監、農地總監、情報總長、地政書記官與法老總管，這九名「拉美西斯大帝的朋友」組成了一個委員會。每個月，他們都會在這個遠離辦公室與下屬的祕密地點會商，聖所的寧謐使他們能夠心無旁騖地思考。自從法老下達那些不尋常的命令，彷彿國家已經岌岌可危之後，他們的工作壓力便日益沉重了。每個人都要在自己的管轄範圍內，進行系統視察，以確保各高階主管都正直清廉。拉美西斯並要求盡快見到成效。一切不合法或縱容的情事，必須盡全力掃除，所有不稱職的公務員全部撤職。這九名朋友會見法老之後，都認為國君顯得憂慮，甚至於焦躁。

經過一夜長談，獲得不小的成果後，九人便各自告辭。一名祭司在巴吉耳邊低聲說了幾句話，巴吉立刻向柱廊走去。

「謝謝你來，帕札爾法官。我是首相。」

帕札爾本已經為廟中莊嚴的氣氛而深受感動，如今見到了首相，心中的感覺更是無以名狀。他只是孟斐斯一個小法官，竟有此榮幸能面見首相巴吉，這個以嚴厲震驚朝野的大人物。

巴吉比帕札爾還高，臉型微長，相貌嚴峻，聲音低沉而有些沙啞，說話時則帶著冷漠、命令式的口氣。

「我要在這裡見你是希望沒有外人知道。如果你覺得於法不合，你可以離開。」

「有話請說吧。」帕札爾恭敬地回答道。

「你知道你現在所召開的法庭有多麼重要嗎？」

「亞舍將軍是個重要人物，但是我想我已經揭露了他瀆職的事實。」

「你確實相信嗎？」首相問帕札爾。

「蘇提的證詞不容置疑。」

「他不正是你最好的朋友嗎？」

「是的，但是我們的友誼影響不了我的判斷。」帕札爾說得斬釘截鐵。

「這樣的錯誤是不可饒恕的。」

「我覺得罪證確鑿。」

「這應該是由陪審團來決定的吧？」

「我會尊重他們的決定。」

首相又提出另一項疑慮，「你攻擊亞舍就等於牽涉了整個亞洲防衛政策，我方的軍心將會受到影響。」

「若不揭發事實，國家將遭遇更大的危險。」

「有人企圖妨礙你的調查嗎？」

「軍方曾經設下一些陷阱，而且我相信一定有人被謀殺。」

「第五名退役軍人？」

「五名退役軍人都是暴力的受害者，其中三人在吉薩遇害，另外兩名則是在自己的村子。這是我個人的想法，接下來的調查工作就落在門殿長老身上了，可是……」

「可是什麼？」

帕札爾遲疑了。首相，就在面前。輕率的言論將會導致嚴重後果，隱藏自己的想法又等於說謊。從前曾經欺騙過巴吉的人，現在已經都離開了政府部門。

「可是我覺得他並未以應有的毅力進行調查。」最後他還是老實說出了自己的想法。

「你這是在指責孟斐斯最高層的法官無能嗎？」首相質問時，眼神中射出了一道鋒芒。

「我覺得他已經不再有對抗黑暗勢力的興趣了。他的經驗常常使他預見太多令人憂心的結果，因此他寧願退縮起來、不去冒險。」

「這是很嚴厲的批判。你認為他受賄？」

「他只是與一些重要人物關係密切，因而不願得罪他們。」

「這樣就太違背司法正義了。」

「這也是我所不願見到的。」

巴吉想了想之後，說道：「亞舍將軍若被判有罪，他會上訴。」

「這是他的權利。」

「無論判決結果如何，門殿長老都不會讓你移交本案，並會命你繼續追查疑點。」

「這點我實在不敢肯定。」

「你錯了，因為我會命令他這麼做。我要知道一切真相，帕札爾法官。」

* * *

「蘇提昨晚就回來了。」凱姆向帕札爾說。

帕札爾深感驚訝。

「那他怎麼沒來找我？」

「他被扣留在軍營。」

「這是違法的！」

帕札爾立刻趕到主軍營，見他的是這次指揮該小組的書記官。他憤憤地說：「我要你解釋清楚。」

「我們到了出事的現場。戰車尉蘇提認出了確實的地點，但是我們怎麼也找不到偵察兵的屍體。因此我認為有必要拘留戰車尉。」

「只要仍在開庭期間，你就不能作這樣的決定。」

書記官承認法官說的有理，便馬上釋放了蘇提。

兩個朋友一見面便緊緊擁抱在一起。帕札爾關心地問：「你沒有受到刑求吧？」

「沒有。跟我一塊兒上路的同伴都相信亞舍有罪，沒找到屍體，他們都很失望。那些人為了湮滅所有線索，連洞穴都搗毀了。」

「可是我們一直都很保密呀。」帕札爾實在不懂。

「亞舍和他的同黨這麼做是以防萬一。帕札爾，我竟也跟你一樣天真；光憑我們兩人的力量是打不倒他們的。」

「我們還沒有敗訴，而且，我現在可以全權處理了。」

＊　＊　＊

第二天庭訊再度開始，帕札爾傳蘇提出庭。

「請你敘述一下你們前往犯罪現場的情形。」

「在那些宣誓過的證人面前，我發現屍體失蹤了。現場也全被破壞了。」

「可笑。」亞舍說道：「戰車尉分明捏造事實，現在又想辯解。」

「你仍不願撤銷你的指控嗎，戰車尉蘇提？」

「我的確親眼見到亞舍將軍折磨並謀殺一名埃及人。」蘇提的態度依舊堅決。

「那屍體呢？」被告譏諷地問。

「你把屍體搬走了。」

「我堂堂亞洲軍團的指揮官會犯下這種卑鄙無恥的罪行！誰會相信？其實還有一種可能：難道不是你串通貝都因人，殺害了你當時的戰車尉長官？又難道不是你這個殺人兇手為了保住自己的名聲，而含血噴人？你拿不出證據，就表示一切都是你在搞鬼。因此我一定要懲罰你。」

蘇提握緊了拳頭，怒道：「你有罪，你自己心知肚明。你殺害了自己的部屬，還讓你自己的士兵自投羅網，你怎麼還有臉教導我們部隊中的精英人才？」

亞舍以低沉的聲音說道：「你再說吧，陪審員對你這番越來越荒謬的言論一定會感興趣的；是啊，我很快就會被任命為埃及軍隊的終結者了。」

將軍臉上嘲弄似的微笑，博得了陪審團的信任。

「蘇提已經宣誓過了。」帕札爾提醒道：「而且你也承認他是個優秀的軍人。」

「正是他的英雄主義讓他昏了頭。」

「屍體不見了並不表示戰車尉的證詞無效。」

「但是，帕札爾法官，你該承認證詞的效力確實大大減小了！我也一樣宣誓過啊。我說的話難道就比不上蘇提的話嗎？如果他真的目睹了謀殺，那麼就是他看錯人了。只要他立刻公開向我道歉，我願意原諒他暫時的瘋狂行為。」

於是帕札爾問原告，「戰車尉蘇提，你願意接受這項建議嗎？」

「自從我從死亡邊緣脫逃之後，我就發誓要將那個卑鄙的人繩之以法。亞舍真的很狡猾，他讓整個事件依舊疑雲重重。現在，他竟要我否定自己說過的話！可是就算我只剩最後一口氣，我也要實話實說。」

「面對一個失去理智、冥頑不靈的士兵，本人，將軍兼國王右側持扇者，堅稱我是清白的。」

此時的蘇提真想衝向將軍，勒得他喘不過氣來。但見到帕札爾注視著自己，只得強忍了下來。

「在場諸位有誰要發言嗎？」

大家都沒有說話。

「既然如此，就請陪審團開始商議吧。」

*　*　*

陪審團在王宮的一間廳室中進行商議，由法官擔任主席，但是法官在辯論時完全無權發言。

他只負責指定發言人、避免團員間的衝突，並維持法庭的秩序與尊嚴。

首先發言的是孟莫西，他十分客觀而沉穩。他說完之後，結論也大致底定，其他人只是陸續又做了細節上的補充，並未大幅更動。不到兩個小時後，帕札爾便宣讀判決，由亞洛記錄。

「牙醫喀達希犯了偽證罪。由於所說的謊並不嚴重，加上他有過輝煌的行醫紀錄，又已年邁，因此判他奉獻一頭肥牛給神廟，並給予退役軍人營區一百袋穀糧，以賠償他不當的打擾。」

牙醫鬆了一口氣，拍了拍雙膝。

「牙醫喀達希，你是否接受判決，或者希望上訴？」

喀達希站了起來，說道：「我接受，帕札爾法官。」

「化學家謝奇則無罪釋放。」

留著黑色小鬍子的化學家卻毫無反應，臉上甚至看不到一絲笑容。

「亞舍將軍確實犯了兩項行政疏失，但並不影響亞洲軍團的運作。此外，他所提出的辯詞亦可成立。因此只給予他一次警告，以避免再犯同樣的過失。陪審團認為謀殺的指控並不具體，因此目前不將亞舍將軍視為叛臣或殺人犯，但也不將戰車尉蘇提的證詞視為誹謗。由於關於幾項重要事實尚有疑點待澄清，陪審團也無法做出確切的判決，因此本庭要求延長調查，以便儘早查明真相。」

※註1：法老是埃及唯一的「祭司」；只有他能維繫社會與神的關係。在埃及各個神廟內，專職祭司是由法老授權代理舉行各項宗教儀式。

第三十九章

門殿長老正在為木槿林問的鳶尾花壇澆水。五年前妻子去世後，他就一個人住在南區的別墅。

「你這樣做感到驕傲嗎，帕札爾法官？你玷污了原本人人敬重的將軍的聲譽，讓人心恐慌，卻又無法使你的朋友蘇提獲得勝利。」

「這不是我的目的。」

「那麼你想要什麼？」

「事實真相。」

長老故作恍然大悟狀：「喔，事實真相啊！你不知道事實比泥鰍更滑溜而難以掌握嗎？」

「但我不是也披露了一項對國家不利的陰謀嗎？」

長老不耐煩地說：「別再說這些蠢話了。還是先幫我站起來，然後在水仙根部慢慢地澆點水。這樣能夠化解一點你平常的戾氣。」

帕札爾照做了。長老問道：「你安撫了我們的英雄了嗎？」

「蘇提的怒氣難消。」

「他想怎麼樣？他以為草率行事就能推翻亞舍？」

「你跟我一樣知道他有罪。」

「你太不謹慎了，又一項缺點。」長老搖著頭說。

「我的論點會使你不安嗎？」帕札爾反問道。

「到我這把年紀，什麼也打動不了我。」

「我以為恰恰相反。」

「我累了，已經不能再進行長時間的調查工作了。既然你開始了，就繼續做吧。」長老懶懶地說。

「我應該沒聽錯……」帕札爾有點懷疑自己的耳朵。

「你完全沒聽錯。我已經決定了，就不會再變卦。」

* * *

消息在王宮和各公家機關很快地傳了開來；出乎意料之外的是，高層竟然沒有讓帕札爾法官移交出亞舍一案。雖然這次的案子並沒有成功，他的嚴格卻使得不少達官貴人對他另眼相看。他既不偏袒原告，也不袒護被告，預審中所有缺漏之處他都直指不諱。有些人覺得他年紀雖輕卻是前途無量，不過以被告的性格看來，也應該多少會受影響吧。或許帕札爾不該太相信蘇提的證詞，他畢竟只是個曇花一現、性情怪異的英雄；假如大家在細想之後，都相信將軍是無辜的，那麼一定都會認為法官太過於擾民了。可是如果五名退役軍人的死與神鐵的失竊，果真牽涉到一項陰謀，那麼這幾宗引起爭議的案件就不該受忽略。無論如何，國家、司法機關、朝野顯要、全國人民都期待著帕札爾法官早日揭發真相。

雖然帕札爾受命繼續調查，平息了蘇提的憤怒，但他還是窩在豹子的懷中，希望能忘卻失望的心情；他答應了帕札爾在尚未商議出對策之前，不可輕舉妄動。他仍保有戰車尉之職，不過卻得等到正式宣判之後，才有機會再參與任務。

* * *

沙漠與採石場上的沙石在夕陽下閃著金光；工人的工具不再發出聲響，農夫回到了農場，驢

子也卸下了重擔休息了。孟斐斯的居民都在屋頂的平台上，一邊乘涼一邊吃著乾酪、喝著啤酒。勇士伸直了身子躺在布拉尼的陽台上，回味著牠剛才吃完的烤牛肉的滋味。遠方吉薩高地上的金字塔，就像幾個完美無暇的三角形，矗立在永恆邊界上的暮色中。這一夜的埃及也將如同拉美西斯大帝統治下的每一夜，靜靜地入睡，等待著太陽戰勝深淵之蛇（※註1）後再度升起。

「你已經越過障礙了。」布拉尼說。

「談不上是成功。」帕札爾不同意老師的說法。

「你已經被公認為正直、有能力的法官，又能夠毫無羈絆地繼續追查真相，還能奢求什麼呢？」

「亞舍發了誓卻又說謊，他不但是殺人兇手，更發了偽誓。」

「陪審員並沒有指責你。不論是警察總長或妮諾法夫人都沒有試圖為將軍脫罪。他們讓你得以執行天命。」布拉尼試圖安慰他。

「門殿長老很想讓我交出這件案子。」

「其實他對你的能力很有信心，而且首相也希望獲得更充分的資料，以便做適度的干預。」

「亞舍已經有所防範，銷毀了所有的證物。我的調查恐怕不會有太大的收穫。」

「你未來的道路既險又長，但你一定能到達終點的。不久，你將獲得卡納克大祭司的支持，廟裡的檔案資料將隨時供你取用。」

布拉尼的任命一旦生效，帕札爾就要馬上調查有關神鐵與橫口斧鑿失竊的案子了。

「帕札爾，你終於能完全自主了。你要明辨公理，不要受到那些正邪混淆、對錯不分的人蠱惑，而誤入歧途。這次的審訊只不過是個小小開端，真正的衝突還在後面呢。奈菲莉一定也會以你為傲的。」

夜空的星光中閃爍著聖哲的靈魂。帕札爾不由得感謝諸神，讓他在人間也能遇見這麼睿智的一個人。

＊　＊　＊

北風是一隻靜默、喜歡沉思的驢子。只有很特別的時刻，牠才會發出這種驢子特有的嘶叫聲，又尖銳又刺耳，幾乎可以把整條巷子的人全吵醒。

帕札爾驚醒了，的確是北風的叫聲，這時天才剛亮，他和勇士本來打算今天要多睡一會兒的。帕札爾打開了窗戶。

屋外聚集了二十來個人。只見御醫長在前面揮舞著拳頭吆喝道：「帕札爾法官，這些是孟斐斯最優秀的醫生！我們要告奈菲莉醫生製造危險藥品，還要把她趕出醫生團體。」

＊　＊　＊

帕札爾在最熱的時刻在底比斯西區上了岸。他調來了警方的車載他到奈菲莉住的村莊，原本在擋雨檐下睡午覺的司機，也只好聽令火速前往了。

一切都在太陽的掌控之下，時間停滯不前，棕櫚樹彷彿將永遠這般青澀，人也陷入了無聲的昏沉狀態。

奈菲莉不在家，也不在實驗室裡。

「在運河那裡。」被喚醒的老人說。

帕札爾不再搭車，一人沿著麥田，穿過林蔭庭園，經由小徑來到了村民經常前來浸浴的運河。他走下陡斜的坡路，穿越一片蘆葦叢，他見到她了。

他本該出聲叫她，閉上眼睛，轉過身去，然而奈菲莉的美實在太迷人了，他整個人愣在當下，一句話也說不出來。

她赤裸著身子在游泳，姿態的優雅就彷彿不受任何阻力，只是隨著水波前進。她把頭髮攏在蘆葦編成的泳帽裡，因而能在水中穿梭自如。頸間，掛了一串綠松石珠子項鍊。

她看見帕札爾後，還是繼續游泳，並向他招呼道：「水好舒服，下來泡泡水吧。」

帕札爾於是脫去纏腰布向她游去，渾然不覺河水的清涼。他握住了她伸出的手，內心激動難抑。忽然一波浪打來，推近了兩人的距離。當她的乳房碰觸到帕札爾的胸膛時，她並沒有退縮。帕札爾於是放大了膽子把嘴唇貼上她的唇，然後緊緊地抱住她。

「我愛妳，奈菲莉。」

「我會學著愛你的。」

「妳是我的第一個女人，以後也不會再有第二個了。」

他吻了她，姿勢有點笨拙。兩人相擁著上了河岸，躺在蘆葦叢中的沙灘上。

「我也是第一次，我還是處女。」奈菲莉輕輕地說，帶著點羞澀。

「我要把一生獻給妳。明天我就到妳家去提親。」

她笑了笑，全身散發著一種被愛情征服的慵懶，「愛我，好好愛我。」

他翻身壓在她身上，定定地凝視著她湛藍的雙眼。他們的身與心就在這正午的陽光下結合了。

* * *

奈菲莉靜靜聽著父母的訓示；她的父親以製造門閂維生，母親則在底比斯市中心的一家工作坊當織布工。父母親都不反對這門親事，但是他們希望先見見未來的女婿再說。當然了，奈菲莉結婚並不需要徵求他們的同意，但她對雙親的尊敬使得她無法忽視他們的意見。母親的看法有所保留：帕札爾會不會太年輕了一點？至於他的未來，疑慮也就更大了。而且，今天是提親的日子耶，竟然還遲到！

他們的煩躁也感染了奈菲莉。她腦中忽然閃過一個可怕的念頭：若是他已經不愛我了呢？若是不像他所說的，其實他只想追求一段短暫的激情呢？不，不會的，他的愛必定能堅如底比斯山。

他終於出現在奈菲莉雙親簡樸的住處了。為了使這一刻顯得更正式與鄭重，奈菲莉必須保持冷淡的態度。「很抱歉，我在巷弄裡迷路了。我的方向感實在不太好，平常都是我的驢子帶路的。」

「你有驢子？」奈菲莉的母親驚訝地問。

「牠叫北風。」

「年輕又健康嗎？」

「他從來沒有生過病。」帕札爾笑著說。

「你還有什麼財產？」

「下個月我在孟斐斯就有房子了。」

「法官是個不錯的職業。」父親說道。

「我們的女兒還很年輕，你不能再等等嗎？」母親坦白地問。

「我愛她，我希望馬上和她結婚，一刻也不要浪費。」帕札爾的神情十分嚴肅而堅決。奈菲莉深情地凝視著他，分明已經深陷情網，她的雙親也只好屈服了。

* * *

蘇提的車馳騁過孟斐斯主要軍營的大門，衛兵急忙丟下長矛撲身倒地，以免被馬車輾得粉碎。蘇提沒有勒馬便跳上了台階，馬兒則繼續飛馳進了大中庭。他四階併做一階，直奔位於高階將領區中亞舍將軍的住處。他前臂往頸背一切，解決了第一個警衛，然後一拳擊倒了第二個警衛，接著又一腳踢中了第三名警衛的命根子。這個時候，第四名警衛則趁機拔劍出鞘，傷了他的左肩。劍傷的痛楚更激增了蘇提的怒氣，他兩手一握，便將對手捶昏了。

亞舍將軍坐在一張草蓆上，面前攤著一張亞洲地圖，他轉過頭問蘇提，「你來做什麼？」

「消滅你。」蘇提恨恨地說。

「冷靜一點。」

「你逃得過法律制裁，逃不過我。」

「你要是攻擊我，你就無法活著離開這個軍營。」將軍語帶威脅。

「你雙手沾滿了多少埃及人的血？」蘇提咬牙切齒地說。

「你當時太累了，所以才會眼花。你看錯人了。」將軍仍舊矢口否認。

「你明知道不是這樣。」

「我們和解吧。」

「和解？」

「我們公開和解是最完美的解決方式。這樣一來，我可以安穩地當我的將軍，你也可以獲得晉升。」

他話才說完，蘇提便撲了過去，死命地掐住他的脖子，「去死吧，敗類！」

亞舍將軍寬宏大量，並不對蘇提提出告訴。雖然蘇提認錯了人，但是他能夠理解，換做是他的話，他也會有相同的反應的。這番言論為他博得了不少人的好感。

＊　＊　＊

打底比斯回來之後，帕札爾千方百計要把被拘留在主要軍營的蘇提救出來。亞舍甚至答應只要蘇提主動辭退軍職，他便不再追究他違抗命令與侮辱長官的罪行。

「接受吧。」帕札爾建議道。

「對不起，我沒有遵守承諾。」

「對你，我總是太寬容了。」帕札爾苦笑著說。

「你打不倒亞舍的。」蘇提十分沮喪。

「我會堅持下去。」

「他太狡猾了。」

「別再想軍隊的事了。」

「反正我一向討厭紀律的束縛。我還有其他的計劃。」

帕札爾對他的計劃恐怕是心裡有數。他不願再談，便問道：「你可以幫我準備一個宴會嗎？」

「什麼宴會？」

「我的婚宴。」

＊　＊　＊

陰謀者在一處廢棄的農場重聚了。每個人都十分小心，沒有被跟蹤。

自從掠奪了大金字塔，盜走了法老王正統地位的象徵物事之後，他們只是在一旁觀看。最近發生一連串的事件，使得他們不得不做決定了。

只有拉美西斯大帝一人知道，他的王位很可能朝不保夕。一待他力量減弱，他就必須舉行再生大典，屆時他就不得不向朝廷與全國人民承認他已經不再擁有眾神的遺囑了。

「國王的耐力比我們想像的要強多了。」第一個人說。

「耐心等待，這才是我們最好的武器。」另外一個安撫著他。

「已經過了好幾個月了。」他依然不安。

「我們有什麼損失呢？法老王現在已經是綁手綁腳了。他有所行動、向官員採取強硬態度，但是卻找不到可以信任的人。他現在很堅定，但終究會漸漸軟化變弱；他已經走投無路了，他自己知道。」

「可是我們丟了神鐵和橫口斧鑿。」

「那是一時失算。」安撫者已快失去耐心。

「我很害怕。我們應該就此罷手，把偷來的東西還回去。」

「笨蛋！」

「眼看就要成功了，不能輕言放棄。」第三個人發言了。「埃及已經在我們的手中了；不用多久，整個國家和財富都將屬於我們。你難道忘了我們偉大的計劃嗎？」

「任何征戰都難免有犧牲，這次的犧牲也將更大！我們不能因為內疚而前功盡棄。幾具屍體有什麼關係，最重要的是要完成我們的大業。」第四個人勸著浮躁者。

「帕札爾法官的確是個危險人物。我們今天之所以聚會，就是因為他的緊追不捨。」

「他會慢慢鬆懈的。」第四個人冷靜又威嚴。

「你錯了，他的頑強絕非其他法官可比。」

「他什麼都不知道。」

「第一次主持那麼大的庭訊，卻能毫無懼色。他有些直覺是很可怕的；他蒐集了不少重要的證物，很可能會壞了我們的事。」

「他初到孟斐斯時，只有一個人；現在卻擁有不可忽視的支持力量。如果他再往正確的方向踏出一步，還有誰能阻止得了他？我們一定要阻撓他後續的動作。」

「現在還不算太遲。」勝利者絕不會自亂陣腳。

※註1：每晚太陽都必須在地下的世界對抗並擊敗巨蛇阿普皮斯，這隻巨蛇在中古神話中則以龍的型態出現。

第四十章

來自底比斯的船靠岸了，蘇提在碼頭上等著奈菲莉。「妳是全世界最美的人了！」

「在英雄面前，我應該臉紅嗎？」

「看到妳，我就寧願當法官。來，把妳的行李給我，我相信驢子一定會很樂意幫妳背的。」

奈菲莉似乎有點擔心，「帕札爾呢？」

「他還在打掃房子，所以由我來接妳。我真是替你們兩個高興！」

「你的身子好嗎？」

「妳真是神醫。我已經恢復體力，而且打算大顯身手了。」

「希望沒有闖什麼禍吧？」奈菲莉調侃他說。

「放心。走吧，別讓帕札爾等太久了。從昨天開始，他就只擔心風向不對、船隻誤點，還有一大堆可能耽誤妳行程的災難。戀愛到這種地步真是不可思議。」

北風穩穩地在前面帶路。

帕札爾放了書記官一天假；他在住家門前裝飾了許多花，室內還用煙燻過。空氣中飄著淡淡的乳香與茉莉花的香氣。

帕札爾將奈菲莉抱在懷中時，兩人養的綠猴和狗正以一種不信任的眼神對望著。這一區的居民一向對不尋常的氣氛十分敏感，這一次自然也不例外。

「我把村子裡的病人丟下不管，實在有點擔心。」

「他們得去適應另一個醫生啊；過三天，我們就搬進布拉尼家。」

「你仍然想娶我嗎？」

他沒有回答，只是將她抱起，走過小屋的門檻；在這裡，他曾經度過多少個對她魂牽夢縈的夜呀。

外頭響起了一片歡呼聲。帕札爾和奈菲莉既然住在同一個屋簷下，便已經有了正式的夫妻名份，無須再舉行其他儀式了。

* * *

與區中居民一夜狂歡之後，他們倆相擁入睡直到隔天中午。帕札爾一醒來，便以無限憐愛的眼神注視著奈菲莉，他實在不敢相信幸運之神竟對他如此眷顧。而她則緊閉著雙眼，拉起丈夫的手放在自己的胸口，柔聲說道：「你發誓，說我們永遠也不分開。」

「但願眾神讓我倆合而為一，讓我們的愛情永世不渝。」

在他們配合得天衣無縫的軀體內，同時有一份欲望在顫動著。他們所領略的不只是感官上的歡愉，也不只是年輕肉體的激情與飢渴，實際上，他們已經超越了靈肉的界線到達另一個永恆的時空了。

* * *

「帕札爾法官啊，我們什麼時候開庭呀？我聽說奈菲莉已經回到孟斐斯了，想必她已經準備好了吧。」

「奈菲莉現在是我的妻子了。」

御醫長噘著嘴，「可惜。她被判刑，將有損你的聲譽。如果你還為你的前途著想，就應該儘早離婚。」

「你還是堅持要告她嗎？」

奈巴蒙放聲大笑，「你被愛情沖昏頭了嗎？」

「我這裡有奈菲莉在實驗室製造的藥品清單。藥材是由卡納克神廟的園丁卡尼供應的。你也應該看得出來藥品完全是根據藥典上所記載的方法配製的。」

「你可不是醫生，帕札爾。再說這個什麼卡尼的，他的證詞也說服不了陪審團。」

「那麼你覺得布拉尼的證詞會比較有效嗎？」

御醫長臉上的笑容變得有點僵硬，「布拉尼已經不執業了，他……」

「他將擔任卡納克神廟的大祭司，而且會出面為奈菲莉作證。布拉尼的一絲不苟與正直的個性是眾所週知的，他檢查了你所說的那些有毒藥品，並未發現任何異常之處。」

奈巴蒙憤怒極了，老醫生的威望將會使奈菲莉的名聲更響亮。「我真低估你了。你的確足智多謀。」

「我只是以事實來抵抗你毀滅的欲望罷了。」

「今天算你贏，明天恐怕就要讓你失望了。」

* * *

奈菲莉先睡，帕札爾還在一樓研究卷宗。忽然間，驢子大叫了起來，他知道有人來了。

他走出去一看，沒人。地上掉了一張紙莎草紙。紙上的筆跡潦草，必定是匆忙間寫就的。

「布拉尼有危險。快來。」帕札爾立刻連夜趕去。

布拉尼住處的四周顯得很平靜，然而這麼晚了，大門卻還開著。帕札爾穿過了第一個房間，看見老師靠牆坐著，頭垂在胸前。

他的脖子上插了一根貝殼做的細針，上面染有血跡，脈搏已經不再跳動了。帕札爾大驚失色，但不得不接受這個事實：布拉尼被謀殺了。

＊　＊　＊

突然有幾名警察衝進來圍住帕札爾。帶頭的是孟莫西，他大喝道：「你在這裡做什麼？」
「有人寫紙條警告我說布拉尼有危險。」
「紙條呢？」
「我把它丟在我家門前的路上了。」
「我們會查清楚。」
「為什麼用這種懷疑的口氣？」
「因為我認為你有謀殺之嫌。」
孟莫西在大半夜裡叫醒了門殿長老。長老正低聲抱怨時，才驚訝地發現帕札爾身旁各站了一名警察。
「在事實公開之前，我想先徵求你的意見。」孟莫西對長老說。
「你逮捕了帕札爾法官？」
「有血案發生。」
「他殺了誰？」長老不敢相信。
「布拉尼。」
「太荒謬了。」帕札爾插嘴道：「他是我的老師，我向來很尊敬他。」
「你怎麼能這麼肯定，孟莫西？」長老也覺得不太可能。
「我當場目睹，帕札爾將一根貝殼做的細針插進布拉尼的脖子；死者流的血不多。當我和手下進屋時，他剛剛結束這個動作。」
「你錯了。」帕札爾反駁道：「我也是剛剛才發現屍體的。」

「找醫生來驗屍了嗎？」長老問孟莫西。

「是的，奈巴蒙親自驗屍。」

儘管有錐心刺痛，帕札爾還是試著反擊，「孟莫西，你在這個時間帶著小隊人馬到這裡來，實在有點奇怪。這點你作何解釋？」

「夜間巡邏。有時候，我會和下屬一起行動。這是了解他們的問題並加以解決的最佳方法。今天運氣不錯，逮到了現行犯。」

「誰指使你來的，孟莫西？這個圈套是誰設下的？」見帕札爾情緒激動，兩名警察連忙抓住他的手臂。

門殿長老則將警察總長拉到一邊。「孟莫西，你老實告訴我，你真的是碰巧到那裡去的嗎？」

「也不盡然。昨天下午我在辦公室收到一封匿名信，所以天一黑，我就到布拉尼住處附近守候。我看到帕札爾進屋，立刻上前盤問，可是已經太遲了。」

「你確定是他殺的？」

「我沒有看見他把針插進死者的身體，不過除了他還有誰？」

「一點差別都是重要的關鍵。亞舍的醜聞過後，又發生這樣的事情，還牽涉到我底下的法官！」

「司法有司法的職權，我也有我的責任。」

「還是有個疑點：他的動機為何？」門殿長老總覺得事有蹊蹺。

「這個不重要。」

「當然重要。」

門殿長老似乎有點慌亂，孟莫西便提出建議，「先把帕札爾藏起來。對外宣稱他為了調查亞舍將軍一案，已經離開孟斐斯前往亞洲。這裡太危險了；他很可能會死於意外或遭刺殺。」

「孟莫西，你該不會……」

「長老，我們相識很久了。國家的利益一直是我們唯一的考量。難道你真的希望我去找出發匿名信的人？這個小法官真是個討厭的傢伙；孟斐斯需要的是安靜的生活。」

帕札爾打斷了他們的談話。「你這樣打擊一個法官是不對的。我會再回來發掘真相。我以法老的名義發誓，我一定會再回來的！」

門殿長老卻閉上了眼睛，捂住了耳朵。

* * *

奈菲莉擔心得幾乎要瘋了，她到處詢問同區的居民，有人確實聽到了北風的叫聲，但是卻沒有人能提供任何有關法官失蹤的線索。蘇提得到消息後，也四處打探，卻毫無所獲。布拉尼的住處門窗緊閉。心慌意亂的奈菲莉只有去找門殿長老了。「帕札爾失蹤了。」

大法官露出了萬分驚訝的神情，「別胡思亂想！妳放心：他只是在執行一項祕密的調查任務。」

「他在哪裡？」

「就算我知道，也不能告訴妳。可是事實上，他也沒有透露細節，所以我並不知道他的行程。」

「他什麼都沒說啊！」奈菲莉實在不相信帕札爾會就這麼離開她，什麼也沒有說。

「他做得沒錯。否則若是洩了密，他可真該受罰了。」

「但是他怎麼可能在半夜，一句話也沒有交代就走了？」

「他可能不想讓妳嚐到離別時的痛苦吧。」

「我們後天就要搬進布拉尼的家了。我想找老師談談，但是他已經出發前往卡納克了。」

門殿長老的聲音突然沉了下來：「可憐的孩子……妳還不知道嗎？布拉尼昨晚去世了。他以前的同事將會替他舉辦一場盛大隆重的葬禮。」

第四十一章

小綠猴不再嬉戲，狗兒也不吃東西，驢子那雙大眼睛更充滿了淚水。布拉尼死了，丈夫又不知所蹤，遭逢遽變的奈菲莉已經沒有行動的力氣了。

蘇提和凱姆前來幫她。軍營一個一個地跑，行政機關一個一個地查，公職人員一個一個地問，只希望能探聽到有關帕札爾出任務的消息，哪怕一點點也好。然而，他們敲不開任何一扇門，也問不出任何一句話。

奈菲莉驚慌失措之餘，才知道自己有多麼愛帕札爾。那麼久以來，她一直隱藏著自己的感情，深怕太輕易地投入；是他的堅持，才一天天開啟了她緊閉的心扉。她已經和帕札爾完全結合在一起了；如今分隔兩地，他們倆都會日漸衰頹。沒有他在身邊，人生也失去了意義。

* * *

奈菲莉在蘇提的陪同下，在布拉尼墳墓的禮拜堂內獻上蓮花。

老師是不會消失的，他的心意能與重生的太陽相通，靈魂也將因此獲得能量，而不斷往返於冥世與黑暗的陵墓之間，並散發出無限的光芒。

蘇提太過於緊張，根本無心祈禱。他走出禮拜堂，撿起一塊石頭擲向遠方。

奈菲莉把手放在他肩膀上，毫不猶豫地說：「我相信他一定會回來。」

「我有好幾次差點把那個該死的門殿長老逼問得無言以對。可是他實在比蛇還要狡猾。『祕密任務』：他只會說這四個字。現在他連我的面也不見了。」

「你有什麼計劃？」

「到亞洲去找帕札爾。」

「就這樣毫無頭緒地去？」

「我在軍隊還有一些朋友。」

「他們幫了你？」

蘇提低垂著雙眼，黯然說道：「他們什麼也不知道，好像帕札爾就在空氣中消失了一樣！妳能想像當他得知老師的死訊時，會有多麼憂傷沮喪嗎？」

奈菲莉全身不禁起了寒意，他們一起離開墓園，兩顆心都揪得更緊了。

* * *

狒狒警察狼吞虎嚥地吃了一隻雞腿。身心俱疲的凱姆則在木桶裡，泡了個芳香的溫水澡，然後換上乾淨的纏腰布。奈菲莉已幫他準備好一點肉和蔬菜。

「我不餓。」凱姆說。

「你已經多久沒睡了？」奈菲莉看著他，不忍心地問道。

「三天吧，也許更久一點。」

「沒有結果？」

「沒有。我可是卯足了全力，但我的線民都守口如瓶。我只能確定一件事：帕札爾已經離開了孟斐斯。」

「所以他可能到亞洲去了……」

「不告而別嗎？」就連凱姆也不相信。

* * *

普塔赫神廟頂上，拉美西斯大帝正凝神注視著這個偶爾焦躁不安、但大多數時候充滿歡愉的都市。白色的城牆外，一大片綠油油的農田，再過去便是死者棲息的沙漠。主持了十幾個小時漫長的儀式之後，法老獨自一人在這屋頂上，享受著夜裡涼爽宜人的空氣。

宮廷裡、法庭上、各省內，一切如常。那股威脅的力量似乎隨著水流遠離了。然而，拉美西斯想起了先哲伊普烏爾的預言，他說盜賊將日漸增多、金字塔將遭侵入，而且權力的祕密將落入部分小人手中，為了滿足本身的權力欲望與瘋狂念頭，他們將摧毀埃及的千年文明。

他小時候，每當在教師嚴格的督導下讀這篇著名的文章時，總會因字裡行間的悲觀感到憤慨不平；一旦他登基了，一定要將這篇預言永遠滅除！他太過自負、太過輕浮，竟然忘了誰也無法拔除人類內心邪惡的根，即使法老也一樣！

如今，雖然有數百朝臣的恭維奉承，但是他卻有如迷失在沙漠中的旅人，必須獨自搗散那片黑壓壓的烏雲，否則太陽很快就會被遮住了。拉美西斯太清醒了，因此這絕對不可能是幻覺；其實這場仗已經未打先輸，因為他根本不知道敵人的面貌，更談不上採取主動的攻勢了。

他，成了自己國家的囚犯、最可怕的廢黜行動中的犧牲者，他的心靈彷如得到不治之症而飽受無情的啃嚙，他曾經是埃及最受稱揚的國王，如今卻只得如此黯然下台，就像沉入淤濘的沼澤一般。為了保住自己最後的尊嚴，他必須坦然接受命運的安排，而不發出懦弱的哀求。

* * *

陰謀者再度碰面時，每個人嘴角都帶著真誠的微笑。他們慶幸著計策的成功，使他們向美好的未來又邁前了一步。機會，不正是屬於勝利者嗎？儘管他們曾經互相批評個一兩句、抨擊過某某人的行為、譴責過某某人的疏忽，但是在這個勝利時刻，新國家即將誕生的前夕，一切嫌隙都煙消雲散了。流過的鮮血不復記憶，最後的一絲內疚也隨風而散。

每個人都做好了自己份內的工作，誰也沒有被帕札爾法官擊倒；這群未曾驚慌誤事的陰謀者，展現了彼此間無比的凝聚力，而這股珍貴的力量，更是在不久的將來權力分配時所不可或缺的。

現在只剩下最後一道手續，便能夠永遠剷除帕札爾法官這號幽靈人物了。

＊　＊　＊

驢子的叫聲使奈菲莉警覺到有來意不善的人出現了。已經半夜，她點亮了燈，推開窗子往路上看。有兩名士兵在敲她的門。他們聽到窗戶的聲音，抬起頭來，問道：「妳就是奈菲莉？」

「我是，可是……」

「請跟我們來。」

「有什麼事情？」

「上級的命令。」

「如果我不去呢？」

「我們只好用強了。」勇士低聲咆叫著。

奈菲莉原本可以大聲叫醒鄰居，但是她卻安撫了狗兒，罩上披肩下樓來。這兩名士兵的到來應該和帕札爾的任務有關。她也顧不得自己的安全了，只要能打聽到一點可靠的消息都是好的。

他們三人以僵硬的步伐穿過了熟睡中的市區，往主要軍營走去。平安抵達之後，士兵將奈菲莉交給一名軍官，那個軍官一言不發，便帶著奈菲莉到了亞舍將軍的辦公室。

亞舍坐在草蓆上，身邊草紙散落一地。他繼續專注在工作上，頭也不抬便說：「奈菲莉，妳坐。」

「我還是站著就好了。」

「妳要喝點溫牛奶嗎？」

奈菲莉沒有回答，直接就問：「你為什麼在這麼奇怪的時間找我來？」

將軍突然用很兇的口氣問道：「你妳知道帕札爾離開的原因嗎？」

「他還來不及跟我說就走了。」

「他實在太固執了！他不願接受失敗的事實，所以想親自去找那具壓根不存在的屍體。他為什麼這麼恨我，非咬著我不放呢？」

「帕札爾是法官，他有責任尋找真相。」

「庭訊的時候已經揭露真相了，但是他不喜歡這個真相。他非要弄得我職位不保、身敗名裂才甘心。」

「將軍，我對你的心情沒有興趣。你沒有什麼其他的話說嗎？」

「有的，奈菲莉。」亞舍攤開了一張紙，說：「這份文件門殿長老已經蓋章；內容已經確實。我收到還不到一個小時。」

「裡面……裡面寫了什麼？」奈菲莉顫抖著聲音問道。

「帕札爾已經死了。」

奈菲莉閉上了眼睛。她真希望像凋謝的蓮花一樣消逝，真希望立刻被風吹得無影無蹤。

「是意外，發生在一條山徑上。」將軍解釋道：「帕札爾對地形不熟；他還是和平常一樣莽撞，但是這次冒的險實在太大了。」

奈菲莉感覺到自己所發出的一字一句，都像火一樣灼燒著喉嚨，但是她還是得問：「什麼時候可以把屍體送回來？」

「我們還繼續在找，不過希望很渺茫；那一帶水流湍急，峽谷地形又十分險要，無法進入搜尋。我很替妳難過，奈菲莉；帕札爾是個很優秀的人。」

* * *

「世上已經沒有公理了。」凱姆邊說邊繳出武器。

「你再見到過蘇提嗎？」奈菲莉擔心地問道。

「他就算把腳走斷了，也要找到帕札爾才會回來。他相信他的好友並沒有死。」

「但是假如……」凱姆搖搖頭。

「我會繼續他未完的調查工作。」她很堅定地說。

「沒有用的。」

「不應該讓邪惡勝利。」

「但通常勝利的都是邪惡的一方。」

「不，凱姆；若真是如此，埃及就不會存在了。這個國家建立在司法正義的基礎上，這也是帕札爾想要繼續發揚光大的。我們沒有權利向謊言屈服。」

看奈菲莉說得正義凜然，凱姆不禁打心裡佩服。「我會支持妳的，奈菲莉。」

* * *

奈菲莉坐在運河邊，那是她和帕札爾第一次見面的地方。

冬天的腳步近了；強勁的風，吹得奈菲莉頸間的綠松石項鍊左右搖晃著。為什麼那寶貴的護身符沒有發揮作用保護他呢?奈菲莉遲疑了一下，開始用大拇指和食指撫摩起這顆寶石，心裡則想著綠松石之母、愛的女神哈朵爾。

星星開始出現了，彷彿從另一世迸跳出來似的；她有種強烈的感覺，覺得心愛的人就在身邊，死亡的界線好像倏然模糊了。

有一個奇怪的念頭讓她重新有了希望：遭殺害的老師布拉尼的靈魂，也許會守護著他的學生呢！

是的，帕札爾會回來。

是的，這名埃及的法官一定會掃除黑暗，讓光明再度降臨。

〈後記〉

重現嘆為觀止的埃及時空

「埃及金字塔不是一天造成的」，克里斯提昂・賈克（Christian Jacq）對埃及的熱衷，可以說是來自他祖母的影響，十三歲生日時，收到一份禮物，就是三冊古埃及故事集；十七歲時，首度前往埃及，便深深愛上這個國度，視它為自己的第二故鄉，他和妻子也是在埃及一見鍾情閃電結婚的。當時開羅污染尚不嚴重，觀光客也不多，他們曾參觀了許多如今已禁止入內的建築物，如吉薩金字塔、國王山谷中的眾多墓穴等等。為了更深入認識埃及，作者開始從事埃及學術的研究，於是先從學習象形文字著手，據說現今全世界能解讀象形文字的學者也不過一千人左右而已，他的努力自然讓他獲得了巴黎索朋大學的博士學位。賈克甚至在法國南部成立了一個出版社，主要是出版法老學會成員翻讀的有關法老時期的文章。

賈克本來就愛寫作，從十三歲到十七歲之間，就曾完成了八部小說，多首詩作，還替一位學音樂的朋友寫了一齣歌劇，四十歲那年，他發表了第一部有關埃及的小說，結果部部暢銷，下筆如有神助的他，寫書速度可媲美大小仲馬，作者每天工作十多個小時，不到十年的時間，已完成四十冊書，終究因過於忙碌，只得放棄教職，專心投身於文字工作。

一九九三年，賈克出版了以法官（正義化身）為主角的《埃及三部曲》，《謀殺金字塔》（La Pyramide Assassinée）即為其中一部，故事是敘述拉美西斯三世時，五個皇室中人，欲密謀金字塔內的寶藏，準備殺死法老；小法官帕札爾榮升首都底比斯法官，他一絲不苟，認真辦案，對當時的金錢政治展開攻擊，在眾多案件中，他發現守衛金字塔的侍衛無端遭調職甚至失蹤，他一路追查，但每當找到相關證人時，這個人不久便離奇死亡。就在快要真相大白之際，法官也突然被告知死亡，他的妻子不信，決定求助於帕札爾。

此書大受歡迎的原因，主要是來自放埃及這三千五百年文明古國本身的魅力，它是個神祕的國度，其歷史及藝術方面的成就，對西方文化產生的重大影響，不亞於希臘、羅馬和耶路撒冷。而作者以深入淺出的方式，帶領讀者揭開埃及神祕的面紗，悠遊於古文明的日常生活、階級制度、人文風俗、政治與宗教問題之間。他如數家珍，娓娓道來，令讀者欲罷不能、愛不釋手。如果將這本近二十萬字的書放在床頭，很可能是部讓讀者「失眠」的枕邊書吧！

此書好比金庸的武俠小說，人物神靈活現地陸續登場，一個比一個厲害，其中驚險情節不斷、高潮迭起，文字清晰易懂，但內容毫不膚淺，其中的註解，更是難能可貴，很能表現出埃及文化的精髓。它又有如亞森羅蘋的偵探小說，法官以抽絲剝繭的方式，找出重重疑點，由於涉及甚廣，線索複雜，作者若不是擁有神探般的縝密思維，對埃及文化知識如此豐富，就不可能有如此精湛的作品產生。

本書除了理性的一面，其中還穿插了感性的一面，譬如友情和愛情，不過賈克的描述方式是採傳統的二元對立法，帕札爾與蘇提是從小一塊兒長大的好朋友，個性上卻截然不同，一個拘謹、嚴肅，凡事講求正義，另一個是風流倜儻、聰明勇猛，然而兩人的愛情觀迥異，前者感情專注，一心只愛才貌雙全、個性堅忍的奈菲莉；後者則是閱歷女人無數，喜歡沉溺於性愛遊戲中。生死問題的哲學探討亦不斷，無論是年長的老醫生布拉尼，或是年輕的法官帕札爾、英勇的蘇提，對這個嚴肅的事情，都闡述了個人的默契。小說中人物和大自然的關係，實密不可分，帕札爾與狗（勇士）、驢子（北風）之間的默契，警察凱姆以及殺手狒狒形影不離，奈菲莉和她小綠猴的感情，不禁令人覺得這些動物似乎比人類更可愛，更值得信賴。

古埃及國度裡的某些禁忌、詛咒、褻瀆、規範，藉由作者流暢的筆觸，如尼羅河潺潺流水般，悅耳地細訴著古老的神話和傳說，它們佈滿了神祕浪漫的色彩，愛好旅行文學和異國情調的讀者，更是不容錯過其中精湛的片段，如各種食物的烹調，傳統藥草的配製，罕無人跡的荒漠等等。本書一開始，就以一個不詳的傳說為伏筆：「凡是企圖盜竊齊阿普斯墓穴的人，都會被幽靈斷頸。」金字塔的神祕使人又敬又畏，可見一斑。牧羊人貝比，則扮演先知的角色，指點帕札爾的未來：「你會離開，因為白鹮鳥總是飛向遙遠的天邊，而牠又選定了你。」在此，我們不難發覺宿命論的觀點，似乎冥冥之中有股力量，許多事情都已注定，姑且不論是迷信也好，至少，這已經勾起了讀者對宇宙大地、前世今生的好奇心。

在英語系書籍充斥全球書籍排行榜的今日，克里斯提昂•賈克不僅揚名法國，並以五部拉美西斯二世的傳奇系列打進世界暢銷書之林，其中包括德國與義大利，在義大利前兩部的銷售量已突破一百萬冊，此外，荷蘭、丹麥、芬蘭及英國亦陸續跟進，就連在南韓，也已售出數十萬冊賈克的著作。他的成功，絕非偶然，乃是點滴人生經驗的揣摩與累積。

雖然有人批評他人物內心的刻劃不深刻，色情景緻一無可取，有時甚至將不同年代的人物湊在一起，但賈克寫的是野史，引人著迷的是情節緊湊，歷險經過的險象環生，我們只能說，他的作品並非精雕細琢型的，他刻劃人物特質時，筆法比較粗獷、忠奸分明，且頗突顯國族主義的觀念，性愛的描述也只是插曲，並不煽情，也不細膩。可是這些都無法磨滅書中對文化、藝術的用心著墨。本書人物甚多，閱讀時最好將人物名字和主角的關係搞清楚，其中場景的切換方式，頗適合拍成電影，它很能將作者所要表達的多元意象影音化、魔術般地引人入勝，締造票房佳績；據說已有製作人躍躍欲試了。

神祕的暗影吞噬者、主角帕札爾的失蹤，答案就在下一集，頗富章回小說的味道，是部知性兼具感性的通俗好書。

阮若缺
法國巴黎第三大學戲劇博士
現任國立政治大學外文中心教授

克里斯提昂・賈克系列作品

埃及三部曲系列（全新封面，改版上市！）

紀錄：法國暢銷一百五十萬冊，並長踞法國文學類暢銷書排行榜！

簡介：

一樁凶殘的暗殺事件，為何牽繫埃及王朝的覆國命運？一段真摯的愛情和友情，如何解救身陷危機的正義之使？作者穿梭埃及現場，試圖剖開這些迷團……

沒有月亮的夜晚，酷寒籠罩著撒哈拉沙漠，五個黑影沿著吉薩高地而行。衛兵長站在石像兩爪間，突然一個裸身的女子出現在他眼前。一綑繩索已悄悄地從背後纏上衛兵長的脖子……

剛調到孟斐斯的法官帕札爾，就在一份待簽的文件中，他發現了某個不可告人的玄機，隨著帕札爾偵察的腳步，案件關係人一個個被殺。這究竟只是一件單純的意外，還是一樁陰謀的殺人事件呢？

一部文壇的代表佳作，縝密的懸疑情節，緊扣每位讀者心弦，如同身歷其境，感受到埃及人追求正義與真情的偉大情操，及古代社會文化的真實面貌，一股引爆全球的埃及熱潮；橫跨歐亞，風靡各國，實為近年僅見的閱讀奇觀。

克里斯提昂・賈克系列作品

光之石四部曲系列（全新封面，改版上市！）

簡介：

故事就發生在法老王拉美西斯統治的最後幾年，一個底比斯的野心官員莫希因發現三十個真理聖地的工匠從事某項不朽的驚人祕密，而不禁深深覬覦著……只見他稍稍潛行至陡峭的山上窺視著整座禁城，赫然發現法老王陵寢前散發出奇異光芒的神秘之石。感惑於這些光石，他當下決定不惜任何代價都要據為己有，進而借其神奇的力量統治整個大埃及。

在努比亞人索比克和其部隊的保護下，城內有一群男女默默將他們的終生獻給法老王而盡心工作和生活著。其中，有一位長老的兒子——沉默的尼菲因未曾聽過眾神的旨諭而決定出遊世界尋找天啟。在探詢的途中遇見勇敢且具魅力的年輕女子卡萊兒，並為其陷入瘋狂的戀情中。之後一個農家子弟阿當因緣際會救了他一命，對方並跟尼菲表示其一生的願望就是去真理聖地一探究竟。於是兩人合作拆穿莫希同夥背後為了奪取光之石的龐大陰謀，只是這群年輕人最後究竟能不能及時突破萬難而將身處危險中的法老王搶救出來？

賈克此次要告訴讀者的輝煌故事，再次充了曲折離奇、錯綜複雜、引人入勝的冒險歷程，書中有關法老王的命運、佞臣的陰謀、工匠的智慧、人性的熱情無數繽紛情節，無不近乎藝術化地被深刻描述著，只見一幅幅古埃及風貌彷若眼前重現，既熟悉又神秘，同時佈滿未知的懸疑力量，賈克以其炫人耳目、筆力萬鈞的手筆，將整個埃及時空的浩瀚場景，又一次從大想像中被釋放出來……。

莫札特四部曲內容簡介：

故事開始在孩子七歲的時候。當時他早已走遍布拉格、維也納、法蘭克福等地巡迴表演了……他有個祕密的慰藉，就是他心中有個幻想的國度——陸肯納；在那裡，他就是君王。

那是一個畫在一張卡片上的漂亮國度，這張卡片莫札特永遠隨身攜帶。但是一七六三年的八月二十五日，當他與父母正要上車時，他忽然發現卡片不見了！他到處都找不到……這時突然有個男人走過來，手裡正拿著這張珍貴的卡片。孩子問他：「這張卡片你在哪找到的？」「就在那兒。」男人回答，指著地上，靠近馬的地方。

這個孩子名叫沃夫岡・阿瑪迪斯・莫札特。小小年紀的他，已經會彈姐姐的羽管鍵琴了，他說他是在「找尋彼此相愛的音符」。幫他剪起卡片的不是別人，正是底比斯伯爵塔摩斯，來自上埃及。他此行的目的是為了尋找「大魔法師」——一個剛在西方出生的嬰孩將拯救全人類免於毀滅。

自此之後，塔摩斯和莫札特便再也沒有分開過。從維也納到布拉格，從米蘭到巴黎，經歷歡樂、痛苦、拒絕、背叛，莫札特的創作從未停息。面對挫敗、妒忌、教會與當權者的壓迫，還有一心只想毀滅他的喬瑟夫・安東，多虧有塔摩斯一直陪伴著莫札特度過這一切。塔摩斯一直是莫札特的保護者兼引導者，讓他得以有力量創作出《女人皆如此》、《費加洛婚禮》與《魔笛》等作品；這些偉大的歌劇作品照亮並開啟了西方社會的未來。